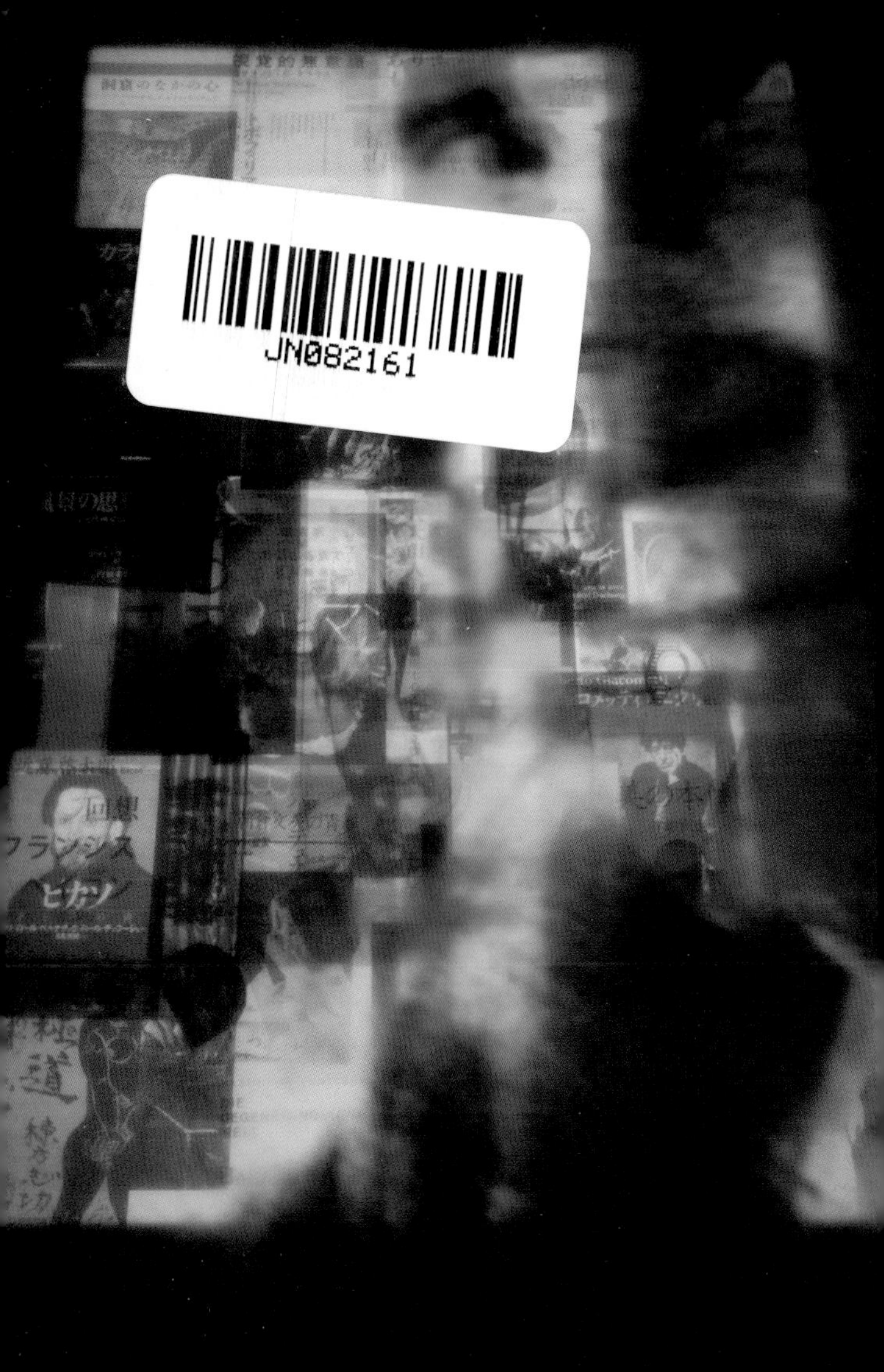
フランシス

描《えが》く彫《ほ》る象《かたど》る擬《もど》く秋落暉《あきらつき》

玄月

edit gallery

撮影　熊谷聖司

千夜千冊エディション

全然アート

松岡正剛

角川文庫
22899

千夜千冊
EDITION

全然アート

松岡正剛

美

前口上

フェルメールと八大山人《はちだいさんじん》を、洞窟画とコーネルの箱を、
ダダと棟方志功《むなかたしこう》とジャコメッティを、対角線に語って全然かまわない。
ベルニーニと朝倉文夫にまたがる感応のトルソー、
エゴン・シーレとフランシス・ベイコンと森村泰昌の肖像アート。
自然─沛然《はいぜん》、毅然《きぜん》─婉然《えんぜん》、俄然《がぜん》─当然、断然─漫然、超然にして騒然。
美術はずっと前から全然アートだったのである。

目次

第一章　ルーツを覗く

第二章　北斎・ピカソ・ジャコメッティ

第三章　アートワールド

第四章　静かに、過激に

第一章　ルーツを覗く

デヴィッド・ルイス＝ウィリアムズ『洞窟のなかの心』

イーフー・トゥアン（段義孚）『トポフィリア』

矢代幸雄『水墨画』

レオナルド・ダ・ヴィンチ『レオナルド・ダ・ヴィンチの手記』

ヴィクトル・I・ストイキツァ『絵画の自意識』

宮下規久朗『カラヴァッジョ』

石鍋真澄『ベルニーニ』

アンソニー・ベイリー『フェルメール』

ジャック・リンゼー『ターナー』

ジョン・ラスキン『近代画家論』

後期旧石器時代の洞窟にアートを生みだしたのは、アルタード・ステート（変性意識状態）のはたらきだった。

デヴィッド・ルイス＝ウィリアムズ

洞窟のなかの心

港千尋訳　講談社　二〇一二

David Lewis-Williams: The Mind in the Cave 2002

三万年前らしい。急激な進化をおこしつつあった人類の何らかのめざましい質的変容によって、あるとき驚くべき洞窟絵画（cave painting）が誕生した。ショーヴェ、ラスコー、アルタミラなどの一連の洞窟画だ。なぜ三万年前にそんな描出の才能があらわれたのか。これはアートの起源なのか。

狩猟すべき動物たちを描いたこと、輪郭線を重視したこと、オーカー（酸化鉄）によって「赤」を使用したこと、すべては洞窟の中での表現であったこと、五本指でペインティングしたことなどに、謎と解明の糸口がある。ただしこれらについては多くの仮説が提供されてきたが、なかなか決定打がないままだった。

本書は洞窟絵画が生まれた事情と背景を追い、後期旧石器時代に「アート」が出現した理由を問うた。一言でいえば人類にアルタード・ステート（変性意識状態）が生じたことを仮説したのだ。人類の意識（脳）に変化がおこったというのである。今日考えうるかぎりの最古のアート起源論だった。

著者のデヴィッド・ルイス＝ウィリアムズは南アフリカのウィトワーテルスランド大学で長くロックアート研究所を展開してきた考古学者で、カラハリ砂漠のサン族（＝いわゆるブッシュマン）研究の第一人者である。サン族はいまなお岩絵による絵画表現もユニークだが、独特のクリック音（チッ・チッという舌打ち音）まじりで発音する特異な発話言語文化でも知られる。

この一冊がアンドレ・ルロワ＝グーランの『先史時代の宗教と芸術』（日本エディタースクール出版部）や『身ぶりと言葉』（新潮社・ちくま学芸文庫）、スティーヴン・ミズンの『氷河期以後』（青土社）や『心の先史時代』（青土社）や『歌うネアンデルタール』（早川書房）につらなる重要な本であることはすぐにわかった。人類の文化的創発を語りたいなら、この三人の本は欠かせない。

これらの本は、「描出の才能」が生まれるには洞窟のような溶闇的フォーマットが必要だったろうこと、シャーマニズムもアニミズムもフェティシズム（物神信仰）もすでに旧石器時代からのものであったこと、それゆえ「芸術の芽生え」は先史時代から始まっていたということを表明していた。

洞窟のような「暗がりフォーマット」が何らかの描出力にとって重要であったことについては、その後の劇場文化、写真の登場、映画の発達、ミュージアムの隆盛にもつながっている。暗い洞窟には何かが蟠《わだかま》っていたのである。

本書を訳した港千尋にも『洞窟へ：心とイメージのアルケオロジー』（せりか書房）がある。洞窟の中のネガティブ・ハンドについて、テオリアによってイメージの起源を辿る方法について、パースの「アブダクション」とゴンブリッチの「プロジェクション」がもたらした見方について、ホフマイヤーの生命記号論について、それぞれ示唆的なことを書いていた。

港は写真家としても美術批評家としてもユニークな仕事をしている。群衆論、風景論、映像文明論など、いずれも深い。本書の日本語訳に最もふさわしい。

本書の舞台は後期旧石器時代である。この時代については多くの研究と仮説が本になっている。とくにDNAによる追跡調査が進んでからはめざましいほどこの時代に注目が集まっているのだが、どれを読んでも人類の才能の出現についての決定打がないため、おそらく目移りがするのではないかと思う。

まずはリチャード・リーキーとその一族による何冊かの本、アリス・ロバーツの『人類の進化 大図鑑』(河出書房新社)と『人類20万年 遙かなる旅路』(文藝春秋)、テルモ・ピエバニとバレリー・ゼトゥンの『人類史マップ』(日経ナショナルジオグラフィック社)、デイヴィッド・ライク『交雑する人類』(NHK出版)などを読んでみるのをお薦めする。

五万年前の出来事にしぼるなら、たとえばイアン・モリス『人類5万年 文明の興亡』(筑摩書房)、リチャード・クラインとブレイク・エドガーの『5万年前に人類に何が起きたか?』(新書館)や、ニコラス・ウェイドの『5万年前』(イースト・プレス)などが、わかりやすい。

どうしても見ておくべきなのは洞窟画の写真集あるいはビデオだ。アントニオ・ベルトラン監修、ペドロ・ラモス撮影の『アルタミラ洞窟壁画』(岩波書店)、各地の洞窟画を撮った石川直樹の『NEW DIMENSION』(赤々舎)が必見だ。人類に対しても美術に対しても、虚心坦懐《たんかい》になれる。布施英利の『洞窟壁画を旅して』(論創社)と五十嵐ジャンヌの『なんで洞窟に壁画を描いたの?』(新泉社)も、子供とともに洞窟画を見ているドキュメントとして得がたい。

ルロワ゠グーラン、ミズン、ルイス゠ウィリアムズの三人の本がすばらしいのは、先史学の泰斗アンリ・ブルイユ神父の魂を受け継いでいると感じられることにあらわれている。

本書五五ページに、テュック・ドードゥベールの洞窟入口でブルイユ神父を囲むアンリ・ベグーエン伯爵の三人の息子（考古学者）たちの一九一二年のモノクロ記念写真が掲載されているのだが、右端にカルタイヤックが写っていた。勇気のある考古学者だ。いい顔をしている。この一枚の写真からは、先史人類がのこした痕跡から人類史のミッシング・リンクを読み出そうとしている洞窟派たちの「信念の連鎖」が切々と伝わってきて、胸にこみあげてくるものがある。

後期旧石器時代の人類には芸術的な創造心などなかったろうという通念をみずから反省したのは、アルタミラの洞窟画を調べたエミール・カルタイヤックの『懐疑論者の懺《ざん》悔《げ》』（一九〇二）だった。学者が反省を公表するのは勇気のいることだろうが、こういう懺悔をやってのけたのは先史文化研究にとって大きい。

ついで一九〇六年、アンリ・ブルイユが『アルタミラの洞窟』を書き（その後も『フォン・ド・ゴームの洞窟』『洞窟美術の四万年』などを書いた）、その洞察と啓示と示唆にもとづいて、アネット・ラマン＝アンペレールがラスコーについての『旧石器時代の洞窟芸術の意味』を、ルロワ＝グーランが例の一連の著作をまとめると、いよいよ洞窟絵画の特徴が列挙され、本格的な先史文化の創発プロセスにさまざまな仮説と解析と疑問が投げ入れられていった。ブルイユはパリの化石人類学研究所やコレージュ・ド・フランスの教授を長く務めて、先史学の父となった。これまたいい顔の父だ。みんなが慕った。

旧石器時代の文化はたちまち脚光を浴びた。仮説は多すぎるほどだった。絶滅したネアンデルタール人が描写技能をもっていたのが飛び火したのではないか。洞窟はシャーマンの巣窟で、集団シャーマニズムのあらわれが動物画になったのではないか。いや、人類がやっと児童期に達して今日の児童画にも見られるような絵が描きのこされたのではないか。いやいやビンゲンのヒルデガルト（中世の幻視者）のようなヴィジョンが見えたのだろう……云々。

いろいろ洞窟絵画の描写のしくみが検討された。ルロワ＝グーランは描線の分析を通して、単純な線がしだいに複雑な描線に成長していったとみなし、洞窟画が突発的な才能によるものではないと言い、そこには描線のパッケージやセットがあることを説明した。ランダル・ホワイトは描きっぷりの複数性から見て「工房」のようなものが作動していた可能性を、マックス・ラファエルはこの時代には社会的な対立も生まれていて、それが新たな「心性のテンプレート」の分岐を促した可能性を説いた。

ミズンの『心の先史時代』は古代の人々にひそむ「隠れた知性」を社会知性・技術知性・博物知性・言語知性に分け、それらが何度かの「学習の転移」（記憶の学習をトポスを変えることで刻印させるという方法）によって心的モジュールが結像し、それが動物描写の表現を可能にしていったと推理した。本書はこれらをもとに入念に組み立てられている。新たな洞窟画が発見されたことについての観察も加わっていた。ショーヴェ洞窟画群だ。

一九九四年十二月、三人の洞窟学者が驚くべき発見をした。発見者の一人のジャン＝マリー・ショーヴェの名をとって「ショーヴェ洞窟画」とか、地名をとって「ポン・ダルクの洞窟画」と呼ばれている。フランス・アルデッシュの峨々《がが》たる山中にひそんでいた洞窟画群だ。

三万二〇〇〇年前と認定された洞窟画には二六〇点の動物たちが、スタンピング（スタンプ捺し技法）、オラルスプレー（吹き墨画法）などの手法を駆使して描かれていた。ラスコーの壁画が約一万五〇〇〇年前で、アルタミラがそのあとの形成だったろうから、そうとうに古い。絶滅していなくなった野生の牛や馬なども描かれている。フクロウやハイエナがいるのもめずらしい。

それよりなにより「旧石器のミケランジェロ」とでも言いたくなるような、巧みで大胆な「描き手」がいたのではないかと思わせる出来である。それほどこの洞窟画の絵は、いい、アートしていた。

観光嫌いのぼくもできれば飛んで見にいきたかったのだが、しばらくしてヴェルナー・ヘルツォークが3D撮影してこの洞窟を映像作品《忘れられた夢の記憶》に仕上げたと聞いて、六本木ヒルズのTOHOシネマに駆けつけた。驚嘆した。

ヘルツォークは《アギーレ／神の怒り》や《カスパー・ハウザーの謎》の監督だ。バイエルンの田舎で育ってミュンヘン大学で歴史とドイツ文学を習得した後、映画に向かった。十代の親友だった怪優クラウス・キンスキーをずっと主演につかっている（ナスターシャ・キンスキーの父）。一九八四年にはアボリジニを追った《緑のアリが夢見るところ》に挑んだ。二〇〇五年にグリズリー（北米のハイイログマ）の保護活動に命をかける男のドキュメンタリー《グリズリーマン》で映画賞をさらった。いずれも執念が撮らせた傑作だ。ショーヴェ洞窟を撮るのに、これほどふさわしい監督はいない。まるで洞窟ミュージアムの中のアーティストの作品を撮っているようだった。

旧石器後期の人類にかなり複雑な心性と表現意欲があったことが伝わってきた。おそらく洞窟にはわれわれの想像をこえる何かの力をもたらす空間力あるいは時空力があったのだろうこと（つまり何かの創発的表象力を促す暗闇のフォーマット性）、今日にいたるすべてのアートの起源と可能性のしくみがここに開示されているだろうことも訴えてくる。

いろいろ疑問も涌《わ》いてくる。この描き手はどういう役割をもった人物たちだったのか。男なのか女なのか、特別な職能なのか。これほどの洞窟アートが誕生していながら、その表現力は、どうしてその後の新石器文化に広く継承されなかったのか（あるいは跛行《はこう》的にしか理解されなかったのか）。その後の美術史ではルネサンスや印象派やキュビズムのように時代ごとに描法が変わってきたけれど、ひょっとするとこれは何かの流行だったのか。なかなか、悩ましい難問だ。

ぼくはヘルツォークの映像とヘルツォーク自身の渋いナレーションを聞きながら、このへんのことがわからなければ編集工学はないなとも思った。かくて、ミズンからルイス＝ウィリアムズへという解読に向かうようになったのである。

ルロワ＝グーランやミズンやその他の先史学者とちがって、本書のルイス＝ウィリアムズは積極的に進化心理学や神経心理学の成果を援用した。

ミズンもニコラス・ハンフリー（一五九五夜『ソウルダスト』の著者）の「内省的意識」などの推理を採りこんでいたが、ルイス＝ウィリアムズはもっとぐっと踏み込んで、ジュリアン・ジェインズ（一二九〇夜『神々の沈黙』）の「バイキャメラル・マインド」（二分心）仮説、コリン・マーティンデイルの空想をめぐる認知心理学、チャールズ・ローリンの「断片化された意識」がもたらす心的映像効果についての仮説などを参考に、人類のアルタード・ステート（変性意識状態）を想定し、そこに内在光学現象が生じていただろう可能性に言及した。

チャールズ・タートによって広く知られるようになったアルタード・ステート（altered state of consciousness: ASC）については、まだ十分な議論が出尽くしていないのだが、トランス状態に入らないままに、あるいは薬物の活用に依存しないままに、日常意識から連続的に変性意識に移っていくことがありうるとされている意識状態のことだ。

ジョン・C・リリー（二〇七夜『意識の中心』→千夜千冊エディション『情報生命』所収）がアイソレーション・タンクの実験などを通してその可能性を提言した。ユングが提唱した「トランスパーソナル」の概念をマズローらとともに発展させたスタニスラフ・グロフもこのことに取り組んだ。グロフはＬＳＤを使用した脳科学の臨床を通して、アルタード・ステートの変化を記録しようとした。

ルイス＝ウィリアムズは、このようなアルタード・ステートが、後期旧石器人類のグループが洞窟に入っているうちにおこったとみなし、このとき人類の意識のスペクトルに内在光（entoptic）があらわれたのだろうと仮説した。本書は第五章でサン族（カラハリ地帯のブッシュマン）の岩絵を、第六章で北アメリカのロックアートの実例をとりあげ、かれらの絵画表現の詳細なドキュメントの分析からアルタード・ステートの顕在化がおこりえたことを傍証している。

はたして本書の「読み」が当たっているのかどうか、そこは正直まだわからないが、その仮説は洞窟の中に「覚醒したシャーマン」のような連中がいただろうことを暗示する。かれらがその後のアーティストの起源であったろうというのだ。

そうだとしたら、人類がこのあとクロマニヨン人をへてホモ・サピエンスに向かっていったとき、アルタード・ステートの体験とその表象化こそが、サピエンスの脳に超越意識と尋常状態意識とのあいだの、つまりは「神と人とのあいだ」の、わかりやすくいえば「世界と人間とのあいだ」の、たいへん根本的な認知モデルを提供していただろうということになるのだが、さあ、どうか。

著者はこの一連のことが実際におこっていたことであったとしたら、そこには人類における「自閉的な意識」の誕生も促されていたはずで、このことがのちのホモ・サピエンスにおける自意識の閉塞感をもたらしたのではないかとも付言した。この見方はけっこう当たっているだろうと思えた。

かくて本書は第八章「心のなかの洞窟」で、洞窟の中に変性意識をトリガーとした「心性」が形成されることによって、人類は「洞窟の中の人類」であっただけではなく、「人類の中の洞窟」の役割を発見したことになると説いた。それとともに、心の中に洞窟めいたものをつくりおきしたのではないかと示唆して、プラトンの『国家』における「洞窟の比喩」を持ち出すのである。洞窟に生じた人類の新たな心性は、人類の心性の中に洞窟的なるものを生じさせたというのだ。

こんなふうに書いている。少し要約しておいた。……後期旧石器時代の洞窟では、地下の通路と部屋は地下世界の「内臓」なのである。その中に入ることは地下世界へと物理的かつ心理的に入ることだった。ここに、この体験は「霊的体験」にも変容される可能性をもった。いや、そもそも洞窟に入ることが霊的世界の一部になることだったのである。装飾的なイメージングはこの未知なるものへの道標であったろう。

また、こうも書いている。……意識変容状態は、たんに階層化された宇宙の観念を生み出すだけではない。それはこの宇宙のさまざまな区域へのアクセスを可能にし、それによってこうした区分の妥当性を追認することだったのである。

第一七六九夜　二〇二一年四月二三日

参照千夜

三八一夜：アンドレ・ルロワ＝グーラン『身ぶりと言葉』　一六七二夜：スティーヴン・ミズン『心の先史時代』　一一八二夜：『パース著作集』　一五六六夜：米盛裕二『アブダクション』　一六一六夜：ジェスパー・ホフマイヤー『生命記号論』　六二二夜：リチャード・リーキー『ヒトはいつから人間になったか』　一五九五夜：ニコラス・ハンフリー『ソウルダスト』　一二九〇夜：ジュリアン・ジェインズ『神々の沈黙』　二〇七夜：ジョン・C・リリー『意識の中心』　八三〇夜：ユング『心理学と錬金術』　七九九夜：プラトン『国家』

そこがどんな場所《トポス》かということが、
そこにどんな芸術《アート》が生まれるかということなのだ。

イーフー・トゥアン（段義孚）

トポフィリア

人間と環境

小野有五・阿部一訳　せりか書房　一九九二　ちくま学芸文庫　二〇〇八

Yi-Fu Tuan: Topophilia—A Study of Environmental Perception, Attitudes, and Values 1974

ミルチャ・エリアーデが、或る場所には「まったく異なった秩序に属する何か、われわれの世界には属さない何ものかの顕現がある」ということを宣言した。エピファニー（顕現）をおこすもの、それは場所がもっている何かによると説明した。

こうしてベルクソンを筆頭に、さまざまな場所についての蘊蓄《うんちく》や憧憬《しょうけい》を語る者があらわれた。しかし、そうした言述の多くは「場と心の関係」を解読しきれなかった。たとえばガブリエル・マルセルは「人間を場所から切り離して理解することはできない。人間は場所なのである」と言った。その通りだ。その通りだが、それなら動物のすべてにとっても、さらには植物のすべてにとっても、そして微生物のすべてにとっても、場所と存在とを切り離すことはできない。もとより場所は存在そのものなのだ。いや微生物ともなると極小の場所ごと移動可能にすらなっている。

ルネ・デュボスは「私は場所の正確な外見よりもその雰囲気のほうをおぼえている」と言う。おそらく誰もがそうであろう。われわれの知覚にはタテ・ヨコ・ナナメ・奥行では計測できない雰囲気についての知覚装置があるようなのだ。この「記憶に残りうる雰囲気」とはいったい何なのか。なぜわれわれは場所の雰囲気をおぼえられるのか、そこは突きとめられてはいない。

一方、ハイデガーはわれわれには場所に対する「慎み」がおこるのではないかと推測していた。「場所は人間の自由と実在性の奥深さを解くもので、それによって人間を位置づけている」としたのだが、これでは気分は香《かぐわ》しいけれど、納得できるほどの説ではない。イマイチである。

そんななか、「空間の概念以前に、心理的により単純な場所の概念がある」と言ってのけたのは、意外なことにアインシュタインだった。ぼくはこの見方が一番当たっていると思ってきた。われわれは空間（space）よりも場所（place）に親和性をもってきたのだ。

場所にはその場所になるべき何かが備わっている。その場所からはきっと何かが醸成されているか、何かが放埒《ほうらつ》されている。その何かによって、そこは特別な場所になる。この「何か」はいまいましいことに、なかなかはっきりしないけれど、その場所に自分が愛着をもてたかどうかは、すぐわかる。誰もが「好きな場所」や「ヤバイ場所」ならいろいろ思い当たるのだ。

数人で旅館の一部屋に泊まると、着いた当初にその部屋でのそれぞれの居場所が決まる。みんなで写生に行くと、イーゼルを立てたりスケッチブックを開いたりする位置が、三々五々に決まっていく。場所の好き嫌いは、なぜか即座に決まることが多い。小さなころ家族で観光地や神社仏閣に出掛けると、記念撮影をした。このとき父が「もうちょっと右や」とか「いや、あっちの方がええな」と言って、母やぼくや妹の立ち位置に口を出す。父がどんなつもりで立ち位置を決めているのかは見当がつかなかったけれど、他の家族の記念撮影も似たものだということに気がついた。家族ごとにあちこちの場所を選んでいる。メモリアルな記念写真には何かが関与しているだろうと思ったものだ。

場所に敏感なのは記念写真のときばかりではない。画家のフェルメールもダリも、北斎も広重も、プロの写真家のアンセル・アダムスも杉本博司も格別の場所を選んできた。それはアングル（angle：視角）やヴィスタ（vista：景観）やシーン（scene：場面）でもあったが、これらのもっと奥にあるトポス（topos）そのものの選択であった。

アートはトポスとの出会いで生まれるのである。すでにショーヴェやアルタミラの洞窟壁画がそのようにして生まれ、レオナルド・ダ・ヴィンチの空気遠近法がトポグラフィックに生まれ、水墨山水画がまさしくアングル、ヴィスタ、シーンの「三遠」の描出から生まれた。それだけではない。建築も写真も映画もテレビもそうやって生まれていったのだ。

ＮＨＫ日曜美術館での竹内栖鳳《せいほう》特集の案内役を頼まれたとき、栖鳳が一九〇〇年のパリ洋行で入手した絵葉書に影響を受け、そのころ活躍しはじめていた写真師たちとともに「日本画の構図」を決めていたことを話した。日本画家もまた「目の立ち位置」を写真師から借りていたのである。栖鳳がそんなことを始めたのではない。すでに山水画や花鳥風月画がそうだった。そこに写真術が割り込んだのだ。のちに『山水思想』（ちくま学芸文庫）にも書いたことである。

場所に対する格別な愛着感覚のことを、地理学者のイーフー・トゥアンは「トポフィリア」（topophilia）と名付けた。造語である。「場所愛」といった意味だけれど、そのままトポフィリアという言葉で使ったほうがいい。

トポス（場所・場所性・場所力）とフィリア（偏愛性・関与力）を重ね合わしたのは、まさに「場と心」をつなげるためにほしかった待望の概念重合だが、こういうことを試みたのはトゥアンが初めてではない。すでにガストン・バシュラールが先駆的な名著『空間の詩学』（一九五七）のなかで「トポフィリ」（場所への愛）という用語を使っていた。バシュラールは「地形分析（トポアナリーズ）にはトポフィリのしるしがある」と書いた。トゥアンはそれを援用したにちがいない。

なぜトポフィリアなのかといえば、トポスは世界のどこかに外在する場所のこと、フィリアはわれわれの気分や意識のどこかで内在する動向なのである。その外なるトポスが内なるフィリアに結びついた。このように場所と気分が結びついた状態がトポフィリアなのである。

ギリシア語のトポス（topos）は場所のことである。たんなる物理的なスペースや空き地のことをあらわしていなかった。トポスは何かが喚起される場所をさす。もっと大きな空間のことはコーラ（khora）と呼んでいた。コーラは構成要素をもつ空間で、トポスが場所だった。記憶に結びつくのはコーラにひそむトポスなのである。

そこで、プラトンやアリストテレスからセネカをへてクルティウスらのラテン文芸におよぶ修辞的詩学では、またライプニッツやヴィーコに達したアルス・コンビナトリアによる思考学的展望では、トポスは「いつでも使える何かが埋まっている可能的なプレイス」のことになっていった。思考やイメージや、場合によっては出来事やコミュニケーションがそこから発祥しうる知的共有地としてのプレイスなのである。だからそこはいわば〝場所庫〟なのだ。

アリストテレスからヴィーコにいたる思考方法の開拓者たちは、このようなトポスから何かを取り出せると考えた。何かとは「情報」あるいは「意味」だ。それらはトポスから出来《しゅつたい》した何かである。トポスに向かってその何かを動かす術《すべ》や方法のことを、修辞学的に「トピカ」(topica) というのだが、トピカは内在力が繰り出すもので、トポスはトピカが作動しなければ成立しない。トポスとトピカは相互共役的なのである。

こうしてトポスからトピカによって取り出されたものがトピック (topic) になった。トピカはトポスに潜在する未知な情報を何かと結び付けて外に取り出すアルス・コンビナトリアとしての結合術的な技法だったのである。アルス (ars)、すなわちアート (art) だったのである。トポスの鍵穴に差し込まれるのがトピカという鍵なのだ。

われわれが場所から感じるフィリアな何かとは、その雰囲気への愛着を含めての情報トピックであり、アルス (アート) だったのである。

イーフー・トゥアンは中国の天津《てんしん》の素封家《そほうか》の生まれで、欧米で思索を鍛えた地理学者である。オックスフォード大学をへて一九五七年にカリフォルニア大学バークレー校で地理学の博士号を取得した。トロント大学、ミネソタ大学、ウィスコンシン大学で教鞭《きょうべん》をとるうちに、人文主義地理学(humanistic geography)を提唱するようになった。それまでの人文地理学が社会文化の非対称性を軽視し、風景の損壊問題に目をつぶっているのに疑問をおぼえ、新たに「関係しあう人文地理」をおこしたくて提唱した。

本書はその人文主義地理学によるフィールドワークにもとづいた古今東西にわたるトポフィリア一覧ともいうべきもので、イヌイットからアボリジニの場所選定感まで、シュメール人と中国人、アングロサクソン人のトポフィリアの持ち方のちがい、ボストンからハーレムにおよぶ場所の特定意識の比較、ウェルギリウスからトルストイにいたる文芸者の場所描写の特色などを提供している。それなりに新たな視点の提供ではあったが、残念ながら充実しているという印象はなかった。

トゥアンは『トポフィリア』のあとにも『空間の経験』『個人空間の誕生』(ちくま学芸文庫)、『モラリティと想像力の文化史』(筑摩書房)、『恐怖の博物誌』(工作舎)を著した。空間と場所と身体とは分割しにくいものであること、それぞれに民族や個人や、風土や歴史による特別なアーティキュレーション(分節化)がおこっているだろうこと、つまりは経験的な意識はトポスの分節力によってできあがっているのではないかということなどを、縷々《るる》披露した。

その場所愛たるや、たいへん意欲的である。ただし、表題のわりにはそれぞれが学術報告めいていて、フィリアの度合いがいっこうに濃くはない。そこには失望した。ぼくの感覚ではトポフィリアは「懐かしさ」や「執着」や「フェチ」すら伴うものなのだ。しかもその「懐かしさ」は一瞬にして感知できるはずのものなのだ。

トゥアンのトポフィリア論を補うものをあげておく。エドワード・レルフの『場所の現象学』（筑摩書房→ちくま学芸文庫）、中村雄二郎の『場所―トポス』（弘文堂）、「現代哲学の冒険」第七巻の共著『場所』（岩波書店）、それにオギュスタン・ベルクの一連の著作があった。かんたんに案内しておきたい。

レルフのものは人文主義地理学にさらに現象学の分析力を加えたもので、アレクサンダー・フンボルトの観相学（フィジオノミー）を原点に、かなり幅広い場所をめぐる議論を展開した。エリアーデ、ハイデガー、カッシーラー、ノルベルグ＝シュルツ、シモーヌ・ヴェイユ、フランク・ロイド・ライト、レヴィ＝ストロース、クリストファー・アレグザンダーなどをふんだんに引用して、場所と景観がもたらす意図と意味の解読に挑んだ。

中村雄二郎のものは、トポスとトピカの相互性に始まって、哲学や物理学や都市論の提示した「場所」や「場」を解説しながら、西田幾多郎《きたろう》の「述語的世界としての場所」を論じた。デリダやイリガライのコーラ議論への言及もある。いささか生煮えではあるが、冒険に富んでいた。ぼくはこの本が発刊されたあと、何度も中村さんとトポスをめぐって話し込んだものだった。

岩波の『場所』は管《すが》啓次郎、赤坂憲雄《のりお》、高山宏、村田純一、今福龍太、雨宮民雄らの共著によるもので、この顔ぶれでわかるように、多分に文芸的、クレオール的、自己組織的な場所議論になっている。かれらはいずれも本人自身がトポフィリア化している連中で、そのぶん文章のほうは好きな話題へ遊弋《ゆうよく》していた。オギュスタン・ベルクは、和辻哲郎《わつじてつろう》を読みこんで、風土を“milieu”と捉え、そこに通態性(trajectivité)が出入りすると見た。『風土の日本』(ちくま学芸文庫)、『風土学序説』(筑摩書房)などがある。

このほかエドワード・ケーシーの大著『場所の運命』(新曜社)、デイヴィド・カンターの『場所の心理学』(彰国社)、記憶の中に埋めこまれた風景を語り尽くしたサイモン・シャーマの『風景と記憶』(河出書房新社)などがあるが、必ずしもトポフィリアの渇望を癒してくれるものではない。田中泯《みん》が場所で踊っているのではなく、場所を踊っているように、ぼくはもっともっとアルス・コンビナトリアなトポスやフェチなトポフィリアに耽《ふけ》りたいのである。

第一六九四夜　二〇一九年一月十一日

参照千夜

一〇〇二夜：ミルチャ・エリアーデ『聖なる空間と時間』一二一二夜：ベルクソン『時間と自由』一〇夜：ルネ・デュボス『内なる神』九一六夜：ハイデガー『存在と時間』五七〇夜：アインシュタイン『わが相対性理論』一〇九四夜：アンソニー・ベイリー『フェルメール』一二一夜：アマンダ・リア『サルバドール・ダリが愛した二人の女』一七〇四夜：杉本博司『苔のむすまで』七九九夜：プラトン『国家』二九一夜：アリストテレス『形而上学』九九四夜：『ライプニッツ著作集』八七四夜：ヴィーコ『新しい学』五八〇夜：トルストイ『アンナ・カレーニナ』七九二夜：中村雄二郎『共通感覚論』七七夜：オギュスタン・ベルク『風土の日本』九二六夜：ノルベルグ＝シュルツ『ゲニウス・ロキ』二五八夜：シモーヌ・ヴェイユ『重力と恩寵』九七八夜：フランク・ロイド・ライト『ライト自伝』三一七夜：レヴィ＝ストロース『悲しき熱帯』一五五五夜：クリストファー・アレグザンダー『パタン・ランゲージ』一〇八六夜：『西田幾多郎哲学論集』一一二七夜：イリガライ『性的差異のエチカ』一四一二夜：赤坂憲雄『東北学／忘れられた東北』四四二夜：高山宏『綺想の饗宴』一〇八五夜：今福龍太『クレオール主義』八三五夜：和辻哲郎『古寺巡礼』

何が東の水墨山水と西の油彩画のちがいなのか。
道具も観念も、遠近法も、何もかも！

矢代幸雄

水墨画

岩波新書　一九六九

六朝期の南斉《なんせい》に謝赫《しやかく》がいた。『古画品録』を撰述した。その序に水墨画の六法が示されている。一に「気韻生動《きいんせいどう》」は気が横溢《おういつ》していることを、二に「骨法用筆」は適確な筆線で対象を画することを、三に「応物象形《おうぶつしようけい》」は物に応じて形似を心することを、四に「随《ずい》類賦彩《るいふさい》」はそれらにふさわしい彩色をほどこすことを、五に「経営位置」は布局と布置をもって画面を構成することを、六に「伝移模写《でんいもしや》」はこれらの技法の修養のために古画を模写すべきことを、それぞれ示した。

すべては一の「気韻生動」のための技法プログラム《アート》であるが、これを水暈墨章《すいうんぼくしよう》の感覚だけで描き切るのである。そこに破墨《はぼく》と溌墨《はつぼく》が加わる。破墨は濃淡の加減の差し引き、溌墨は墨の溌《そそ》ぎ方による描法をいう。なんと水墨画とはすばらしいものかと憧れた。

西の美術が洞窟画のバイソンや古代ギリシアの壺絵のオリンポスの神々のイコンに始まり、その技法を彫像に傾注したのにくらべると、東の美術は黄河と長江にはさまった風景の描出にその画技を向けていった。ここにあるのはイコンと風景画のちがいだけではない。硬い石に柔軟性をもたらす技法と、柔かい筆によって紙布に滲《にじ》ませる気韻を感得する技法の、その此彼のちがいを生んだ。とくに遠近法のちがいは決定的である。西が一点透視型の遠近法に向かっていったのに対し、水墨山水画は高遠・平遠・深遠の「三遠」を早くに確立してみせた。

ぼくに水墨画の何たるかを教示してくれたのは、長らく大和文華館でキュレイターをやったのち慶應義塾大学教授に転じた衛藤駿《えとうしゅん》さんである。その衛藤さんの先生が矢代幸雄《やしろゆきお》だった。助手に近いほど私淑したようだ。衛藤さんは「水墨画について何かいい本はあるんですか」と尋ねるぼくに、「うん、一冊しかないんだな、これが」と言った。それが本書である。

矢代幸雄については早くに『受胎告知』（創元社）を読んでいたので、そのことを言うと衛藤さんはかなり嬉しそうに「あれは大変なもんだ」と言って、「それなら『日本美術の特質』（岩波書店）も読んでほしい。これは矢代先生の原点なんだ」と当方の反応を待ち望んでくれた。読んでいなかった。その後、『日本美術の特質』も『水墨画』も読んでみた。

前者のほうはその後、多くの美術史家たちによってもっと各論が深まっていて、どちらかといえばその内容の多くが乗り越えられたといっていいものだと感じた程度だったが、『水墨画』のほうは、やはり各論ではいくつかの研究書がこれを深め細部に及んだものの、その先駆的な〝統覚〟のようなものにはまだだれも及んでいないような気がする。ここにとりあげる所以《ゆえん》だ。

その衛藤さんは岡崎の美術博物館の館長に就いてまもなく亡くなった。「マインドスケープ・ミュージアム」の別称をもつこの美術館はそのオープニングに向けて、ぼくが衛藤さんを立てて、内田繁・藤本晴美・辛《しん》美沙そのほかのチームを組んで仕上げたものだった。「天使と天女」を第一回展とした。西の天使たちが肉体から翼が出ているのに対して、東の天女が身にまとう天衣（羽衣）になっている比較を展示したものだ。しかしちょっとしたことで衛藤さんとスタッフが衝突した。深い感動の裡《うち》に館長の日々を堪能してもらえなかったことを、いまでも悔やんでいる。

さて、本書を綴《つづ》った矢代幸雄のことになるが、矢代が長きにわたったイタリアを中心にした欧州留学をおえたのは、大正十四年（一九二五）だった。フィレンツェ居住の美術史家バーナード・ベレンソンに師事し、ルネサンス美術に没頭し、とくにボッティチェリの研究に打ち込んだ。帰国した矢代は、泰西美術をくまなく感受した目で眺めてみた東洋美術や日本美術がいったいどう見えるものかと思っていた。そこでさっそく東博の表慶館で開かれていた仏画展に行ってみた。そしてたちまち「その意外な偉さ」に圧倒されたのである。

西の目に学んで美術を見てきたから東洋美術のよさに気づけたのか、ルネサンスに傾倒したから水墨画が見えたのか、矢代はいろいろ考えた。

そこには牧谿《もっけい》の《観音・猿・鶴》の三幅対があったらしい。三幅対には「華麗なる感覚の躍動」のかわりに「湛然たる澄心の支配」があった。そこから矢代の東洋画境の探索が始まった。本書はその探索の軌跡から「水墨画の心理」「滲みの感覚」「心境と表現」「荊浩《けいこう》の『筆法記』を読む」の四つの論文随筆を掬《すく》って構成したものである。とくにそのうちの二本が瑞々《みずみず》しい。

矢代幸雄は一貫して水墨画における「滲み」に注目している。人間の作意が写しとるものには、きっとどこか限界があるものだろうが、水墨画が生み出す「滲み」にはそれを超えるものがある。

これは筆と墨と水と紙とが作意と計算をこえてつくる偶然の音楽である。「滲み」は描くものではない。なんともいえない「幽邃《ゆうすい》」が生じている。そうでないばあいは、いわば「冷水でさっと顔を洗ったような快感」が出ている。重要なのは、こうした滲みの感覚を、いずれ画人たちが愃染《せんせん》・吹墨《ふきずみ》・溌墨《はつぼく》・破墨《はぼく》などの手法によって近づこうとしたことである。

こういう論旨で矢代はさまざまな水墨画の「滲み」の代表作を案内するのだが、ぼくがおもしろかったのは、それらの話のあいまあいまで、姫路の酒井家に伝わっていまは根津美術館にある雨漏茶碗《あまもりちゃわん》《蓑虫》や、本阿弥光悦《ほんあみこうえつ》が松花堂昭乗《しょうかどうしょうじょう》と交わした会話にある「あら壁の染み」を例にあげて考えこんでいることだ。

ふつう、いまの水墨画研究者たちは文中にこんな感想を持ち出さない。けれども矢代はそういうことを悠然と綴りながら水墨画の真髄を愉しむ。そして「できそこない」や「不完全」がもたらす重大な気付きにこそ、東洋の画技や筆法や道具をうけた日本人の美術的発見があって、それこそがやがて侘びや寂びに結びついていったのではないかと見る。

こういう見方はあるようで、ない。だいたい水暈墨章からただちにワビ・サビを持ち出すなどという美術史はなかったし、その後もほとんど見ない。しかし、このような見方こそが水墨画や茶の湯をもおもしろくさせるのであって、正確と実証を記するばかりの美術史ではとうてい水墨画にも茶の湯にも迫れない。そうだからこそ、牧谿・雪舟・等伯《とうはく》・友松《ゆうしょう》を案内したあとに、矢代はさらりと冷泉為恭《れいぜいためちか》の白描画をとりあげて、わざわざ画面のその部分を濡らしておいた手法を紹介し、その感覚が《枕草子絵巻》のどこかに通じるという独得の視点を示せたのだった。

一般の美術史では冷泉為恭は大和絵の旗手なのである。水墨画家のジャンルには入れないことが多い。けれども矢代はそういうことに頓着せず、ひたすら「滲み」の感覚が日本人のどこに湧き出たかを考える。こうして宗達《そうたつ》の「たらしこみ」は染色から暗示をうけた日本独自の手法であったろうという大胆な指摘が出てくる。ゆはた、くくり染、くくし染、鹿子《かのこ》染め、巻き染めなどが宗達の水墨感覚と交じっているのではないかというのだ。

釉薬《ゆうやく》の流れにも矢代は注目した。とくに唐三彩《とうさんさい》の話から飛んで、安南《あんなん》（ベトナム陶芸）の絞り手、黄瀬戸のあやめ手などをあげ、そこから油揚げ肌に推理を及ぼしていくあたりのつながりは、最近はめったにお目にかかれない眼の逍遥《しょうよう》である。

ただし矢代幸雄という人はあまり文章がうまくない。ちょっとおおげさなのである。そこはたとえば小林秀雄や白洲《しらす》正子《まさこ》などとくらべるのは酷ではあろうが、ずいぶん劣るものがある。しかし、そういう達意の文とは異なる調子がそれこそ滲み出ていると感じられるのは、やはり眼の力なのであろう。その一文をお目にかけておく。

日本の自然には常に雲煙揺曳し、山川草木は或いは霞み、或いは暈され、そして雲煙はしばしば凝って雨となれば、万物愁然として濡れた一色に包まれる。その気候は温暖にして、水との接触を概して快美なるものになし、したがって日本人の生活は、最も水に縁が深いというべきである。絵具には古今一貫して、水絵具を用い、服飾にはもっぱら染色を愛していた。その他、生活の種々相に、趣味に、詩想に、水に対する興味と連想との潜入していること、日本人においては、量るべからざるものがある。

矢代は若いころに原三渓《はらさんけい》に気にいられて、しばらく横浜の三渓園に滞在起居していたことがあった。そこにタゴールが来て、語学に堪能だった矢代はその案内を頼まれて、日本名所めぐりに伴った。

タゴールが関心をもったのは禅院だった。矢代もしだいに禅院に親しむようになる。この体験がのちに矢代が水墨画を見ていくにあたって、略筆・省筆・減筆の理解を扶《たす》けた。「短絡すること」「省くこと」「減らすこと」である。いたずらに筆数をふやさず、肝心要なところに数筆を加えて、さっと引く。こうして禅林水墨の世界には「微茫画《びぼうが》」とか「魍魎画《もうりょうが》」というものすら派生した。

こういうと、禅の精神や水墨の精神はなにやらすべてが消えていくとか、退去していくことを重視しているのだから、それでは結局そこには何も描かないようになるのではないか、ついには「無」に帰してもいいようになるのではないかという心配もおこるのだが、矢代はいったんはそういうところまで行ってもいいではないかと考えた。

それではあまりに放縦に過ぎたり、美術自体がどうでもよくなったりして、その存続がなくなる危惧《きぐ》もあるというのなら、そこで、ここは画人が自らを厳しくするしかないだろう。そこが画人が画人になれるかどうかの境目なのだと、そう結論づけたのだった。矢代幸雄の大きな面目だった。

第六〇七夜　二〇〇二年八月二八日

参照千夜

七八二夜：内田繁『インテリアと日本人』　九九二夜：小林秀雄『本居宣長』　八九三夜：白洲正子『かくれ里』

ルネサンスは何を「再生」し、
レオナルドはヴェロッキオの工房から何を「昇華」したのか。

レオナルド・ダ・ヴィンチの手記

レオナルド・ダ・ヴィンチ

杉浦明平訳　岩波文庫　全二巻　一九五四〜一九五八

Leonardo da Vinci: The Literary Works

　西の美術史と東の美術史は同断に語れない。そもそもユーラシアの東・西・南・北・中央がちがっている。風土も文化も、宗教も食事も言語も衣裳もちがってきた。古代のギリシア・ローマ文化は初期キリスト教の美術様式やゴシック様式やルネサンス様式にそこそこつながるが、シベリア・シャーマン文化、中央アジア文化、ヒンドゥー文化、仏教文化、黄河文化、長江文化とはなかなか重ならない。

　一に、天と神をめぐる考え方《コンセプト》が異なってきた。そのため西には唯一神が生まれたが、東はおおむね多神多仏になった。

　二に、共同体の形成の仕方とルールが別々に発達した。西には比較的早くからポリスや都市国家が集合力や経済力や軍事力をもったけれど、東では部族や民族の移動と交替が文化を習合させていった。

三に、素材と表現技法とにちがいがあった。西の葦《パピルス》と東の竹、羽ペンと毛筆、壁・油絵・カンバスと墨・顔料・紙・絹布では、神仏のイコンを描くにも、人物を肖像するにも、風景を写すにも、何かが大きく変化した。

これらは東西のリアリズムを変奏させ、遠近法を別々のものにし、とどのつまりは心性のあらわし方に特異なちがいをもたらした。

東西美術のちがいを語るための視点はこのほかにもまだまだあるが、気になるのは、西のアーティストがその美やその哲学を自身で語ったり綴ったりするのが多いのにくらべて、東のアーティストは近世を迎えるまで寡黙であったということだ。批評家は西も東も少なくなかったのに、東は自身のひらめきや才能をあまり語らない。このことは、今日の東西美術界のちがいにも及んでいると思われる。

西のアーティストが自己主張するようになったのはルネサンスの深まりと広がりによる。この深まりと広がりは「人間」を観察することから生まれ、「人文」に及んだ。すでにダンテやペトラルカの時期に意識されはじめていた。こうして「再生」(renaissance) という時代意図が、北イタリア・トスカーナ地方の富の力と相俟《あいま》って個性の**めばえ**に結びつき、才能の開花と研鑽《けんさん》に向かっていったのである。

なかでブルネレスキの建築力、メディチ家のプロデュース力、ヴェロッキオの工房力が特筆される。

アンドレア・デル・ヴェロッキオは彫刻家であって、画家・建築家・金細工師でもあり、器械の組み立てや音楽にも長《た》けていた。早くから「稀代《きたい》の良師」という評判で、ラファエロの父やヴェリーノに一目おかれ、その工房には多くの若い才能が修業にやってきた。それをメディチ家のコジモ、ピエロ、ロレンツォが協力支援した。

ヴェロッキオの工房は美術学校とデザイン・スタジオを兼ねたようなもので、弟子たちは床の掃除から雑用全般をしながら、依頼された絵画の制作を分担した。サンドロ・ボッティチェリは二三歳のころに、ピエトロ・ペルジーノは十代後半に、ボッティチェリよりも七歳年下のレオナルド・ダ・ヴィンチは十四歳頃に弟子入りした。ペルジーノの弟子がラファエロだ。このように、ルネサンス美術はヴェロッキオとその弟子たちがつくったようなものだった。

ヴェロッキオがどのように「西の美術」の真骨頂を教えたか、マニュアルも記録も残っていないのだが、レオナルドの手記がその要訣《ようけつ》をかいつまんでいた。

レオナルドの『手記』の序には、「経験の弟子レオナルド・ダ・ヴィンチ」とともに

「権威をひいて論ずるものは才能を用いるにあらず」の文句が示されている。その次に「十分に終わりのことを考えよ。まず最初に終わりを考慮せよ」が出てくる。

「終わりを考えよ」とは何のことなのか。なぜ「終わり」が重要なのか。絵画や彫刻や建築を仕事にする者たちへのアドバイスなのか。それなら、こんなことはごくあたりまえのことになる。仕上がりを考えておくだなんて、近代以前の絵画を学習した者にとっても当然な示唆になるだろうが、きっとそんな意味なのではない。

これはおそらく「当初の完了」ということなのであろう。初めて『手記』を読んだ学生時代、ぼくはそう思ったものだったが、そのうちまた考えなおした。これは「当初の完了」とともにひょっとして「掉尾《ちょうび》の未了」を告げているのではあるまいか。そこからレオナルドの未完成の哲学が出来《しゅったい》していったのではないか。だんだんそう思うようになっていった。

この『手記』はモンテーニュやパスカルの随想録のように読める。それほど明晰《めいせき》で、深遠だ。随所に「自分に害なき悪は自分に益なき善にひとしい」とか「想像力は諸感覚の手綱である」といった章句がちりばめられていて、レオナルドとともに何度も思索ができるようになっている。なかには、「感性は地上のものである。理性は観照するとき感性の外に立つ」「点とは精神も分割しえないものである」といったヴィトゲンシュタインやカンディンスキー顔負けの章句もあるし、「われわれをめぐるもろもろの物象のなかでも、無の存在は主位を占める」といったハイデガーや西田幾多郎顔負けの章句も少なくない。

こんなふうに読めるのだから、この『手記』に学べることはたんなる芸術論や視覚論ではない。むろん人生論にはとどまらない。透徹された方法は芸術と思想になりうるということ、もっとはっきりいえば、そういう方法だけが芸術思想であることをレオナルドが示したというふうに読める。

仮にそれを芸術論といったとしてもおよそ抽象的なものではなく、一種の名人の言葉や達人の言葉に近かった。たとえば、レオナルドは彫刻と絵画を区別するにあたってどうしたか。彫刻は上からの光に左右されるが、絵画はいたるところに光と影を携えられると見た。この着目はなんでもないようでいて、なかなか凄い。タブローは横からの水平光を浴びつつも、そこに描かれた技法によってほぼ完璧な空間を出現させることができると宣言しているわけなのだ。それこそがレオナルドが工夫を尽くしたキアロスクーロ（明暗法）であり、スフマート（対照法）という方法だった。

また、「鋳物は型次第」というメモがある。これもなんでもないようだが、職人の達成を感じさせるメモだ。

レオナルドにとって「型」とは世界を象《かたど》り、世界を表象するための方法であり、その方法が世界にほかならないということなのである。おそらくヴェロッキオから教わったことでもあろう。とくにぼくが好きなのは「喉仏《のどぼとけ》は必ず立っている足の踵《かかと》の中心線上に存在しなければならぬ」といった〝極意〟のメモである。いったいレオナルド以外のだれが上前部の喉仏を下後部の踵とつなげて見られたか。そこに一本の見えないキリキリ舞を見いだしえたか。いまなおロボット工学者によっても気がつかれていないにちがいない。

レオナルドの『手記』のなかの白眉《はくび》は、やはり空気遠近法をめぐる見方がのべられているところだろう。レオナルドはタブローには空気そのものをも描かなければならないと考えていた。それもニスをつかって遠近法にする。空気を遠近法にするなど、どうするか。ニスを厚く薄く塗り上げていくことで、描いた対象を空気の粒の中にとらえていくのである。レオナルドの光量子仮説ともいうべきである。

たしかによく見ると《モナ・リザ》の肩は背景との境界をもってはいない。そこには無限の階調かと思うほどのニスの厚みが連接されていた。空気の粒がニスの厚みになっている。いったいどうしてこのような着想ができたのか。しばらく考えあぐねていた。学生時代のぼくに空気遠近法の部分を読むように勧めてくれたのは、画家の中村宏であった。そしてヴィルヘルム・ライヒの理論との相似性について語ってくれた。

レオナルドは空気遠近法がニスの厚みに色を微妙に仕込んでいくことによって驚くべ

き効果を生じさせることを知っていた。とくに空気の向こうの遠くのものを描くには青色の配合が必須だと言っているのだが、その青色をのちに探求したのがライヒだというのである。ぼくはライヒについてはすぐに読まなかったように思うが、やがてライヒの著作群に出会って驚いた。ライヒは「青色物質」を天空に採取しようとして、オルゴン・ボックスなるものを〝発明〟していたのだった。ライヒは、レオナルドが大気中にひそむ青色物質の存在を知っていたと考えたのである。

レオナルドの『手記』は、このようなライヒに見られる特異なものから、ヴァレリーや花田清輝《きよてる》を唸《うな》らせた思索をへて、渦巻の科学やヘリコプターの開発におよぶまで、まことに巨大な光陰を発している。その万能の天才ぶりにあらためて言及するのがみっともないほどである。

が、いいことずくめで話をおわらせてはちょっとつまらない。レオナルドは「最初に終わりを考慮せよ」と暗示した。せっかくなので、少々妖《あや》しいことを書いておきたい。

ルネサンスには『行儀作法の書』というマニュアルが流布していた。そこには「裏切者、異端者、贋金《にせがね》つくり、殺人者、暗殺者、大食漢、悪口家、男色者に近づくな」という警告が入っている。なかでも男色が最も警戒されていた。ルネサンスは異教と男色の巣窟だったのである。

レオナルドが《最後の晩餐《ばんさん》》の準備にとりかかったころ、フィレンツェのサンマルコ修道院長となったジロラモ・サヴォナローラは宗教改革を叫んでメディチ家と対立し、厳しい神政政治の必要を訴えた。結局、メディチ一派が追放されてサヴォナローラの恐怖政治によってフィレンツェのルネサンスは終止符を打つのだが、そのサヴォナローラが最後まで手を焼いたのが男色だった。「美青年たちと手を切りなさい、神の怒りを招く忌まわしい悪徳をやめなさい」と絶叫したにもかかわらず、そしてそれが老レオナルドにも向けられていたにもかかわらず、その「悪徳」はフィレンツェからもレオナルドからも去らなかったのだ。

レオナルドが親切にした美青年は『手記』では「サライ」の名で登場する。二五年以上にわたって同棲《どうせい》した。サヴォナローラにとって恐ろしかったのは、サライが「サタン」の意味でもあったことだった。あの神聖で深遠なキリスト教絵画を描くレオナルドが、どうして男色の官能に耽るのか、この単純な宗教改革者にはまったくわからなかった。しかし、この官能とレオナルドの技能こそは不完全というものに、また未完成というものにどこかでつながっていたのである。

ぼくが思うには、男色や少年愛というものは「未了」において成り立っている。そこには生産はない。一方、建築や芸術は「完了」をもって手放されるものである。すべては現物として残される。レオナルドはこの「未了」と「完了」の関係をあたかも得意な鏡像文字のように反転させたかったのではなかったか。

だからこそレオナルドにおいては、最初に官能が、途中に技能が、終わりに才能が暗示され、これらがことごとく「昇華」されたのである。最初に終わりを考慮せよ。今夜付け加えておきたいのは、このことだ。

第二五夜　二〇〇〇年四月四日

参照千夜

八八六夜：モンテーニュ『エセー』　七六二夜：パスカル『パンセ』　八三三夜：ヴィトゲンシュタイン『論理哲学論考』　九一六夜：ハイデガー『存在と時間』　一〇八六夜：『西田幾多郎哲学論集』　一一二夜：ヴァレリー『テスト氏』　四七二夜：花田清輝『もう一つの修羅』

タブローは一枚の画布に描かれた絵画のことではない。
ルネサンス晩期の建築空間がつくりだした「自己意識」なのだ。

ヴィクトル・I・ストイキツァ

絵画の自意識

岡田温司・松原知生訳　ありな書房　二〇〇一

Victor Ieronim Stoichita: The Self-Aware Image—An Insight into Early Modern Meta-Painting 1997

タブローが好きだ。どんな現代美術の投げかけた独断と環境愛に満ちた提示より、細部まで描きこまれた光と影の色彩をもつ一枚のタブローはいい。ただ、その理由を説明するのがめんどうなのでずいぶんほったらかしにしてきた。ときにカラヴァッジョやフェルメールの一枚をあげ、ときに中村宏の「タブロオは自己批判しない」といった強弁を活用させてもらったことはあるものの、総じてぼくのタブロー趣味はあれこれ開示してはこなかった。

タブロー(tableau)がテーブルやタブレットやタブロイドと同じ語源で「世界の切り取《よ》り」を示していることについては、ときどき高山宏君と長電話したりして、その因って来たる意味をよろこんできた。タブローとテーブルとタブレットは同じ語根である。タブローもテーブルもタブレットも世界をいったん切り取るための枠組みなのである。それゆえタブローはそもそもが世界模型の代名詞なのだった。

　そうしたエティモロジックな話をべつとすると、美術史上でのタブローはルネサンスからマニエリスムがはみ出てくるころになって自己実現をしたようだ。


　タブローの最初の定義は十七世紀のおわりに登場する。それ以前にすでに何百枚ものタブローが制作されたのちの、一六九〇年のフュルティエールの辞典に書いてある。「画家が絵筆と絵の具を用いてイメージあるいは表象を制作したもので、額縁に入って運搬可能なもの」という味も素っ気もないものだった。

　その四年後、この定義に「暖炉の上方・扉・羽目板、壁面のタペストリーの上に設置される中型の絵画をイーゼル型タブローとよぶ」という上書きが加わった。インテリアとしてのタブローが意識されたのだ。ついでに「小型のタブローは好事家たちの部屋や陳列室に持ちこまれる」というふうになった。

　建築家たちも意識した。張り出し部分、扉や窓や十字窓の開口部、採光のために開かれた壁の厚み、そして部屋の入口まで、これらをみんなタブローとよんでいた。もうすこし厳密な棟梁《とうりよう》なら、扉や窓の基部が敷居より外に見え、壁の外装面と直角をなしている壁の厚みのことがタブローだった。

この「壁の外装面と直角をなしている壁の厚み」は注目すべき室内の一角を示している。それを漠然と見ているなら、その一角はたんに部屋の中の陰影でしか感知されない立体感のようなものであり、そこにはなんらのイメージや表象が出現しているわけではないのだが、その後、画家たちはこのあやしい「厚み」を取り出してタブローを自立させたのである。この取り出しが画期的だった。


いったい何者がそんなことを始めたのか。どうも一人の何者か、なのではない。多くの画家たちが一斉にその計画にとびついたのだ。本書はそのことを、タブローがどのように自意識を芽生えさせたかという主題として扱った。だれが始めたかではなく、タブロー自身がそれに着手していったのだ。それゆえ本書の日本版はサブタイトルに「初期近代におけるタブローの誕生」と銘打った。

著者のストイキツァはローマ大学・ソルボンヌ大学・スイスのフリブール大学などで近現代美術史を研究しつづけてきた名うての論客で、一言でいえば「メタ絵画」の本格的な研究のステージをつくりあげてきた。実際にどうかはわからないが、読んでいるとロラン・バルトやジュリア・クリステヴァの相互テキスト理論（インターテクスチュアリティ）に精通しているか、もしくは溺《おぼ》れているふしがある。ただしこの研究者は、こうしたテキストを建築空間や美術空間の中に読みこんだ。

ストイキツァが本書の主題を象徴させるために工夫したことは、本書の冒頭にどのタブローをもってくるかということだ。一五五〇年代に描かれたピーテル・アールツェンの《マルタとマリアの家のキリスト》に白羽の矢を立てた。アントウェルペン（アントワープ）で描かれた十六世紀の先駆的タブローだ。

このタブローは、厨房《ちゅうぼう》用品・食糧・花々・折り畳まれた大きなシーツなどの静物を部屋の一角に描いているものなのだが、静物画というより活物画といいたいほどに、何かの動きを感じる。とくに画面の左下にかつては「パン生地」とか「菓子」だと想定されていた変なものがあり、そこに一本のカーネーションが突きさされているのが異様である。ストイキツァはこのパン生地が「酵母」であることをつきとめ（このことがそもそも美術史業界では評判になった）、それの〝発見〟を含めて、このタブロー全体にテキストが潜んでいること、ある種のタブローは「内部」と「外部」の両方をもっていること、したがってタブローとしての絵画は「メタ絵画」の発生を物語るであろうということを、入念に指摘した。

メタ絵画とは聞きなれないが、マニエリスムやバロックの絵画はルネサンス期の絵画とちがって、タブローという自立をはたすことによって、絵画が絵画を呑みこんだり、絵画が室内空間を参照したり、絵画にひそむモチーフ性やテキスト性が絵画をまたいで相互乗り入れをはたすようになったというのだ。小説が小説を自覚するメタフィクションがあるように、タブローは絵画が絵画を自覚するための装置（道具）であった。つまりはタブローとしての絵画は、絵画のメタレベルの作用をつかって自立をはたしたということなのだ。それをストイキツァは「絵画の自意識」とよんだわけである。

　こうして、アールツェンの《マルタとマリアの家のキリスト》でタブローが絵画の内外に作用をおこしていることを印象深く指摘したストイキツァは、そこから先、ヤーコブ・デ・ヘインの《ヴァニタース》やベラスケスをはじめとする一連の「厨房画」（いわゆるボデゴン）やサミュエル・ファン・ホーホストラーテンの《廊下の眺め》といった、とびきりの〝証拠〟を次々に繰り出してくる。図版も見せずにそのいちいちをここで紹介してもしかたがないからこのへんの説明は省くことにするが、その説得力は自負に溢《あふ》れている。そのくらい、本書は執拗《しつよう》なのである。

　一三〇枚をこえる収録図版のひとつひとつに共通しているのは、すべて「タブローの自立」ということだ。

　タブローが饒舌《じょうぜつ》になり、タブローこそが「世界の枠組み」をシステムの内側と外側に動かしていた張本人となり、それは写真やテレビやパソコンやマルチメディアがはたした作業をはるかに凌駕《りょうが》する試みだったのだという、いわば「ざまあみろ！」というほどの「タブローの自立」を示すものだった。

謎のすべてが解けたとか、ストイキツァの解読がまるごと水際だっていたというのではない。十七世紀のオランダを中心にした画家たちの試みがいまなお「世界解読」の深部に突き刺さっていることに誇りをもちたくなる。そういう意味である。

タブローの自意識は、アルベルティが「絵画は窓である」と書いたルネサンス期にくらべると、ずっと室内空間を複雑に観照する才能とともに発芽していった。その最もわかりやすい変化はトロンプ・ルイユ（Trompe-l'œil）にあらわれる。

トロンプ・ルイユはたんなる「騙《だま》し絵」ではない。建物の空間的な浮き上がりや凹《へこ》みや開放性を勘定に入れ、そこに何を描けばよいのかということを計算しつくして描いたフィクションだ。あるいはギミック、あるいはヴァーチャル・リアリティだ。このとき壁や棚や窓の特定矩形《くけい》の凹凸が巧みに活用された。それはのちにイーゼル型タブローとよばれたように、そこから取り外しのきく矩形であり、その矩形のなかには、やろうと思えば室内の凹凸以上のアクチュアリティとしてのイメージと表象が好きに盛りこめた。それがトロンプ・ルイユというものだ。

このようなトロンプ・ルイユを徹底するには、画家は「室内の中の一区画のタブロー化」から「タブロー画面の中の室内空間づくり」へと取り組みを移行させていく。そのために画家が異常な熱中をもって描き出したのは、まずもって柱と窓だった。これで空間の幾何学と外光の方向が決まった。ついでは机の位置であり、その机の上の静物たちを絵の中にのこすようにした。これらにはすべてイコンとしての寓意《アレゴリー》が含まれた。中世以来のイコノロジーとアルス・コンビナトリアが動いたのである。

次に壁を徹底して描いた。壁が出現することによって、そこに掛かっているタペストリーや地図や鏡をどのようにするかが大きな作用をもたらした。床の模様とその床に置かれているものたちも効果的である。フェルメールやレンブラントの時代になると、これにカーテンが加わってくる。

かくして十七世紀の画家たちのタブローは、これらの要素を多すぎるほどふんだんに画面に持ちこんだのだ。おそらくはこれらの何と何を関係づけるかという計画を決めてから、最後に人物を配したのではないかと思われるほど、画面内室内の演出は凝ったものになっていった。人物ももちろん重大な演出要素だが、その意味は空間の諸要素が出揃ってからのことなのである。

なぜこれほどに凝った室内空間が配当されていくかというと、そうやってできあがったタブローはふたたびどこかの室内に掛けられるからだ。それゆえ画家たちは入念な遠近法を駆使して、そのタブローが現実の室内の遠近法を狂わさないように配慮した。つまり、タブローはその内部のコンテキストを外部のテキストに照応するための自意識をもつわけなのである。

タブロー・タベルナクル(tabernacle)とよばれる手法がある。既存のタブローが描いた表象物を巧みに新たなタブローに塡《は》め込むことをいう。空間の二重化のための一種のモンタージュのようなものだ。ルーベンスの《ヴァッリチェッラの聖母》が有名だ。

　このアクロバティックな手法がいつごろ出現してきたとは決めがたいらしいのだが、タブロー・タベルナクルを使ったタブローが祭壇に組みこまれることがかなり多かったという事情は、聖なる表象物は組み合わせの度合いを深めればそれだけ聖性を保存しうると考えられたことを推察させる。聖なるA部分は聖なるB部分と結びついて、新たな聖なるCをつくりうるということだ。ここでタブローが祭壇の聖性と結託したということよりもっと重要なのは、タブローの自意識が聖性をもってしまうことだった。

　こうして、絵画に表現された宗教性に聖性が帯びたというだけでなく、タブローとして自立した自意識がタブローという聖性をもつことになった。

　ルネサンスの宗教画の聖性は、マニエリスムやバロックのタブローでは日常的な室内空間を描いてなお失わなかったどころか、かえって新たな「聖なるリアリズム」に達したわけである。すでにカラヴァッジョにその試みは萌芽《ほうが》していたけれど、それが十七世紀オランダに百連発ほどの充実と密度をもって成就したというのは、たとえば中国における花鳥画や日本における大和絵の例から考えても、いささか異常だと思われるほどの成熟した〝転換〟だった。その打率というのかその成功率は、中国なら宋元の山水画をもって、日本ならおそらくは浮世絵の集中をもってしか対抗しにくいのではないかというような、そういう連打なのである。

こういうことがフェルメールの一枚やレンブラントの一枚で、われわれが聖性をおぼえて感極まっていた理由だったのだ。

ところで、タブローの自覚をあらわすにあたって、タブロー内部とタブロー外部の関係をたった一つで決定づけられるものがある。それは「鏡」だ。

タブローの中の鏡は、タブローの中の室内関係を劇的に保証する。そればかりか、ヤン・ファン・アイクの《アルノルフィニ夫妻の肖像》が最も有名だろうけれど、凸面鏡などをタブローに上手に描きこめば、それだけでタブローは「世界」の全体を放射あるいは入力することさえできた。そのように思って初期近代のタブローに描かれた鏡たちを拾っていくと（その四分の一くらいを本書は例示しているのだが）、まことに圧巻、ついつい魅入られてしまいそうになる。

ストイキツァは鏡の重視を「反射する絵画」という概念で説明しようとしていた。と

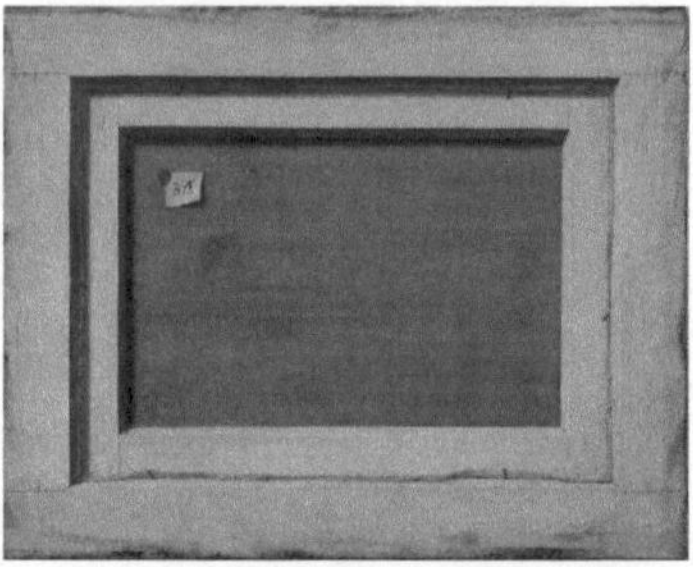

コルネリス・ノルベルトゥス・ヘイスブレヒツ
《裏返しのタブロー》（1670年ごろ）

くにベラスケスが用いた鏡の用法には、カンヴァスの質感を完全に裏切るための「背反の論理」さえ意図されているというのである。もっと端的にいうのなら、鏡の出現はカンヴァスに付着したペインティング・タブローとしての属性すら隠してしまう可能性をもったというのだ。

これには筋金入りのタブロー主義者だったつもりのぼくもさすがに驚いた。あまりにも理屈をこねすぎているのではないか、これはポストモダンな相互テキスト理論にはまりすぎているのではないか、クリステヴァやラカンを読みすぎたのではないか、そう思った。

ところが、本書の最終章の「裏返しのタブロー」のそのまた最後に一枚の絵が提示され、その絵を見たとたんに、ぼくは降参してしまった。それはコルネリス・ノルベルトゥス・ヘイスブレヒツの、その名もまさに《裏返しのタブロー》と名付けられた一六七〇年前後の作品であった。

ここにあげた図版写真を見てほしい。これは究極のトロンプ・ルイユであった。そこにはカンヴァスの裏側だけが描かれているのである！　そして左上に「36」と記した紙切れがピンアップされているだけなのだ。ペインティング・タブローの属性はなくなっている。タブローが消失したのだ。そんなことを十七世紀の画家があたかも現代絵画のルチオ・フォンタナの裂け目タブローのように、また高松次郎の影タブローのようにやってのけていたのだった。

なるほど、タブローは最後の最後まで自意識を貫徹してしまったのだ。そうだとしたら、レンブラント以降の絵画史とはいったい何なのだろう？　ボードレールが批判したように、ただアトリエ主義と写真技術に追従《ついしょう》しただけだったのか。本書を知ってからというもの、いや最終ページを読んでからというもの、ぼくはタブロー主義者の看板を下ろしたままにいる——。

第一〇三一夜　二〇〇五年五月二日

参照千夜

一四九七夜：宮下規久朗『カラヴァッジョ』　四四二夜：高山宏『綺想の饗宴』　七一四夜：ロラン・バルト『テクストの快楽』　一〇二八夜：ジュリア・クリステヴァ『恐怖の権力』　一〇九四夜：アンソニー・ベイリー『フェルメール』　一二五五夜：貴田庄『レンブラントと和紙』　七七三夜：ボードレール『悪の華』

この粗暴な異能者がバロックの幕をめくり、絵の中にイリュージョンを入れ込んだ。

カラヴァッジョ

宮下規久朗

聖性とヴィジョン

名古屋大学出版会　二〇〇四

ぼくがカラヴァッジョに度肝を抜かれたのは、何人かと渋谷東急本店裏のブロックハウスで共同生活をしていたころのことだ。ある日の午後、神田の洋書屋の本棚でカチカチッと信号がブリップしたので買ってきたカラヴァッジョの古本画集を、夜陰になって見始めたときだ。たちまちカラヴァッジョの劇的に危険な魅力がカラダに入ってしまったのである。

その一週間か三週間後、カラヴァッジョからのブリップ信号を、さっそく「遊」にニューバロック感覚として盛りこもうとした。新たな編集意図は、たいていこういうふうに思いつく。ぼくの中にアーキタイプからやってきたハイパープロトタイプがむずむずと動くとき、それに名前をつけて実行に移す。このときはそれがニューバロックで、バロックがティツィアーノやティントレットのマニエリスムの技法を下敷きにして、そこに「歪率《ひずみりつ》をひそませた物語構想」をもちこんだように、また、長次郎や辻が花の技法をもとに織部《おりべ》や遠州《えんしゅう》が「ひずみ茶碗」をもたらしたように、当時の二十世紀晩期の日本には必ずやほしくなるものになるだろうと思えた。

けれども、カラヴァッジョの危険な魅力の正体がどこからきているのかというと、なかなか推理が及ばないでいた。溜息《ためいき》が出るばかりなのだ。やむなく若桑《わかくわ》みどりさんに導きの糸を貰《もら》おうとしたら（このように、ぼくは困ったときは周辺の知人を煩わす）、おっかない若桑さんは「ロベルト・ロンギかアルフレッド・モワールを読んだらいいわよ」と言うだけである。当時はロンギは読めず、モワールの『カラヴァッジォ』（美術出版社）はその後に若桑さんの訳書で見てみたものの、これはこれでなんとも不満が残るものだった。光と闇の魔術的リアリズムを「ルミニスム」と「フォトグラム」の二つのキーワードでカラヴァッジョを解いてみせたロンギの『芸術論叢』（中央公論美術出版）を読んだのは、ずっとあとだった。

ちなみにもうひとつ、いま思い出したことがある。そのころ横尾忠則さんが松濤《しょうとう》の工作舎に訪ねてきて、ぼく、デザイナーをやめて絵描きになろうと思うんだけどと言い出し、へえーっと驚いてあれこれ雑談をしたとき、横尾さんがなにかの拍子でぼそりと

「カラヴァッジョのような絵描きにね」と言ったのである。それは、まるでマルタ島の聖ヨハネ騎士団の日本支部にでも入って絵を描くんだというような、カラダの奥から聞こえてくるような声だった。いま、そんなことも思い出した（その後の横尾さんの絵にはしばしばカラヴァッジョが出入りした）。

カラヴァッジョは何度もぼくを寸断し、深入りさせ、翻弄してきた。でも、翻弄されるのはけっこう愉しいことなのだ（この「翻弄」にちなんで、ゴートクジの一階を「本楼」と名付けてみた。どうぞ見に来てください）。カラヴァッジョにのめりこむ危険は、あえて甘んじたい危険だったのだ。

むろんのこと、横尾さんやぼくがそうなっただけではない。多くのアーティストが犯された。妖しい映像作家としては歴代筆頭のピエル・パオロ・パゾリーニがカラヴァッジョを現象化していたし、歴代別格のデレク・ジャーマンがカラヴァッジョの官能化をおこしていた。パゾリーニの監督第二作《マンマ・ローマ》はカラヴァッジョ研究者ロベルト・ロンギに捧げられていたはずだ。

そのほか知る人ぞ知る、現代アーティストたちも戦慄的な畏敬を払ってきた。現代画家のフランク・ステラは『ワーキング・スペース』で自身がカラヴァッジョの部屋にいてアートしてきたことを訴え、ジュリアン・シュナーベルはその絵をあからさまに自分の絵の中に引用し、可憐《かれん》果敢なシンディ・シャーマンはみずからの小太りな姿態をもってカラヴァッジョの《病めるバッカス》に扮《ふん》しきった。写真アートのアンドレス・セラーノにいたっては、その写像そのものがカラヴァッジョの脱魂になっている。

アーティストたちにとって、カラヴァッジョをどのように見るかということは、自身の芸術的乱気流をはかるうえでの崇高かつ邪悪なメトリック（測度）なのである。デレク・ジャーマンのようにカラヴァッジョをずぶずぶのホモセクシャルな男とみなすことも、セラーノのようにカラヴァッジョがマルタ島の聖ヨハネ騎士団と神秘的な密約を結んだとみなすことも（カラヴァッジョがゲイであったことやマルタの騎士団とどんな関係であったかは、まだ実証されていない）、それはそのままカラヴァッジョの内密に属する劇的本性にかかわることであって、それとともにアーティスト自身の清濁あわせもつ〝深い葛藤〟の証左を示すことであったのだ。

こうしてぼくなりのカラヴァッジョ彷徨《ほうこう》が始まっていったのだが、そんななか、そうか、カラヴァッジョについては「何でもあり」なのかと思わせたのが、岡田温司《あつし》が構成執筆した分厚い『カラヴァッジョ鑑』（人文書院）だった。二〇〇一年の本だ。この年は朝日新聞社の主催で日本でもやっと大規模な「カラヴァッジョ展」が開かれもした。

この本は日本で刊行されたカラヴァッジョ関連ものではサイコーの充実があり（いまな

ぉ!)、カラヴァッジョから連想できる話題ならどこまでも浸食しようというふうに構成されていた。岡田温司やロベルト・ロンギ、マイケル・フリードや水野千依《ちより》の論考が示唆に富んでいた。

しかし、どんな妄想も「カラヴァッジョなら許される」というふうに拡張されていくと、かえってカラヴァッジョの時代と表現の核心をもう少し厳密に見たくなる。ぼくはそれからしばらくはペーター・デンプの『カラヴァッジョ：殺人を犯したバロック画家』(クインテッセンス出版)やデズモンド・スアードの『カラヴァッジョ：灼熱の生涯』(白水社)やジョナサン・ハー『消えたカラヴァッジョ』(岩波書店)などをちまちま啄読《たくどく》する程度で、この危険な魅力からちょっと遠ざかっていた。

そんなところに登場してきたのが、本書、宮下規久朗《きくろう》の『カラヴァッジョ：聖性とヴィジョン』だった。それまでの諸論文を再構成したものだったけれど、ほぼ全面的に手が入っていて、日本における初の「カラヴァッジョ学」の登場を思わせた。サントリー学芸賞と地中海学会ヘレンド賞をとった。

本書はかなり詳細にわたる論考と注で埋まっているので(便利な年表も入っているが)、軽くは紹介しにくい。以下にはぼくが勝手に想像を逞《たくま》しくさせてもらった一部の論考しか紹介できていないと思われたい。詳しいことを知りたいのなら本書に当たってほしい。ちなみに宮下には、ＡＢＣシリーズ（アートビギナーズコレクション）の『もっと知りたいカラヴァッジョ』（東京美術）という、よくできた入門書もある。

カラヴァッジョは本名をミケランジェロ・メリージという。通称がロンバルディア地方には有名な一族だったらしい「カラヴァッジョ」だ。まだ数年おきにペストに見舞われていたミラノに一五七一年に生まれた。この年は、ヨーロッパがレパントの海戦でイスラムの軍事大国オスマン帝国をやっとの思いで破った年で、イギリスでは国教会ができ、日本では室町幕府が終焉を迎えていた。

父親は某侯爵邸の執事だったが、ミラノはペストの猛威がものすごく、家族は近くの町カラヴァッジョに移住した。引っ越しの甲斐《かい》もなく、父親はカラヴァッジョ六歳のときペストで死んだ。祖父と叔父も同じ日にペストで体を腐らせた。母親は十三歳のときに病没した（こうした育ちのカラヴァッジョを父母に対する心理で解明する精神分析学的な試みは、ぼくが知るかぎりはいまのところほとんどないように思われる）。

レパントの海戦の前後の半世紀は、美術史的には後期マニエリスムの時代にあたる。カラヴァッジョはそんな時代を勝手に切り裂き、その先へ劇薬的独創をもって突っ込んでいった。絵の中に光の魔法と物語を持ち込んで、バロックを先駆した。

カラヴァッジョにはそうした器量と技量を見せるだけの、卓抜な描写技能と世間の評判をものともしない乱暴と、そして案外に篤実な信仰力があった。とくにディゼーニョ(素描)とコロリート(彩色)を分離させない卓抜な技法、蠟燭《ろうそく》とオイルランプによる光の具合を背景と人物と器物に描き分けるキアロスクーロ(明暗法)の駆使は、カラヴァッジョが並大抵のアルチザンではなかったことを証《あか》している。

とはいえ、カラヴァッジョはあれだけの傑作を多様に描いてみせながら、早々に三八歳で熱病で死んでしまったのだ。こんな仮定は意味ないだろうけれど、もしももっと長生きをしていたら、その秘めた才能を三十代までで十全に爆発させたとはいえなくなるだろうし、奥に秘めた何かが三八歳までにすべて顕在したともいえないはずだ。けれどもカラヴァッジョはのべつ暴力沙汰《ざた》をおこしていて、ついには殺人を犯してマルタ島にまで逃げまわる三十代をおくったのである。つまりは世間から見れば「自由狼藉《ろうぜき》の者」にすぎなかったのだ。

それにもかかわらず、カラヴァッジョの短い生涯と作品はパゾリーニからセラーノまでに強烈な影響を与え、かれらの美意識の裏座敷に密林のシダ植物のごとくに侵入していった。いや、もっと前の時代からいえばサラチェーニ、ボルジャンニ、マンフレディはむろん、ルーベンスもベラスケスも、レンブラントもラ・トゥールもダヴィッドも、みんな「カラヴァッジェスキ」(カラヴァッジョ主義者)になった。

いったいカラヴァッジョは何を仕出かした男なのか。異能であって異端者であったことはたしかだが、たんなる反逆のアーティストだったはずがない。たんなるゲイでもあるまい。

次のことに注目しておきたい。一六〇〇年きっかりにカラヴァッジョは二つのマタイの絵を描いた。《聖マタイの召命》と《聖マタイの殉教》だ。この二つの絵こそ、その後の美術と神性の歴史を変えたと見るべきなのである。この二枚の絵に爆撃されて以来、誰もがカラヴァッジョの呪文を忘れられなくなったのだ。

言うまでもないけれど、一六〇〇年はイギリスが東インド会社を設立し、イタリアではネオ・プラトニストであったジョルダーノ・ブルーノが処刑された年である。フランスではすでにアンリ四世がカトリックに改宗し、ナントの勅令が出されていた。カラヴァッジョの二枚の絵とともに、この年をさかいにヨーロッパは新たな〝表現世紀〟に入ったのだ。

二つの絵は、カラヴァッジョの最初にして最大のパトロンとなったフランチェスコ・デル・モンテ枢機卿《すうききよう》の推薦による依頼である。どんなカラヴァッジョ論にも頻繁に必ず顔を出すデル・モンテ枢機卿は、サン・ピエトロ大聖堂の改修工事で中心的役割を果たしたとされる。その一方、やたらに錬金術に執心するような得体のしれないところがあったのだが、パトロンとしては申し分なかった。あるいは男色趣味をもっていたかもしれないし、カラヴァッジョもその頑健なカラダをちょっとくらいは提供していたのかもしれない（供儀ですね）。

もっともこの時代、ルネサンスほどではないにしても、男色はむろん、錬金術だってべつだん怪しいものではなかった（ルネサンス社会は常軌を逸するめちゃくちゃの社会だった）。スペインを破って七つの海を支配する決意をもったエリザベス女王もジョン・ディーらの神秘主義者を側近においていたし、ケプラーや地球を「テレラ」と名付けた磁力学者のウィリアム・ギルバートも、さかんに錬金術的な思索に耽《ふけ》っていた。

それはともかく、カラヴァッジョはデル・モンテ枢機卿のはからいで、サン・ルイジ・デイ・フランチェージ聖堂の中の礼拝堂の壁画制作を依頼された。コンタレッリ礼拝堂という。いまではこの礼拝堂は〝カラヴァッジョ美術巡礼〟のファンたちの格別の聖地になっている。本人はこれらの作品を二回やりなおした。こうして一年後に仕上がった壁画はセンセーショナルなほどの大評判になって、その後のカラヴァッジョの名声を大きく高めた。しかしこの絵は、かなり〝意外なもの〟だったのだ。

聖書によれば、ある日イエスは収税所に入っていき、そこで働いていた徴税人レビに「私についてきなさい」と言った。ユダヤ社会においては徴税吏は罪人と同義に近い扱いを受けていた。レビはこれをきっかけにすべてを捨ててキリストに従い、福音書を執

カラヴァッジョ《聖マタイの召命》(1600年)

筆編集する使徒マタイとなった。これが「マタイの召命」という主題だ。

カラヴァッジョの《聖マタイの召命》では、薄暗い部屋に入ったキリストが〃レビ＝マタイ〃に何かを呼びかけたのに応じて、その場の徴税人や商人たちが顔を上げる場面が描かれている。けれども、そこは収税所というよりも居酒屋めいていて、右上から差し込む光によってその場の人物たちの表情が劇的に変貌する瞬間をとらえている。カラヴァッジョ得意の「キアロスクーロ」(明暗法)がこうして劇的効果を上げるのだが、問題はこの絵の誰がマタイなのかがわかりにくいということだ。

中央の髭《ひげ》の男が自分を指さしてい

るように見えるものの、また長らくこの男こそマタイだと解釈されてきたのだが、どうもそのようには確定できない。テーブルの左端で俯《うつむ》いて金貨を数えている青年がマタイなのではないかとも思わせる。実際にも美術史界では、この絵の誰がマタイかということが「マタイ論争」として議論されてきた。まだ決着はついていないそうだが、宮下もぼくも結論ははっきりしている。左端の青年こそがマタイなのだ。

実はカラヴァッジョは「直前」と「直後」のみを暗示した画家なのである。そこでおこった神話的な出来事をそのままリアルに描こうとはしなかった。だからこの絵に描かれた直後、若い男は頭を昂然《こうぜん》と上げ、決然としてイエスとともにこの部屋を出ていったはずなのだ。とするのなら、髭の男の左手の指は自分を示しているのではなく、若い男を指している。カラヴァッジョはそのあたりの事態の前後を「二重決然」の場面に封印したわけだ。

もっと驚くべき構図が《聖マタイの殉教》のほうに示されている。黄金伝説によれば、マタイはエチオピア教会でミサをおこなっている最中に、エチオピア王ヒルタクスが差し向けた刺客に襲われて死んだ。王の再婚に反対したため殺害されたのである。それは「マタイが祭壇の前で両手を広げているとき」だった。

ところがカラヴァッジョが描いたのは、祭壇の下の階段に転倒するマタイであって、

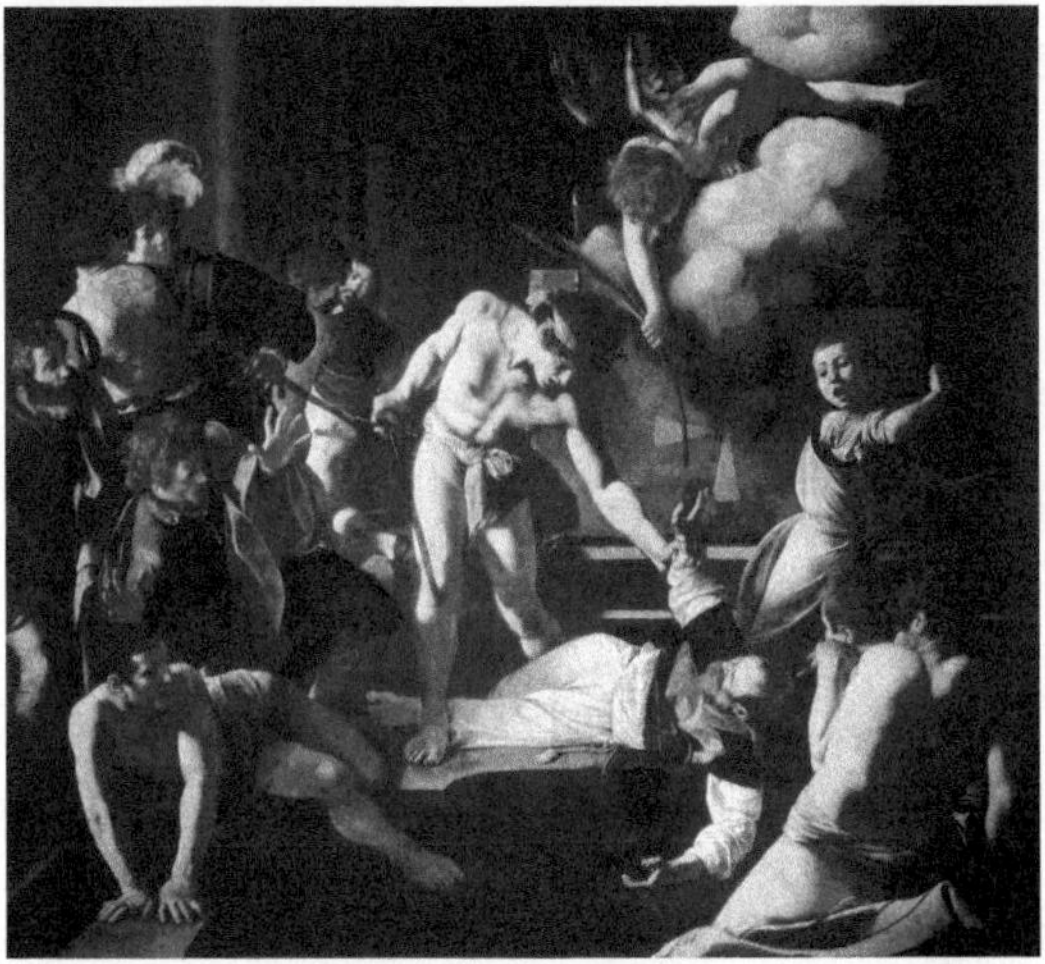

カラヴァッジョ《聖マタイの殉教》(1600年)

その上から褌《ふんどし》姿の裸体の青年が右手に剣を持ち、左手をのばしてマタイの右手を摑《つか》んでいるというシーンだった。横臥《おうが》したままのマタイの右手は天使が差し出す棕櫚《しゅろ》の葉を受け取ろうとしているように見える。棕櫚の葉はキリスト教イコノロジーにおいては有名な殉教のシンボルだが、これではマタイは殉教にとどいていない。

周囲には洗礼を志願する裸の若者たち四、五人が描かれている。事態の急変に動揺が走り、みんなびっくりして腰がひけている。そのなかで横たわるマタイを跨《また》いだ剣を持つ青年だけがなぜか怒りのような表情を見せ、咆哮《ほうこう》を放ち、マタイを見下している。

つまりこの絵をふつうに見れば、裸体の洗礼志願者の一人がマタイを殺害しようとしている構図に見えるのである。しかし、これではマタイ殉教の物語と合致しない。そこで、ひとつには中央の青年はマタイを殺そうとしているのではなく、マタイの危機を救おうとしているのだという仮説が提出されたのだが、そうだとすると今度は誰が殺害者なのかがわからない。それにマタイの体や衣服には血も流れていない。

そこでもうひとつの仮説が浮上する。後方でこの場面を振り返っている全身が見えない男がいるのだが、この男こそが殺害を謀った刺客ではないかというのだ。ところが、ところがだ、その顔はどう見てもカラヴァッジョ自身のギョッとするような自画像なのである。

なんとも謎に満ちた絵だ。何を伏せて、何を強調しているのかが、わからない。とくに、なぜカラヴァッジョが自分をモデルとした顔をもつ男を殺害者まがいの人物に見立てたのかが、わからない。

もともとカラヴァッジョはどんな主題の宗教画にも肖像画にも、平気で自分の顔を入れ込んだ〝陥入者〟だった。描かれた年代順にいうと、《病めるバッカス》《合奏》《聖マタイの殉教》《キリストの捕縛》《ラザロの復活》《聖ウルスラの殉教》《ダヴィデとゴリアテ》などに、自分の顔を描きこんだ。

そんな自己陥入に執着した心理的な理由を正確に推測することはできないが、異様な趣味であることはまちがいない。自画像を描いた画家はゴマンといるけれど、それなりの主題をもったタブローの中に自分の顔を入れ込むのは、その絵の物語の一隅に自分がこっそり住みこむということで、きっとサルバドール・ダリのようなよほど自己顕示欲の強い趣味の持ち主なんだろうとみなされた。

カラヴァッジョは何を好んでか、そんなことを次々にやってのけたのだ。それも、《キリストの捕縛》ではキリストを捕らえにきた兵士に交じってカンテラをかざす男として、《ラザロの復活》では死者を復活させた光を見る男として、《聖ウルスラの殉教》では殉教の瞬間を覗き見る男として、そして最後の自己陥入を試みた《ダヴィデとゴリアテ》では、なんと血がしたたるゴリアテの切り取られた首の男として――。カラヴァッジョは聖なる事件のどこかに、たえず自分を忍びこませたのである。

こういうカラヴァッジョがマタイの殺害の背景で、殺害現場を振り返る自分を描きこんだのだ。そんな奇妙な構図や趣向をバロックの先駆として語ることは重要だが、それだけでは言い足りない。ここではむしろバロックのもっと重要な狙い目がひけらかされていたと言うべきなのである。

かつてイヴ・ボヌフォワは「バロックの特質はイリュージョンによって現前の場所を構築することだ」と見抜いて、「その場の存在の正体を生み出すために幻影を用いるのだ」と説明した。イヴ・ボヌフォワが『ありそうもないこと』(現代思潮新社)で何を書いたかは七一一夜にかいつまんだのでそれを読んでもらうといいが、ボヌフォワは「イリュージョンを導入することこそが饒舌な説明責任から世界の本質を守る方法」であり、そのことはたとえばピタゴラス、フラ・アンジェリコ、カラヴァッジョ、ラシーヌ、ボードレール、バルテュス、シルヴィア・ビーチ、ジャコメッティらがやってみせたことであると証した(♪日本人はもっとボヌフォワを読んだほうがいい。宮川淳があらかたを紹介している)。

またジル・ドゥルーズは『襞』(河出書房新社)のなかで「バロックの特性は幻影そのものの中で何かを実現することだ」と見て、「幻影に精神的な現前を与え、幻影の部分や断片に集合としての統一性をふたたび与えること」がバロック・アーティストの最も重要な目標だったことをあきらかにした。それは、そうなのだ。カラヴァッジョはたんなるバロックの先駆ではなくて、古代以来のバロック的な発想による「ありそうもないイリュージョン」をもってその絵にひそむ存在の本体を現前させたのだ。

おそらくカラヴァッジョは、「神話」や「聖書」や「信仰」があえて欠落させてきた何者かの正体に気付き、これをあたかも世阿弥の複式夢幻能のごとくに再生させたのである。このときボヌフォワやドゥルーズの言う「イリュージョン」(幻像)が加わった。なんとも美術史は出し抜かれたものである。

ここで遅ればせながら、ごくかんたんにカラヴァッジョの画業変遷にふれておくことにする。

カラヴァッジョは一二、三歳のときにミラノの画家シモーネ・ペテルツァーノに入門し、当時は誰もがそうしていたように徒弟関係に入った。ついでペストの猖獗《しょうけつ》の激しいミラノから少しはましなローマに移って、サン・ピエトロ大聖堂の要人パンドルフォ・プッチのもとに寄寓《きぐう》し、ここで一日の食事がサラダだけという待遇で宗教画の模写をした（この模写が青年の腕を磨かせた！）。

その後、何人かのマエストロのもとで技法を組み合わせ、当時のローマ最大の画家カヴァリエール・ダルピーノに出会えたときはそうとう強い感化を受けた。この直後、デル・モンテ枢機卿にぞっこん気にいられ、その宮殿パラッツォ・マダーマに移ったのである。

枢機卿の庇護《ひご》をうけたのはかなりの幸運だったろう（うっかり矜持《きょうじ》をもちすぎたかもしれない）。ただし、こうした幸運にはたいてい義務も伴った。かくしてこの時期に描いたのが《果物を剝く少年》《蜥蜴《とかげ》に嚙《か》まれる少年》《病めるバッカス》《果物籠を持つ少年》などの少年像だったのである。ぼくの好みではないけれど、描かれた少年たちは妙にふっくらとした少年ばかりで（♪いわゆる豊頬少年）、ここにはカラヴァッジョの好みというよりデル・モンテ枢機卿の趣味があらわれているように思う。それでもこのうち《合奏》の一人には、早くもカラヴァッジョ自身が自己陥入された。

名声は広まった。やがて《聖フランチェスコの法悦》《エジプト逃避途上の休息》《悔《かい》悛《しゅん》のマグダラのマリア》といった静かな宗教画の注文にも応え、その後の一五九九年にデル・モンテの援助でマタイ伝にまつわる二作の壁画を描くチャンスを得たのだ。きっと枢機卿は青年カラヴァッジョの少年描写力を通して、この男を偉大な画家に引き上げたかったたであろう。

ここまで、カラヴァッジョはまだ発動期である。技法的にはヨーロッパ美術史上最もすぐれていると思える《果物籠》などに示されたような才能が開花してはいたが（この絵はホントーに凄い）、画題の解釈に自分の見解を入れるまでには至っていなかった。バロック的複式夢幻能を構想するまでには至っていない。

それが一六〇〇年除幕の二つのマタイ伝の壁画をきっかけに、カラヴァッジョが躍り出した。いや、暴れ出したのだ。

おそらくこの男は生来の粗暴者なのである。実際にも一六〇〇年から喧嘩《けんか》、暴行、器物破損、武器不法所持、公務執行妨害などで、しばしば警察の手を煩わせるようになり、サンタンジェロの監獄を出入りした。

仲間の画家とも揉《も》めた。ジョヴァンニ・バリオーネは画風を盗んだとカラヴァッジョからなじられ、裁判沙汰になった。この事件は裁判記録がのこっているため（美術史では「バリオーネ事件」と呼ばれてきた）、当時の社会状況を示す貴重な記録となっている。

それでもカラヴァッジョは必ずや絵には向かっている。この男にとっては犯罪と芸術が同居していたのだ。《聖マタイと天使》の一作とそれを描き替えた二作目をはじめ、《聖パウロの回心》の一作と二作、パウロに続く《聖ペテロの磔刑《たっけい》》、遠景に風景をとりこんだ《イサクの犠牲》、ヨハネを描きながらイサクを主人公にした《洗礼者ヨハネ》、宮下が「突出効果の傑作」と呼んでいる《エマオの晩餐》、イエスの復活を劇的な集約場面に仕立てた《キリストの捕縛》《聖トマスの不信》、のちにルーベンスを瞠《どう》目《もく》させた《聖母の死》（いわゆる「お眠り」の画題）な

カラヴァッジョ《果物籠》（1596年）

どの力作が、粗暴な自由狼藉の合間に次々に連打されていったのだ。

長らく行方不明で一九九一年にアイルランドの片いなかで発見された《キリストの捕縛》など、ぼくはこれを初めて見たときは腰を抜かした。こんな絵を見たことがない。困惑したイエスにユダが接吻《せっぷん》を迫り、ヨハネは脱げそうな上着をそこそこに逃げようとしている！

とはいえ、作品の評判がどうであれカラヴァッジョの粗暴はいっこうに収まらない。一六〇五年にはレーナという女性をめぐって公証人を斬りつけ、ついにローマを離れてジェノヴァに逃亡せざるをえなかった。それでも家賃滞納や暴力行為は鳴りやまず、翌年に「賭けテニスでの争い」が発端だったと言われているのだが、相手グループの一人を殺してしまい、死刑宣告状を突き付けられることになった。死刑宣告状というのは「見つけしだい、この男を殺してもかまわない」というお触れだ。

これでやむなく南イタリアを転々とすることになるのだが、画技のほうはこうした波瀾がおこっているのと反比例して、いや比例してというべきかもしれないが、さらに円熟していった。驚くべきことだ。《キリストの埋葬》《ロレートの聖母》《執筆する聖ヒエロニムス》《蛇の聖母》など、どうしようもないほどすばらしい。うっとりと考えさせる。とくにレーナをモデルにした《ロレートの聖母》と《蛇の聖母》、とりわけ《蛇の聖母》はその後のどんな宗教画よりも深い「創《きず》」にひそむ美を描き切っている。

一六〇六年、カラヴァッジョはローマ近郊の山岳地帯を逃げまわり、ナポリに出て一年ほど潜伏する。隠れ身の静かな潜伏というわけにはいかない。そこそこ有名になっていたカラヴァッジョが来たというので、ナポリの金持ちたちはこれをもてはやし、《慈悲の七つの行い》などを描かせるとともに、画家たちは画家たちでさっそく「ナポリ派」をおこすほどだった。

これではナポリも安全ではない。いつか悪事がバレかねない。カラヴァッジョは意を決して船でマルタ島に渡った。ここでマルタ騎士団（正式にはエルサレム、ロードス及びマルタにおける聖ヨハネ主権軍事病院騎士修道会、一般的には聖ヨハネ騎士団）のフランス人団長の擁護をうけ、作品制作に没頭した。カラヴァッジョは騎士団に入団するための修行も辞さない覚悟だったようだ。入団金は絵を描いて代用にした。

その代表的な作品がサン・ジョバンニ大聖堂のオラトリオ（集会祈禱所《きとう》）のために描いた五メートルを超える《洗礼者ヨハネの斬首》や、ぼくが大好きな《マグダラのマリアの法悦》や赤子を写生した《眠るアモール》だった。ついでながら、これらの絵が生まれていったとき、オランダではレンブラントが生まれていた。

けれどもカラヴァッジョには平常心というものがない。そんなものはとっくに捨ててきた。なんとかマルタ騎士団に入団したのも束の間、唆《そその》かされたのか自ら煽《あお》ったのかはわからないが、カラヴァッジョは騎士の仲間とともに上級騎士を襲い、地下牢に閉じ込められてしまう。

ここからが最後のカラヴァッジョ伝説になる。脱獄をはたしたのだ。シチリアのシラクサに入りこんだカラヴァッジョはここで態勢をととのえると、メッシーナ、パレルモと渡り歩き、ふたたびナポリに戻っていく。

この間、カラヴァッジョは武器と絵筆を携帯し、どこでも身を守り、どこでも絵を描いた。そんな緊張の日々のせいか、シチリア時代の集大成《生誕》にはかえって過激な動的緊張感が薄れ、いっときの穏やかな祈りの雰囲気が漂っているようだ。しかし、身のまわりは穏やかになるわけがなかった。カラヴァッジョはナポリでマルタ騎士団の復讐の手に襲われ、瀕死《ひんし》の重傷を負うと、それでも命からがらナポリを脱出し、不死鳥のごとく蘇生《そせい》してみせるという、いわば〝敬虔《けいけん》な獰猛《どうもう》〟を発揮して、さらに故郷への凱《がい》旋《せん》を試みたのだ。

だが、さしもの悪運もここで尽きた。運命の女神は非情だった。熱病に罹《かか》って無念のまま死んだ。一六一〇年七月十八日没。享年三八。過激な浪漫に富んだまことに短い生涯だった。

いったいカラヴァッジョという男、何をどこまで仕出かそうとしていたのだろうか。あらためて総じてみると、すべての作品に激しく共通するのは「闇」と「光」と「意外な物語性」である。横尾さんもずうっとそのような絵を描いているけれど、どの作品にも事前と事後の「あいだ」が集約されているのも特徴だ。事前と事後がリバース・エンジニアリングされている。そう言ってもいいだろう。

ぼくがカラヴァッジョの画集に衝撃をうけて、「遊」にニューバロックの主張を盛りこもうとしたことはすでに述べたけれど、そのときダブルページの連載コラムをいくつか創設し、そのひとつに「準事態・次事態」というタイトルをつけたのだが、それはカラヴァッジョのリプリゼンテーションの魔術に肖《あやか》ったものだった。カラヴァッジョがバロック的複式夢幻能をもって出入りさせたイリュージョンは、この「準事態」と「次事態」のあいだの〝せぬ隙〟だったのである。

まあこのあたりは牽強付会《けんきょうふかい》な話だとして、こうしたこと以上にカラヴァッジョを貫いているのは、やはり「タナトス」(死の観念)というものだったと思う。そのタナトスは神話性と想像力と現実社会との亀裂をおこすタナトスである。罪と悪とが暗闇の領域から光の領域の聖性に向かって転換していくときに、その溝にあらわれる一瞬の「死と再生」の出入りをつかさどるタナトスだ。宮下規久朗ふうにいえば、このタナトスは「聖性のタナトス」であり、「ヴィジョンの中のタナトス」である。

と、ここまで書いて、ぼくはなぜか、マティアス・グリューネヴァルトの《キリストの磔刑》とユイスマンスの小説『腐爛の華』を同時に思い出した。なぜそんなことを思い出したのか、その理由を、いまは語るまい。気になるのならユイスマンスを読んだうえで、図版を見られたい。ぼくが今夜の思索をどのように撒種《さんしゅ》しようとしたかが、見えてくるだろう。

一四九七夜　二〇一三年一月二九日

参照千夜

二九九夜：若桑みどり『イメージの歴史』　一七七夜：デレク・ジャーマン『ラスト・オブ・イングランド』　一二九五夜：岡田温司『マグダラのマリア』　三七七夜：ヨハネス・ケプラー『宇宙の神秘』　一二一夜：アマンダ・リア『サルバドール・ダリが愛した二人の女』　七一一夜：イヴ・ボヌフォワ『ありそうもないこと』　七七三夜：ボードレール『悪の華』　九八四夜：クロード・ロワ『バルテュス』　二一二夜：シルヴィア・ビーチ『シェイクスピア・アンド・カンパニイ書店』　五〇〇夜：ジャコメッティ『エクリ』　一〇八二夜：ドゥルーズ&ガタリ『アンチ・オイディプス』　一一八夜：世阿弥『風姿花伝』　一二五五夜：貴田庄『レンブラントと和紙』　九九〇夜：ユイスマンス『さかしま』

極大と極小の両界にまたがるバロック。
ベルニーニのバルダッキーノが二つを魔術的につなげる。

石鍋真澄

ベルニーニ

吉川弘文館　一九八五

バロックには古代ギリシアに始まったすべての「大いなる様式」の切断と転換があった。もしバロックがおこらなかったとしたら、時代はつねに古典回帰するだけに終わっていた。そんな回春ばかりの歴史はひどくつまらなかったろう。それがバロックでは「大いなる様式」を表現するための「限界」にまで進んだ。そこにルーベンス、ヴァン・ダイク、ベルニーニが、またレンブラントやフェルメールやバッハが登場した。

いまではだれもがこんなふうにバロックの到来を祝福できるはずなのだが、ところがこうしたバロックの見方はなかなか定まらなかったのである。むしろながいあいだ、バロックは悪趣味や奇矯の代名詞だと勘違いされていた。かの度量の広いヤーコプ・ブルクハルトでさえ、なかなかバロックにまでルネサンス論に匹敵する論拠を持ちこめなかったし、意地悪なことが好きな論客だったとはいえベネデット・クローチェなどは、「バロックの時代」があったことを認めても、「バロックの芸術」は認められないと言い続けたものだった。「芸術的なものはバロックではなく、バロック的なものは芸術ではない」というふうに。

バロック（baroque）という用語の由来は「歪《ゆが》んだ真珠」を意味するポルトガル語の「バローコ」（barroco）から派生したというのが定説だ。歪んだ真珠とは正格ではない、正規じゃなくていいという意味だ。曲がっているとか、変だとか、本物ではないという意味である。この語源の印象からしても、バロックは最初から逸脱的だった。

たしかにバロックはルネサンスから見れば逸脱だったろう。バロックが出現したのがマニエリスムをへた直後の時期だったので、手法的にも奇態な技法をもっていた。しかしどこから逸脱したかというふうにバロックを見ると、そういう見方ではバロックは見えにくくなる。ルネサンスという円形的で球体的な〝中心〟の世界観があって、そこから逸《そ》れたとみなしすぎることになる。どこから逸脱したかではなくて、どこへ逸脱しようとしたかがバロックなのである。

二十世紀に入ってもバロックは正当な評価をうけてこなかった。そのためバロックを形容するときは建築様式の面では、しばしば「ビザール」（風変わり）という形容の言葉をともなっていた。ただしそれだけでは何か言いえていないと思ったのか、遠慮がちに「風変わりの最上級」とか「ビザールの洗練化」という苦しい形容をした。けれども、これでは茶番だ。バロックはたんなるビザールなんてものではなかった。世界の再構築のための最大級の提案だった。

バロックを芸術の領域に絞ってモンテヴェルディやベラスケスやヘンデルをあげるのはたやすい。そういうバロックに浸るのもわけがない。しかしながらそういうバロック趣味に傾倒しすぎるのはバロックの見方としては狭すぎる。バロック美術やバロック音楽に酔う前に、十六世紀末に勃興《ぼっこう》して十七世紀全般のヨーロッパを覆ったバロック思想というものがどういうものかを見るのがいい。

バロックは反宗教改革と一緒におこった。これはトマス・アクィナス以来の世界観（われわれは「神の国」をつくっているという世界観）に大きな訂正をもたらしたので、十三世紀以来のカトリシズムに最後の変更を迫った。その変更の提案すべてがバロックなのである。いいかえれば、ルネサンスをはさむ中世近世の世界は〝偉大なまま〟に自己変更の極限にまで達したのだ。ルーベンスやベルニーニやバッハに「大いなる宇宙観」や「敬虔な社会観」が輝くように響いているのはそのためだ。

バロックは、ルネサンス的なるものを壊したり歪めたりしたかったのではなく（むろん悪趣味にしたかったのでもなく）、神のいる宇宙のなかで、その宇宙像を限界いっぱいまで変更しようとしたうねりだった。

哲学史的に指摘すれば、バロック思想を用意したのはデカルトとパスカルとライプニッツだった。バロック的な見方を限界にまで押し上げたのはガリレオとフック、そしてスピノザとホッブズだった。すなわち、バロック思想とは「神がいる宇宙」のなかの限界ぎりぎりの世界を提示した思想なのである。

だからバロック思想は極大の宇宙と極小の宇宙を、二つながら抱いていた。その宇宙や世界は一つの焦点で描かれるのではなく、少なくとも二つ以上の焦点によって描かれた。ルネサンスが円であるとするなら、バロックは楕円《だえん》か、楕円以上だった。超楕円だった。ルネサンスの神が静的であるとすれば、バロックの神は動的な神なのである。

たいていのバロック的な成果はその思索者や制作者によって、十分すぎるほどの時間がかかっていた。バロックの成果品は見ていても聞いていても読んでいても、大きくて、かつ精密である。シェイクスピアしかり、ライプニッツしかり、バッハしかり、アタナシウス・キルヒャーしかり、ロバート・フラッドしかり、だ。バロックはつねに手がこんでいた。あまりに手がこんでいるために、それが人を欺くものかと疑われたほどだった（そのためブルクハルトやクローチェが過小評価した）。

　こうして、バロックとは十七世紀にかぎらない思想様式や芸術様式をあらわす用語だということになってくる。バロキズムというものになっていく。実際にもバロックなバロキズムは地域的にも広がった。オランダ・イタリア・ドイツ・フランス・スペインから北欧・メキシコまで入る。メキシコ・シティの大聖堂、リマ（ペルー）のサン・フランシスコ教会など、目が痛いほどのバロックだ。

　かつてBBCが「バロック」というドキュメンタリー・シリーズを特集放映したときは、その最終回のそのまたラストシーンで、ヨーロッパの黒い森が緑の森にオーバーラップしてそのまま日本の森になり、そこにカメラが寄ると日光東照宮の陽明門《ようめいもん》がしだいにクローズアップされるという演出をしていた。たしかに一六〇〇年から数十年をバロック中心期とするとそこには陽明門も岩佐又兵衛も入ってくるのだが、これは洒落《しゃれ》とみたほうがいいだろう。

　多様多彩多時のバロックであるが、バロック美術としてどこに芸術集中がおこったかといえば、それはやはりローマ・バロックである。バロック美術はローマにおいてこそ濃密だった。カラヴァッジョ、ベルニーニ、ボッロミーニ、コルトーナ、プサンが踵《きびす》を接して出現した。このいずれにもジャコメッティとバルテュスが惚《ほ》れぬいていたことは、よく知られていよう。

なかで今夜はベルニーニに焦点をあてたい。ベルニーニを見ればバロックのすべてがわかるだろうからである。それとともにベルニーニを見ればバロックのすべての誤解の理由もわかる。フィレンツェ大学に留学し、しばらくローマで研究をしていた石鍋《いしなべ》真澄《ますみ》の著作をもって案内する。最初に言っておくが、ベルニーニを最初に見たときのぼくの驚愕《きょうがく》といったら、それはそれは目を疑うほどの、それこそ「ヴィルトゥオーソ」（驚くべき熟達者）そのものだったのだ。

ジャン・ロレンツォ・ベルニーニは一五九八年にフィレンツェ出身の父とナポリの母のもとに生まれた。父親が彫刻家で、後期マニエリスムの頂点にいた。ベルニーニは最初から「ローマのミケランジェロ」になるように育てられた。

両親の期待はあっというまに開花した。伝説では十歳の、実際には十六、七歳のときの作品だろうと見られている《幼児ゼウスに乳をやる山羊アマルテア》や十八、九歳のときの《聖セバスチャン》でそのことは存分に伝わってくる。めちゃくちゃ、凄い。すでにバロックの天才としての片鱗《へんりん》たるべき物語性を発揚し、かつミケランジェロの最もすぐれた資質を継承する。いまもボルゲーゼ美術館にのこる二一歳のときの《トロイアを逃れるアエネアス、アンキセス、そしてアスカニウス》はさらにミケランジェロ的であって、かつバロック的である。

ベルニーニを知る前、ぼくはミケランジェロでは《ピエタ》にぞっこんだった。あんなに柔らかくキリストの死を哀しんでいる彫刻がこの世にあったとは思わなかった。しかしベルニーニに出会って、その何かが一挙に超えられたと知った。おそらく造形精神の核のようなところはミケランジェロは譲っていないだろうが、けれどもそのほかの、技量やなめらかさや動きや美しさにおいては、つまりは感情と幻想に関する修辞学のいっさいの面では、ベルニーニはミケランジェロを超えていた。

それが劇的にあらわれるのはドナテッロの《ダヴィデ》とミケランジェロの《ダヴィデ》に対して、一六二三年にベルニーニが《ダヴィデ》を世に問うたときである。

ドナテッロは剣を奪って石を投げ、ゴリアテの首を刎《は》ねた直後に勝利に酔う美少年ダヴィデを彫塑した。ミケランジェロのダヴィデはそんな出来事におかまいなく、ダヴィデの存在そのものを傲然《ごうぜん》と自立させている。出来事はゴリアテを滅ぼした石の袋だけに絞られ、しかもそれは正面からは見えないように左手で肩越しに背後にぶらさがるだけである。これに対してベルニーニは石を投げようとする瞬間のダヴィデを表現した。伝記によるとその顔はベルニーニ自身をモデルにしたらしい。

ミケランジェロは「不朽」を彫り、ベルニーニは「動向」を彫ったのだ。ミケランジェロは青年の自立と佇《たたず》みを描き、ベルニーニは物語のなかの青年の次の踏み出しを描いたのだ。そこにルネサンスの静とバロックの動があらわれた。

父にそう言われて育ったように、ベルニーニはミケランジェロをつねに「神の如きもの《ディヴィーノ》」として称賛し、実際にも《最後の審判》の人物像を二年にわたって緻密《ちみつ》に模写したのだから、ベルニーニがミケランジェロを否定していたわけではない。が、ベルニーニはミケランジェロには「時間が刻まれていない」ことを見抜いたのだ。

ベルニーニの大理石彫刻は純白の蜜蠟《みつろう》のようである。あまりにも蠟のごとくに柔らかく、あまりにも絹のようになめらかだ。

どうしてこんな技能が完成しうるのかいまなお見当もつかないが、その肌理《きめ》に満ちた彫塑には極上の触感がある。それは「見る触感」で、「触る視覚性」だ。この技量はその後の《プロセルピナの略奪》と《アポロとダフネ》とでさらに磨き抜かれ、《コスタンツァ・ボナレッリの肖像》や《マグダラのマリア》で乙女と聖女の潑剌《はつらつ》と爛熟《らんじゅく》そのものとなって、ついに《聖女テレサの法悦》と《福者ルドヴィーカ・アルベルトーニ》では官能のフラジリティの極点にまで達した。

聖女テレサが幻視と法悦をどのように経験したかは、ベルニーニが最も得意とする主題だったにちがいない。テレサは長い黄金の矢を手にした天使がテレサの心臓を射貫《いぬ》いて臓腑《ぞうふ》を持ち去るのを見ながら、その痛みに呻《うめ》きながらも神の愛にすっかり燃え上がり、法悦の彼方に魂が奪われていくことに震えるほどに霊的な官能をおぼえるのである。こんな主題はキリスト教にしかないほどの神々しいエクスタシーであるが、ベルニーニはそれを取り出して神のエロスを根こそぎ引き取る表現者として、他の誰よりもぴったりだった。

　ベルニーニはこの天使とテレサの組み合わせを、まず飛来する雲に乗せ、その法悦の光景全体を壁龕《エディコラ》に入れて主祭壇とし、コルナーロ礼拝堂（サンタ・マリア・デッラ・ヴィットーリア）に出現させた。天使の微笑がやや気になるほかは申し分ないバロック的官能表現に達している。とくにテレサを覆う幾重にも流れるドラペリー（衣襞《いへき》）の大理石の艶は、信じがたいテクスチュアになっている。

　こうした技能の極点がついにフラジャイルな感情の極みとなって包摂されたのが、サン・フランチェスコ・ア・リーパ教会の片隅にある《福者ルドヴィーカ・アルベルトーニ》だ。この教会はローマ・ファンにもあまり知られていないところにあるのだが、訪れてアルベルトーニの官能の表現とドラペリーの表現に出会ったとたんに、息を吞む。とくに仰向きに寝そべって右手で静かに乳房を包むアルベルトーニの手は、それ

ベルニーニ《福者ルドヴィーカ・アルベルトーニ》
(1671〜74年)

までの絵画をふくむ芸術作品が置き去りにしてきたリビドーを一身に表現したのかとさえ思わせるほどの「はかない官能」の絶妙なのである。

ベルニーニは「ソウル・ポートレート」の天才でもあった。カリカチュアの技術ならすでにレオナルド・ダ・ヴィンチにも発祥していたが、レオナルドは「類型としてのカリカチュア」を描いただけだった。ベルニーニがしたのは実在の人物のソウル・ポートレート化であった。

この才能は二十歳のころの《パウルス五世像》にはやくも滲《にじ》み出し、《シピオーネ・ボルゲーゼの肖像》や《コスタンツァ・ボナレッリの肖像》で迫真の境域におよび、《イノケンティウス十世の肖像》では威厳の彫塑に手を届かせた。とくにコスタンツァの肖像はベルニーニが愛した人妻だったこともあって、そのソウル・ポートレートは世界彫刻史上における傑作のひとつになっている。

これでぼくが大好きなベルニーニの主要な特徴を指摘したことになるのだが、しかし同時代においてベルニーニの名を高《たか》からしめたのはそのバロック建築上の実験とスペクタクル演出家としてのベルニーニのほうだった。いまでもベルニーニの功績の半分はその建築技量と空間感覚に手向けられていることが多い。

これについては一六五五年という年を記念しておくべきだ。この年、スウェーデン女王クリスティーナがプロテスタントから正式にカトリックに改宗し、十二月にローマに到着した。女王は壮大なプロセション（行列）を組んでポポロ門から入城し、コルソ通りを通ってジェズ広場をぬけ、サン・タンジェロ橋をわたってサン・ピエトロ広場に着くと、正面階段《スカラ・レージア》からヴァチカン宮殿に入っていった。

この、ローマ中を熱狂させたスペクタクルを演出し、その装飾のすべてをひきうけたのがベルニーニだった。女王の乗る馬車、駕籠《かご》、玉座をはじめ、ポポロ門の装飾、サン・ピエトロ広場の装飾にいたるまで、いっさいがベルニーニのバロックで埋めつくされた。クリスティーナ女王はその後、二七年間にわたってローマのヴィッラ・リアーリオ（のちのヴィッラ・コルシーニ）に暮らす。ローマ・バロックを語るうえで、クリスティーナ女王の入城と滞在と生活は最大の物語となったのである。

順番からいけば、建築家ベルニーニのバロックはサン・ピエトロ広場の修復計画に始まるのだが、この大事業を説明するだけでもおびただしい出来事がおこっている。この出来事を語るだけで、バロックの意味の三分の一を説明することになるはずだ。

だから今夜はその説明をすっかりよしておくけれど、長靴のような使いにくい用地、サン・ピエトロ聖堂と向かって右側の建物群の動かせない関係、カルロ・マデルノの噴水とオベリスクの位置……。これらの既存の光景と条件を前に、ベルニーニがまさに魔法のような空間編集と装飾デザインをプランし、これを実行に移してしまったことはあえて強調しておきたい。

オベリスクを動かし、新たな噴水を加えてバロック・バランスを加えるところまではともかくも、コロンナート（柱廊）をめぐらせて、後世しきりに「オヴァート・トンド」（円い卵形）とよばれることになった空間をそこに現出させたのは、引き算の天才だったミケランジェロに比していえば、ベルニーニが可能にしてみせた「バロック的掛け算」の魔法だったといっていいだろう。

これは「コンチェット」（着想）なのである。バロックの本質を物語るコンチェットであって、ルーベンスにもライプニッツにも、バッハにもスピノザにも特異したコンチェットなのだ。それをベルニーニは空間にもスペクタクルにも登場させた。

その典型的なコンチェットはサン・ピエトロ聖堂内部の「カテドラ・ペトリ」の、とりわけバルダッキーノ（天蓋）の演出にあらわれる。このバルダッキーノほどバロック・ベルニーニらしいものはない。石鍋真澄もこれがベルニーニの総決算だったろうと書いている。完成までに十年をかけた。

ベルニーニのバルダッキーノは遠心力と求心力をもっている。螺旋《らせん》のダイナミズムと楕円の拡張力と装飾の物語性をもっている。これらが「カテドラ・ペトリ」においては同時の奇蹟《きせき》となって舞台化されているのである。こんな聖なる舞台装置は二度とお目にかかれることはないだろうと思う。こんなことは、ガウディもダリも、小堀遠州も伊東忠太も無理だった。バルトルシャイティスがかつて「アナモルフォーシス」（歪像表現《わいぞう》）と名付けたマニエリスティックな手法も、ベルニーニ以降はだれも大掛かりには実現できなかった。

その理由ははっきりしている。バロック以降、芸術家たちは、とりわけ建築家たちは、もはや「神の似姿」を必要としなかったからである。そしてベルニーニのサン・ピエトロ広場とバルダッキーノとともに、バロックは建築的使命を終えるのだ。

第一〇三四夜　二〇〇五年五月十一日

参照千夜

一二五五夜：貴田庄『レンブラントと和紙』　一〇九四夜：アンソニー・ベイリー『フェルメール』　七六二夜：パスカル『パンセ』　九九四夜：『ライプニッツ著作集』　一七三四夜：ガリレオ・ガリレイ『星界の報告』　八四二夜：スピノザ『エチカ』　九四四夜：ホッブズ『リヴァイアサン』　六〇〇夜：シェイクスピア『リア王』　一五二三夜：ポール・デュ゠ブーシェ『バッハ』　五〇〇夜：ジャコメッティ『エクリ』　九八四夜：クロード・ロワ『バルテュス』　二五夜：『レオナルド・ダ・ヴィンチの手記』　七三〇夜：伊東忠太・藤森照信・増田彰久『伊東忠太動物園』　一三夜：バルトルシャイティス『幻想の中世』

独特のトポスが生んだオランダ絵画。
そのデルフトの日常に光の魔法が誕生した。

アンソニー・ベイリー

フェルメール

デルフトの眺望

木下哲夫訳　白水社　二〇〇二

Anthony Bailey: Vermeer—A View of Delft 2001

一九七〇年代半ばのことですが、神田に現代思潮社が経営していた美学校がありまして、種村季弘《たねむらすえひろ》・澁澤龍彥《しぶさわたつひこ》・松山俊太郎さんらは芸術観念のための講義を、立石鐵臣《たていしてつおみ》・中村宏・赤瀬川原平さんたちは細密な美術実技を教えていました。ぼくも、髭《ひげ》をたくわえた飄々《ひょうひょう》とした観念仙人ともおぼしい松澤宥《ゆたか》さんに頼まれて、「最終観念美術教場」というおそろしい名の授業を受け持っていたことがあります。

その教場には横須賀未美ちゃんという生徒がいて、その未美ちゃんが、あとで知ったのですが、なんと横須賀功光《のりあき》の二番目の奥さんだったので、ぼくはそれからしばらくして鬼才写真家・横須賀さんと大いに知りあうことになるのです。

それはひとまず余談の話で、その美学校の立石鐵臣教場に点描細密画を修得しつつあった牧宥恵《まきゆうけい》君がいました。富山でマントラバンドという楽団をつくっていた青年で、そのバンド名の通り、密教にひとかたならぬ関心をもっていました。牧君はときどきぼくの松濤の共同住宅、通称ブロックハウスというのですが、そこにふらりと遊びにきていました。のちに京都の智積院《ちしやくいん》で密教の灌頂《かんじよう》を受けました。

さて、いったい何の話のきっかけでそういう話題になったのかは忘れましたが、牧君はある夜、しきりに「フェルメールは最高ですよ」を連発したのです。「だってあそこまで光を描くなんて、いないんじゃないですか」「眼の光が潤んでますよ」と興奮していたのです。そこで「パルミジャニーノは?」「カラヴァッジョは?」「レンブラントは?」とぼくはいじわるく質問してみたのですが、牧君は、いやカラヴァッジョもレンブラントも問題にならないというのです。牧君はフェルメールの光を密教とすら結びつけたかったようですが、それはともかく当時はフェルメールにそこまで惚《ほ》れる青年がいたことに誇らしいものを感じました。

いま、牧君は和歌山の根来寺《ねごろじ》に住んで売れっ子のプロの仏画師になっています。牧君なりにまさに「光」を描いているわけです。フェルメールと立石鐵臣と仏画とがどこかでつながったのだとしたら、ありがたいことです。

　こんなことを思い出したのは、牧君とフェルメールについてちょっとした談義をたのしんでからしばらくして、ぼくは自分が言ったことが気になって、フェルメールの画集を美学校や桑沢デザイン研究所でつぶさに見ることになり、そのときフェルメールの「光の点綴《てんてい》画法」というもの、いわゆる「ポワンティエ」に心底瞠目《どうもく》してしまったのですが、はたしてそのようなフェルメールの「光点」についての議論はその後、どのように研究されているのだろうか、どういう見方が主流になっているのだろうかということを、ずっと気にしていたからです。そしてそういえば、そのことを「千夜千冊」には書いていなかったなあと、去年の暮れに思っていたからです。

　実は今夜、フェルメールのポワンティエのことをそろそろ書かなくてはと思ったのは、ここでさきほどの余談がちょっと生きてくるのですが、そもそもは、ぼくが恵比寿の写真美術館で開かれることになった横須賀功光展を、横須賀さんの遺児の安里君に頼まれて手伝うことになったからでした。この写真展はぼくが「光と鬼」とタイトリングしたもので、分厚い写真集を勝井三雄さんと構成編集しました。会場構成は長友啓典《けいすけ》さんと藤本晴美さんです。

　どのように横須賀さんの遺作を写真展にし、写真集にしたかということは、その経緯を話すだけでたいへん興味深いことがいろいろあるのですが、それはいまはさておき、そうやって仕上がった写真美術館の一仕事をやっとやりおえた感慨をもってあらためて見ていたとき、横須賀さんの写真が秘めた「光」はいったいレンブラントやフェルメールがカメラ・オブスクラを通して見た光とくらべると、どんなことになるのだろうかと思ったのでした。

それというのも、ぼくは横須賀さんの写真には量子的な光というもの、いわば「光量子の動向」というものを感じていたからで（それを「光銀事件」と名づけてみました）、横須賀さんはそれをあくまでマン・レイの写真技法にまではさかのぼっていたのですが、考えてみればマン・レイはエドワード・マイブリッジやエティエンヌ＝ジュール・マレーにまで、マイブリッジたちは印象派の奥にいるレンブラントやフェルメールまでさかのぼっていたわけですから、横須賀さんの「光」とフェルメールの「光」をつなげてみることは、必ずしも的外れではないはずなのです。

とはいえ、このような見方をそれなりの意図で遊ぶには、そもそもルネサンスやバロックが「光」をどのように見たか、ガリレオやホイヘンスやフックがレンズで世界を見ることになった意味はどういうものだったか、カメラ・オブスクラはどのように人々の世界観の表現の仕方を変えたかというところまで考える必要があります。けれどもそのことを今夜一夜で書くにはたいへんなこと、さあ、どうしようかなと思っているうちに、二〇〇六年の今年があけたのです。まあ、以下はいま申し上げた思い出話の延長のようなもの、気楽に書いてみますから、読み流してください。ポワンティエのことは最後にちょっとふれてみます。

ああ、言い忘れるところでしたが、今夜とりあげたアンソニー・ベイリーの一冊は、フェルメール論としてとくに優秀なものではありません。フェルメールに関する議論をできるかぎり多く脈絡をつけてまとめた評伝に近いもので、著者のベイリーが「ニューヨーカー」で三五年にわたって文化面を担当してきたキャリアがよくわかるというような一冊です。いわばテレビ・ドキュメンタリーにするといいような内容といえばいいでしょう。「デルフトの眺望」という有名な副題がついています。

本格的にフェルメールをめぐる議論について読みたいなら、むしろ小林頼子さんの大部の『フェルメール論』（八坂書房）か、やはり小林さんがＮＨＫブックスに書いた『フェルメールの世界』か、その小林さんが構成したと思われる共著『フェルメール』（六耀社）がいいでしょう。

さて、西洋絵画の歴史がルネサンスを経過するうちに筆のタッチをほぼ完全に消すようになっていったことは驚くべきことでした。一三七〇年から九〇年ごろにネーデルラントに生まれたファン・アイク兄弟が、すでに亜麻仁油《リンシード・オイル》によって透明性をもつ絵の具の重ね塗り《グレース》を数十回もくりかえしていたのが最初でしょう。弟のヤン・ファン・アイクは

《アルノルフィニ夫妻の肖像》や《ヘント祭壇画》を亜麻仁油の効果を自慢するために描いたようなものです。

これは油彩画の〝発明〟でした。これで何がおこったかというと、中世以来のテンペラ画の欠陥から脱出できたのです。テンペラ画は油と膠質《こうしつ》からなる乳剤を水溶性の媒剤にして、これで顔料を練り合わせた絵の具をつかいます。媒剤には卵や膠《にかわ》や樹脂やゴムのようなものが用いられたのですが（卵が多かったようです）、これだと乾きが速くて、丈夫で耐久性が高いものが描けるのはいいのですが、平塗りやぼかしができません。だからどうしても線描的になります。

これに対して油彩画《オイル・ペインティング》は、顔料を植物性の油にまぜた絵の具を作って、それを薄める溶剤にワニスをまぜてたくみに皮膜をつくり、それで光沢を出せるようにしたものです。これで格段の色調や濃淡が表現できるようになり、不透明な描法から透明な描法までいかようにも工夫できるようになった。一言でいえば、光と面が同時に描けるようになったのです。

そこで注目すべきは、このような油彩の技法を考案したファン・アイク兄弟が北方のネーデルラントに登場したということです。このことはしかも、その後のネーデルラント絵画、つまりはオランダ絵画がヒエロニムス・ボスやピーテル・ブリューゲルやレンブラント・ファン・レインやピーテル・デ・ホーホやヨハネス・フェルメールを生んだことと、とても関係があるということです。

陽光の眩《まぶ》しい乾いたイタリアと異なって、北方のネーデルラントはもっと光がほしかったのでしょう。もっと光がほしいけれど、その光はギラギラしたものにはなってほしくない。湿潤な気候からいっても微妙な光で仕上げたい。それが「低地」という意味をもつネーデルラント地方のアーティストの気持ちなのです。

もっともネーデルラント＝オランダ絵画がファン・アイクの直後から「光の絵画」を独走できたわけではありません。フィレンツェのルネサンスに『絵画論』を書いたレオン・バッティスタ・アルベルティやピエロ・デッラ・フランチェスカの「線遠近法」が出現したことと、レオナルド・ダ・ヴィンチによる独創的な「キアロスクーロ」(明暗法)と「スフマート」(対照法)の錬磨とが、加わる必要がありました。イタリア・ルネサンスはイタリア・ルネサンスなりに、テンペラ画の限界をなんとかキアロスクーロやスフマートで乗り越えようとしていたのです。

この、オランダ型の油彩の技法とイタリア型のキアロスクーロ技法とスフマート技法の三点セットによって、西洋美術は完全に筆のタッチを消して、明暗表現の冒険に、つまりは「光の絵画」の冒険に船出できたのです。

ここでちょっと乱暴な比較をしてみます。フェルメールは一六三二年のオランダのデルフトという町に生まれているのですが、そのフェルメールとまったく同い歳なのは、日本のアーティストでいえば一木鉈彫《いちぼくなた》りの円空なのです。

フェルメールが筆のタッチをほぼ完璧に消した当時唯一の画家であったことにくらべると、荒削りをもって一貫しつづけた円空はまさに対照的だったといえるでしょう。彫刻だから刀意が残ったというのではありません。だいたい東洋や日本の絵画は筆の動きを画面から隠さない。実はフェルメールや円空の六年前の中国に、天才的な水墨画家だった八大山人がちょうど生まれていたのですが、八大山人など、まさに筆意は紙に躍ったままです。タッチを消そうとはしていません。

またついでにいえば、レンブラントはフェルメールより二六歳ほどの年上の同じオランダ人ですが、このレンブラントの時代年齢は日本でいえば宮本武蔵にほぼ近い。武蔵は周知のように画号を二天といって気韻神妙な絵を描いて、やはり筆を剣と見立ててその切っ先を紙に残響させることをもって志としたものです。筆の跡が死んでいると、自分がやられたような気分になるといって、何度も失敗作を破って描きなおしたようです。洋の東西で、筆を残すか筆を消すかは、少なくともルネサンスからバロックの時代までは、まるで美意識が拮抗《きっこう》するかのように、まったく対照的だったのです。

ファン・アイク兄弟に始まった北方ルネサンスの牙城《がじょう》ともよばれたネーデルラント＝オランダ絵画は、こうして西洋美術史の「光の秘密」のかなり重大な部分を担ったわけでした。イタリア・ルネサンスだけでは「光の絵画」は飛躍できなかったのです。
とはいえ同じオランダだからといって、その動向は同日には語れません。中国ほど広大ではないのでその差は微妙ではありますが、それでも北と南ではいろいろのことがやはり異なっています。徳川時代の江戸と京都がまったく異なる美術を発達させたようなものと見ればいいでしょう。たとえば京都にはあれほど江戸で流行した浮世絵がほとんど流行しなかったのです。

　そもそも絵画にはその絵を描いた画人が背負うトポスというものがあります。アルトドルファーだって英《はなぶさ》一蝶《いっちょう》だって、蕪村だってゴッホだって、ダリだってジャスパー・ジョーンズだって、大小の地域や国域の差はあれ、必ず画人が育ったトポスを背負いました。ゴッホの町とダリの港とジョーンズの国旗は、そうしたトポスの表現だと見るべきです。画家たちはたいていそうしたトポスに冒されたトポフィリア（場所愛）をかこっているのです。

　近代の日本画だって、東の横山大観と西の竹内栖鳳とは主題も技法もまったくちがいます。それは風光の相違から社会観や価値観の相違まで及びます。

　レンブラントやフェルメールの時代では、ネーデルラント＝オランダが長きにわたったスペインの属領としての性格をどのように脱したかということが、大きな政治社会的なトポスの条件になります。宗教のちがいも重要です。ちなみにこんなことは歴史地図を見ればすぐわかることですが、当時のネーデルラントとは、その後のオランダとベルギーの両方をさしていました。

さてオランダ絵画史では、まずもってファン・アイク兄弟がネーデルラント（低地）を背負って最初の出発をしたのですが、当時は南方のフランドル地方のブリュージュ、ヘント、ブリュッセルなどの自由都市の勢力が強くて、そこでは都市貴族と商工業者たちが力をもっていました。画人が絵を描いて生業《なりわい》とするには、必ずこうしたスポンサーやパトロンを必要としたわけで（注文のない絵画など、そのころはほとんどなかったのです）、その都市のスポンサーの意向によって絵画の方向も決まっていったわけです。ヤン・ファン・アイクが公証人をモデルとした《アルノルフィニ夫妻の肖像》を描いた理由がそこにあります。

日本でも室町時代までは大半の絵が注文によっていて、それが将軍家の注文であるばあいはとくに「様《よう》」とか「新様《しんよう》」とよばれています。これについては第一三九夜で《瓢鮎図《ひょうねんず》》を例に、さらには『山水思想』（五月書房→ちくま学芸文庫）で詳しい説明をしておきました。

一四五〇年ごろの生まれのヒエロニムス・ボスだって、あんなに怪物や魔物を描いたのだから勝手な画想だと思いたくなりますが、そんなことはない。ボスにも実はフェリペ二世を筆頭とするコレクターがいたのです。だれも時代のトポスから自由であったわけではありません。だから一五二八年ごろにボスと同じ地方に生まれたピーテル・ブリューゲルも、そのボスの忠実な模倣から入って、しだいに当時の社会風俗の月暦の行事性や村落の生活性に惹《ひ》かれていったものでした。

冬は雪に埋もれるボスやブリューゲルの北国の日々のことを除いて、かれらの絵を見るわけにはいきません。津軽のねぶたは、暗くて寒い冬だから、ああして明るくて強烈になったのです。

そういうネーデルラントが十六世紀の後半に入ると、フェリペ二世の圧政に抗して南北に分断されてしまいます。そのうちの北部七州が独立したのが、ユトレヒト同盟を結んだときにがんばって中核を担ったオランダ（ホラント州）という国になります。

それに対して南部はフランドル地方ですが、そこはまだフェリペ二世の影響が大きく、娘のイサベラの宮廷が続行していて、活発な貿易港だったアントウェルペン（アントワープ）が繁栄しています。アムステルダム、デルフト、ロッテルダムの北部オランダと、アントウェルペン、ブリュッセル、フランドル地方の南部とは、このように異なっていた。これは風光の光のちがいというより、社会の光のちがいです。

レンブラントやフェルメール以前のオランダ絵画を代表するピーテル・ルーベンスは、

そのアントウェルペンを故郷として一五七七年に生まれています（ただし生誕地は父が政治的事情で逃れていたドイツのウェストファリアです）。いったんルネサンスの最後の残照を浴びにイタリアへ行き、また三一歳でアントウェルペンに戻ります。ルーベンスのトポスはまさにアントウェルペンなのです。このことがウィーダの童話『フランダースの犬』の背景になっていることについては、第四二六夜に詳しく書いておきました。少年ネロがどうしても見たかったのはルーベンスの《聖母被昇天》だったのです。

外交官でもあったルーベンスは、アントウェルペンというトポスで組織絵画とでもいうべき方法を確立し（日本ならさしずめ狩野《かのう》派の組織絵画にあたります）、自分の下絵を弟子に何枚も配ってこれをブローアップさせて組み合わせ、自分はそのディレクターとして本番の絵を仕上げるという仕組みをつくりました。そのルーベンス工房の助手として登場するのが一五九九年生まれのヴァン・ダイクです。ただダイクは師匠の傍らにいては息苦しく感じたようで、一六三二年にはイギリス王に招かれて宮廷画家になっていますから、後期のダイクはオランダ絵画史からはずれます。

一方、北部七州を背景にしたオランダはアムステルダムを首都にした国で、プロテスタンティズム（新教）、とりわけカルヴィニズムを奉じた地域でした。

この北方オランダはまた、十七世紀には東インド会社を経営して、ヨーロッパに最初に出現した本格的市民社会を築きあげました。そのため絵画も、いわば〝市民の、市民による、市民のための絵画〟になっていく。カトリックを奉じた南部ではまだ貴族や教会がパトロンだったのですが、オランダでは市民がパトロンになったのです。

これらのことは重要です。こういう地域のトポスの事情が次の時代のレンブラントを、その次のフェルメールを語るにあたっての重要な前段の事情になっていくからです。実際にもレンブラントに肖像画を注文したのはもっぱら自警団ですし、フェルメールの絵を買ったのはパン屋さんや印刷屋さんだったのです。フェルメール自身もさまざまな市民としての副業をもっていた。そのうえでかれらは北方の「光の秘密」の絵画化にとりくんだのです。

レンブラントやフェルメールが出現するにあたって、もうひとつ前段の事情として見ておかなくてはならないことがある。それは光の技法としてのキアロスクーロ（明暗法）が、マニエリスムと初期バロックのなかで格段に劇的な表現力に達しつつあったということです。

そこには鏡を用いたパルミジャニーノからボローニャ派のアンニバレ・カラッチまで、単色が多彩を発揮することを告げたエル・グレコから魔術的な色斑《いろむら》を駆使したディエゴ・ベラスケスまで、さまざまな実験があったのですけれど、いまそれらの劇的な飛躍を一人に代表させれば、これはなんといってもカラヴァッジョの奔放きわまりない無頼ともいうべき活動に集約できると思います。

カラヴァッジョはまるでスポットライトを当てたかのように画中の人物を浮き上がらせ、逆に部屋の奥に広がる闇を一挙に深くしました。このカラヴァッジョの大胆な表現が次の時代の一人のラ・トゥールと一人のレンブラントをつくったのです。ぼくはニューヨークのメトロポリタン美術館でラ・トゥールの《マグダラのマリア》（一六四〇頃）を見たときの、あの息がとまるような感動を忘れることができないのですが、そのラ・トゥールを後世になって「夜の画家」とよぶようになったヨーロッパ人の驚きが、やっと理解できました。

レンブラントについては、もはや言うまでもありますまい。カラヴァッジョはレンブラントによって「明暗対照法」（クレール・オブスキュール）になりました。

ということで、やっとレンブラントとフェルメールのことになるのですが、もちろん同日同場には語れません。

レンブラントはライデンに育ってアムステルダムに死んでいます。ライデンは中世以来の大学都市で、カルヴィニズムの砦《とりで》です。レンブラントに《預言者アンナ》（通称「画家の母」）（一六三一）という絵があるのですが、まさにあの絵にあらわれたような宗教性の高い町で、かつライデン大学に代表される「知識の町」でもありました。だからこそレンブラントは《トゥルプ博士の解剖講義》（一六三二）のような絵を描いたのでしょう。レンブラントはそういうライデンからアムステルダムに移り、その商業力、職業力に圧倒される。そして自分ではあくまでも肖像画家を自覚していて、それ以上でもそれ以下でもないと考えます。カルヴィニズムでは富や私有財産は「天職」（独ベルーフ＝英コーリング）の美しさとつながっているのです。レンブラントはそういう天職を描く肖像画を描きたかった。だからこそ、そこに天職をより劇的に描くためのバロック的な物語性が趣向として加わっていったのです。

これに対してフェルメールは小さな港町のデルフトに生まれ育ちます。生まれ育っただけではなく、生涯のほとんどをデルフトで過ごす。最初は物語画家としてスタートを切るのですが、バロック的な劇的な物語を律するのが性にあわずに、静かな市民生活の一隅を描くようになっていく。レンブラントが《夜警》（一六四二）に代表されるような〝集団肖像画〟を考案して、いわば絵画を劇場的な照明世界に仕立てたのに対して、フェルメールは生活の一隅を描いたのです。

このレンブラントの劇場照明性とフェルメールの生活照明性のちがいは決定的でしょう。ぼくは早稲田時代に素描座という劇団に所属してアカリ（照明）を担当していたことがあるのですが、そのときは世の中のインテリア照明というものがなんとも中途半端でやりきれなかったものでした。劇場的な光の世界から見ると、生活空間の照明はなんとも場面転換のないフラットきわまりない安静空間のように見えるのです。しかし、フェルメールはそのインテリア照明のほうで革命をおこしたのです。

フェルメールがどのように生活照明的な絵画で革命をおこしたかということについては、牧君とフェルメールを語った夜からこっち、それなりにあれこれ読んだり見たりしてきたつもりですが、意外にこれといった定説は出ていないようです。

もっともフェルメールがどのような画家や絵画理論の影響を受けたかということは、ほぼわかっています。アムステルダムとデルフトを結ぶ絵画的な強い絆をもたらした画家たちがいるのです。ひとつはカーレル・ファブリツィウスがアムステルダムのレンブラントの工房で絵画技法を学んで、その技法をデルフトに来て伝えたという説が濃厚です。フェルメールがファブリツィウスに絵を習った可能性は高いらしく、きっとカメラ・オブスクラを使う技法がここでデルフトに伝わったのだというのです。

もうひとつはアントニー・ファン・レーウェンフックとのつながりですが、これについてはすぐあとで説明します。

フェルメールが「カメラ・オブスクラ」をどのように使っていたかということは、ほぼ議論が尽くされています。謎はありません。部屋のなかに小型のカメラ・オブスクラを設置して、カンヴァスの要所要所にピンを立て、そこに糸を括って引っ張って遠近法の線をつくりだしていた。日本の大工さんの墨打ちのように、その糸に色を添えてそれをカンヴァスに落としてもいたでしょう。すでに研究者たちが何度も指摘したように、フェルメールのいくつかの絵にはピンの穴がまだいくつも残っています。

しかし、フェルメールは遠近法のためにカメラ・オブスクラを利用しただけではなかったのです。フェルメールの光もまたカメラ・オブスクラから覗いたレンズの効果に律せられていた。かつてはむろん、その後の誰もそんなことをしなかった方法によって、フェルメールは光の点を最小にぼかしていったのです。

瞠目すべきなのはその「光の点綴画法」（ポワンティエ）です。ポインティングですね。この方法はドラクロワと印象派の連中がフェルメールのポワンティエに気がつくまではまったく無視されていたものでした。

どのようにフェルメールが光の点をぼかしながらレオナルド以来のキアロスクーロを一変してしまったかは、実物をつぶさに見るか、拡大図版に注目してみるしかありません。言葉ではとうてい説明できません。ここでは《牛乳を注ぐ女》（一六六〇頃）、《フルートを持つ女》（一六六五～七〇）、《赤い帽子の女》（一六六五～六）のディテールを参考図版として掲げておきますが、フェルメールはあらかたの油彩を描きおえたあと、光の階調をあびている部分のことごとくに微妙にサイズを変えた無数の光の点を打っているのです。

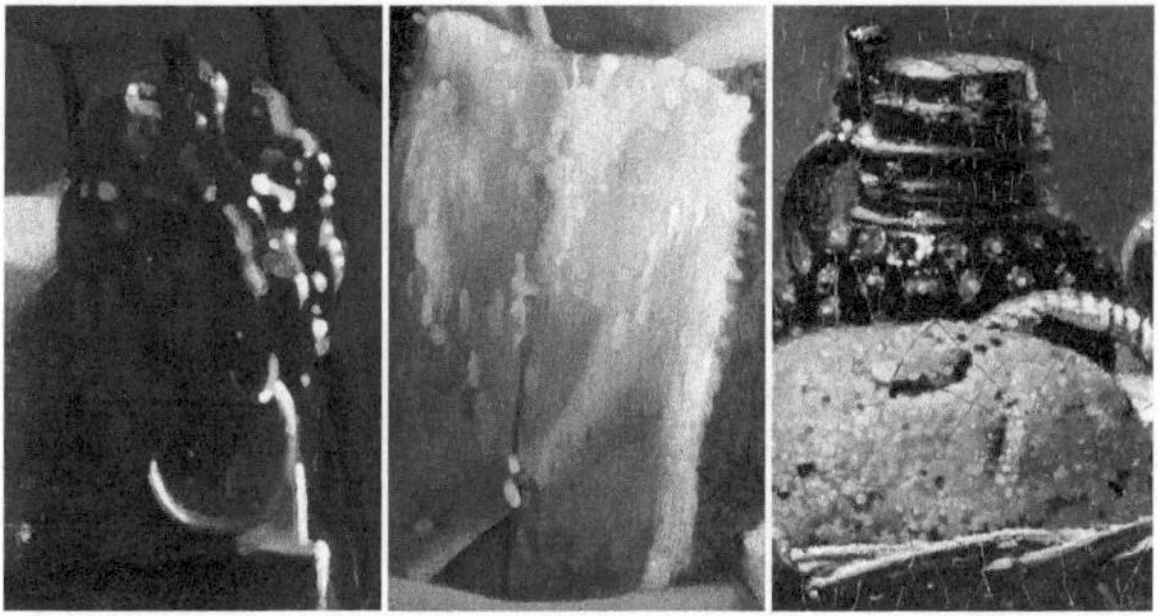

フェルメール《赤い帽子の女》(部分)、《フルートを持つ女》(部分)、《牛乳を注ぐ女》(部分)

これはふつうのカラー写真をいくら見ていてもわかりません。

フェルメールがこれほどポワンティエ技法を駆使したことについては、さっきあげたレーウェンフックとの密接な関係を思いおこす必要があります。

レーウェンフックはデルフトに住んでいた独学の科学技術者で、ガラスを削り、これを磨いていくモノレンズを作っていました。カメラ・オブスクラはむろん、みずから名付けた「ミクロスコピア」（顕微鏡）を何台も製作しています。一〇〇年後にレーウェンフックのミクロスコピアが売りに出されたことがあるのですが、そこにはなんと二六六倍もの倍率をもつものがあったそうです。のちに科学史ではレーウェンフックを「原生動物とスピロヘータと精子の発見者」とも記します。

フェルメールはこのレーウェンフックと昵懇《じっこん》だったようなのです。レーウェンフックが「勤勉な努力によって不可知と思われていた事物を発見する」という科学精神を表明していたことにすこぶる共鳴していたようです。

加えてここには、まずヨハネス・ケプラーの望遠鏡理論が、ついでライデン大学にいた若きクリスチャン・ホイヘンスの光学理論の多大な影響が入りこむ。土星の環《わ》を発見したホイヘンス、光の波動説を確立したホイヘンス、振子時計を発明したホイヘンスです。ホイヘンスの影響については、フェルメールが残念なことに僅か四三歳で死んでいるので、三十代後半くらいに影響が重なったと推理できるのですが、そのあたりのことはいまのところはまだ実証されていません。

しかし、ぼくはフェルメールは想像する以上に科学技術に関心を寄せていたと想像するのです。そのひとつのあらわれが《天文学者》(一六六八)と《地理学者》(一六六九)に結実しています。どうやら同じモデルによって描き分けられたとおぼしいこの二枚の絵は、フェルメールが科学者の実験精神に強く憧れていただろうということをよく象徴しています。

おそらくフェルメールは当時のデルフトに沸騰していた窯業技術から光学技術までを、運河技術から測地技術までを、かなりの好奇心で眺めていたはずで、そのいっさいをなんとか集約して「光の絵画」にとりこもうとしていたはずなのです。

少なくとも窯業に関しては、フェルメールがたいていの絵に描きこんだ有名なタイル、タイルがそれを十分に証《あか》しています。あれはデルフト特産のタイルなのです。また測地技術については、これまたフェルメールが絵の中の壁にかかった地図への愛着として描き出されているといえるでしょう。

あとは、どのように光学的な事件を絵の中に描きこんだかということです。《信仰の寓意》(一六七〇〜七二頃)の天井から吊り下げられたガラス玉に映った部屋の写像も、そのひとつです。牧君が「眼の光が潤んでいますよ」と言ったのは、おそらく《真珠の耳飾りの少女》(一六六五頃)の眼の光のことでしょうが、それもひとつです。あの眼の光はあきらかにソフトフォーカスに描かれているのですが、それはカメラ・オブスクラの単眼レンズがもたらす効果をそのままフェルメールが描いたことを証します。フェルメールはまさに「光学の驚異」に忠実だったということです。

そうだとすると、ここでやっと横須賀功光さんが光量子を撮りたいと思った写真とも話がつながってくるのですが、フェルメールにはその柔らかな画題の温かさとはまったく裏腹に、「光の絵画」のためにカンヴァスを〝印画紙にした〟ともいうべきだということになるのではありますまいか。ぼくにはそんなふうに思えるのです。

むろんまだ写真技術は生まれていません。それどころか、ファン・アイク兄弟に始まったオランダ絵画が、ここでついに筆のタッチを完全に消した「色光の表現」に達したばかりなのです。けれども、その到達がもしフェルメールによって完成したとするなら(まさにそうなのですが)、そのカンヴァスにはその後の西洋美術が挑んだすべての光学的可能性がひそんでいたと見るべきなのです。

以上のことをもっとちゃんと証明するには、コンピュータなどを駆使して、フェルメールの絵画からポワンティエをすべて除去し、そのうえで新たに輪郭が曖昧《あいまい》な光点をさまざまにサイズを変えながらコンピュータ画面上に付加変容させてみればいいでしょう。そんなこと、フェルメールにとっては迷惑なことでしょうが、どうしてもというなら、そういう寺田寅彦だっておもしろがれるようなことをしてみることです。

しかし、そこでまた横須賀さんのことを思い出すのですが、天才横須賀功光は自分がよんどころなく白血病で死ぬことがわかったとき、半年ほどをかけていっさいのネガ・フィルムを選抜し、不要なものの大半にハサミを入れていったのでした。また、カラーポジについても、多くを捨ててしまっていた。

これは、あとから写真展を企画しようとしたわれわれを困らせました。一部のプリントは横須賀さん自身が残したもの以外にはなくなってしまったからです。伸ばしもできなければ、多くのフィルムから焼き直すこともできなくなった。けれどもよくよく想えば、これはフェルメールが三十数点しか作品を残さなかったことと同様に(むろんまだ発見されていない作品があるかもしれませんが）、われわれの目から、横須賀功光がフィルムに躍っていた「光」の量子を「鬼」に預けてしまった秘密を、永遠に封じることにもなったということだったのかもしれないのです。

今夜のフェルメール談義はこのくらいにしておきます。フェルメールについては、これまでさまざまな議論が絶えず、いまでもその余波が世界に広がっていて、紛失した一枚の絵をめぐってすら何冊もの本が書かれているくらいです。

さきほども書きましたが、日本では小林頼子さんが圧倒的な説得力でフェルメール像を決定づけ、「神話解体の試み」の副題をもつ大部の『フェルメール論』や吉田秀和賞をとった『フェルメールの世界』でその凱歌《がいか》を告げました。一方、スヴェトラーナ・アルパースの『描写の芸術』（ありな書房）のように、レンズや遠近法や透視法や地図学を通して記号論的にレンブラントやピーテル・デ・ホーホやフェルメールやピーテル・サーンレダムの作品を扱っていく議論も、いまもって少なくありません。

今夜はそういう本ではなくて、ベイリーの本書を選んだのですが、それは今夜のぼくの情緒がハードなフェルメール議論に耐えられないと思っているからだけのこと、また別の夜にはあれこれフェルメール論争をしたくなることもあるでしょう。またあるいは別の夜には、これもいつかゆっくりとりあげたいと思っているウジェーヌ・フロマンタンの『昔の巨匠たち』(白水社)といった〝昔語り〟のなかでルーベンスやレンブラントやフェルメールを語る気になるということもあるでしょう。

いずれにしてもフェルメールを夜語りするというのは格別です。そのばあいは洲《す》之内徹《のうちとおる》や杉本秀太郎や森村泰昌のようにフェルメールの描法を勝手に語りあうという趣向になることでしょう。では、牧君、横須賀さん、勝手な話に引きこみました。おやすみなさい。

第一〇九四夜　二〇〇六年一月十三日

参照千夜

九六八夜：澁澤龍彦『うつろ舟』　一四九七夜：宮下規久朗『カラヴァッジョ』　一二五五夜：貴田庄『レンブラントと和紙』　七四夜：ニール・ボールドウィン『マン・レイ』　二五夜：『レオナルド・ダ・ヴィンチの手記』　一〇九三夜：周士心『八大山人』　四四三夜：宮本武蔵『五輪書』　八五〇夜：『蕪村全句集』　一二一夜：アマンダ・リア『サルバドール・ダリが愛した二人の女』　一四七〇夜：近藤啓太郎『大観伝』　一三九夜：島尾新『瓢鮎図』　四二六夜：ウィーダ『フランダースの犬』　三七七夜：ヨハネス・ケプラー『宇宙の神秘』　六六〇夜：寺田寅彦『俳句と地球物理』　六七二夜：洲之内徹『気まぐれ美術館』　八九〇夜：森村泰昌『芸術家Mのできるまで』

トポグラフィックでピクチャレスク。

美と危険がやってくる崇高。

ジャック・リンゼー

ターナー

高儀進訳　講談社　一九八四
Jack Lindsay: J.M.W.Turner 1966

今夜、久々に向きあうことになったウィリアム・ターナーは、ゴシック・リバイバルと水彩画革命期とナポレオン時代とイギリス・ロマン主義の潮流の中にいた。

一〇四五夜でジョン・ラスキンを書いたからといって、また一一九九夜で『金枝篇』を扱ったからといって、ターナーを放っておくわけにはいかない。ターナーはもともと、ぼくが二十代で惚れた画家ベスト5の一人だった。ターナー、鉄斎《てっさい》、モネ、ボッチョーニ、デルヴォーだ。今夜は、その長きにわたった欠礼と放置を埋めることにする。

とりあげる本は画集でも展覧会図録でも何でもよかったのだが、ずいぶん以前に読んだジャック・リンゼーのものにした。最近、戸田ツトム君の造本設計による「知の再発見」シリーズで、オリヴィエ・メスレーの『ターナー』(創元社)も翻訳されて、こちらのほうが入手しやすいだろうからそれでもよかったが、リンゼーのもののほうが詳しく、よく時代の周辺が綴られている。もっともメスレー(ルーブル美術館の学芸員)の本は、めずらしくもフランス人がとりくんだターナー論なので(フランス人はイギリス美術に一種の距離をおいている)、なかなか機知に富んでいる。少し援用させてもらうことにする。

が、どんな絵もそうではあるが、とくにターナーについてはぼくの言葉などに惑わされないで、ちゃんと絵を見ることである。何点かの絵を掲示しておいた。ただし、ぼくが書くことはいささかジョーシキはずれのターナーリアン・トポグラフィになる(『遊学I』中公文庫・三〇三ページ参照)。絵の評価についても、美術史の通り相場ではない。

さっそくだが、たとえば《ベッドに横たわった裸体》(一八四〇)を見てもらいたい。ターナー・ファンもあまり知らない作品かもしれないが、注目すべき傑作だ(テート・ブリテンに飾られている)。

官能がある。傑作だというだけでなく、このような絵を今日描ける画家が、フランシス・ベイコン以来というもの、ほとんどいないことがむしろ寂しいほどだ。あまり知られていないことだけれど、ターナーはノヴァーリスに似て、実はいつも性欲を抑制できない画家だったのだ。

だからターナーといえば、何がなんでも《雨・蒸気・速度》（一八四四）だというふうに思ってはいけない。この作品が聞きしにまさる画期的な作品で、その後の絵画史を根底からゆさぶった逸品であったことはその通りだし、ターナーを擁護絶賛しつづけて『近代画家論』を書きつづけたラスキンにとっても、また「常軌を逸した才能ある狂人」が描いたと感想をのべたテオフィル・ゴーティエにとっても、ここで腰が抜けるほど驚愕《きょうがく》したのであったろうけれど、これはターナー七六歳の人生のうちの最晩年の六九歳のときの絵であって、たしかにここに多くのターナーが集約されているにせよ、実際のターナーの画業はもっと広く、もっと多様で、もっと深かった。

それだけではない。技法的にも、思想的にも、ターナーはかなり計画的で、すこぶる編集絵画的だったと見たほうがいい。だいたいラスキンが、ターナーを後世の歴史にのこすために選んだ一枚は《死者と瀕死の人間を船外に捨てる奴

ターナー《ベッドに横たわった裸体》（1840年）

隷商人たち》（一八四〇）なのだが、これはターナーのごく一部の才能を伝えるにすぎないとぼくには思える。ラスキンですら急ぎすぎていたのだ。

というわけなのだが、では、どこから書こうか。やはりナポレオン時代のターナーからだろうか、それともゴシック・リバイバルの中のターナーだろうか。それらも〝あり〟なのだが、今夜はこれまでの「千夜千冊」の書きっぷりの定型を破って、まずは、あらかじめぼくが綴るターナーのために使いたいキーワードを、ずらっと二〇ほどあげておくことにする。

①ピクチャレスク、②トポグラフィカル・アート、③海景、④ゴシック・リバイバル、⑤クロード・ロランとゲインズバラ、⑥崇高性、⑦イギリス関係ない、⑧スケッチの旅、⑨アルプス越え、⑩空気がいっぱい、⑪蠟《ろう》、⑫バイロン卿、⑬ヴェネツィアの水、⑭火事と光、⑮カドミウム・イエローは金色か、⑯日月は似ている、⑰ヴァーニッシング、⑱自作の詩、⑲モネが見た、⑳死後はこうしてほしい……。

これだけを見て、ぼくが好きなターナーの像が浮かぶようなら、かなりのターナー通だろう。ただし今夜はこれらのすべてを説明する気はない。以下、気まぐれに書く。

ジョセフ・マロード・ウィリアム・ターナーは、安永四年（一七七五）にロンドンのコヴェント・ガーデンの理髪師の息子として生まれた。すぐ近くにドルリー・レーン劇場などが立ち並んでいた。エラリー・クイーンの『Yの悲劇』のあのドルリー・レーンだ。日本では江戸で鈴木春信が錦絵を始め、大坂で蕪村と大雅《たいが》が二人で組んで南画（文人画）を遊んでいる。

　母親は錯乱して精神科病院に入れられ、そして死んだ。ターナーはこのことについてほとんどふれていないけれど、当然、青年ターナーの気性を彫塑した。

　アーティストとしての青年ターナーは最初は建築画に、ついでは風景画に興味をもった。建築画から入ったことに、その後のターナーを読み解く「鍵」がちらつく。これには理由がある。学校へ行く前の十四歳で、建築家トマス・ハードウィックのところで働いた。そこで建築描写がうまくて風景画家でもあったトマス・モールトンを知り、絵筆の使い方をおぼえた。だから寛政一年（一七八九）にロイヤルアカデミーの美術学校生になったときは、すでにちょっとした技をもっていた。バスチーユが襲撃されたフランス革命の年だ。ウィリアム・ブレイクが『無垢の歌』を上梓《じょうし》していた。

　アカデミーでは、古代美術品の模写の授業にひどく熱中したようだ。これはけっこう重要なターナーの嗜好《しこう》をあらわしている。模写が嫌いではなかったのである。それどころか、模写に耽《ふけ》るタイプだった。ターナーは「ミメーシス（模倣）の人」なのだ。

　これらの前提のうえ、最初の方向を大きく決定づけたのは、ひとつはトマス・モンローで、もうひとつは水彩画の画材改良だっだ。のちにターナーのコレクターにもなる精神科医のモンローは、自分の水彩画のコレクションをターナーに模写させた。とくにジョン・ロバート・カズンズの模写をさせた。ターナーはこれが気にいった。

こうして、キーワード①の「ピクチャレスク」がターナーの目の前に展開することになった。ターナーはアレクサンダー・カズンズ（J・R・カズンズの父）の著した『独創的風景構図・図案の新手法』に心を奪われ、いよいよ流行しはじめていた「ピクチャレスク・ツアー」（絵のような風景を求めて旅行する＝つまりはいまなお継承されている観光旅行の起源）に関心をもつ。当時、水彩画の絵の具が大幅に改良されつつあったことは幸運だった。イギリスに水彩画協会が設立されたのは文化一年（一八〇四）のことで、今日の水彩画の様式はこの時期に確立したものなのだ。ターナーはその趨勢に早々と乗った。

ここまでの青年ターナーは、建築画や風景構図をへて水彩模写にいたるというふうに進んでいった。これはようするに、②「トポグラフィカル・アート」の洗礼を受けたということになる。トポスを描く絵の洗礼だ。

そのうちターナーは筆づかいによって絵の具を「染み」のように扱えば、カンバスに岩石の表面のような効果があらわれることを知った。これはのちにラスキンを狂喜させた技法で「プロット・ペインティング」（染み画法）という。

　このこともターナーの技の底辺をつくる資質となった。こののち世界美術は印象派や点描画やアクション・ペインティングをもつことになるけれど、それらのルーツはカズンズとターナーの岩石描写に始まったというべきなのである。

　ちなみに、ぼくは以前からひそかに〝鉱物派〟を自任していて、いつかは〝シュールミネラリズム〟ともいうべきものを文章か書画によって形にしたいと思ってきたのだが、またそのためにこそスウェーデンボルグやラスキンやシュティフターやユゴーの岩石趣味に関心を寄せてきたのだが、それは若きターナーにも芽生えていたのだった。


　ターナーが「トポグラフィカル・アート」の洗礼を受けたということは、これがキーワード④「ゴシック・リバイバル」になるのだが、若きターナーは人知れずゴシックに惹かれていたということだ。ゴシック建築のことではない。「ゴス」でも「ゴスロリ」でもない。当時のゴシック感覚とは「鉱物っぽい、岩石っぽい、石窟っぽい」という趣向をあらわしていた。「真のグロテスク」とほぼ同義だ。

　明和一年（一七六四）に発表されたホレス・ウォルポールの『オトラント城奇譚』を嚆矢《こうし》として、十八世紀イギリスに時ならぬゴシック・ロマン熱（ゴシック小説）が高まり、それが天明六年（一七八六）のウィリアム・ベックフォードの奇書『ヴァテック』にいたってついにグロテスクの極みに達した風潮があったことは、SF史やファンタジー史に詳しい者にはある程度は知られていよう。一言でいえば「グロテスク・ゴシック」の隆起というもので、これがイギリスのゴシック・リバイバルの佳境をつくった。

バイロン⑫やポオを襲ったのも、このグロテスク・ゴシックである。このあたりのことについては、いずれ気が乗ればベックフォードかバイロンかキーツかをとりあげるときに詳しく書くつもりだが、ここではベックフォードがグロテスク・ゴシックの小説を書いただけでなく、ターナーの絵の初期のパトロンにさえなったことを強調するだけにしておく（グロテスク・ゴシックの趣味の持ち主は、日本の「ゴス」もそうであるけれど、しばしばコレクターに走るのである）。

ベックフォードがターナーの絵を購入しているのは、いいかえればターナーの当時の絵にかなり〝ミネラルっぽい味〟があったということになる。が、ターナーはいつまでもゴシック遊びばかりはしなかった。「岩」から「水」への転身をはかっていった。ぼくはターナーが意外に計画的で編集絵画的だったと言ったが、なかでも「岩」から「水」への一挙的な計画的転身は、なかなか憎い。

ターナーは自分の独創（オリジナリティ）なんぞを焦って誇るような画家ではない。他人から「一貫性がない」と謗《そし》られることにまったく怖じけづかなかったし、自分で反論する気もなかった（だからのちにラスキンが反論を買って出たわけだ）。

反論する気がないのは、ターナーにとっては当然でもあった。ターナーは「一貫性がない」のではなく、みずから一貫性を全否定していたからだ。さまざまな周辺の主題と技法を吸収しつづけるのが絵画の本来だと思っていた。他者をふんだんにとりいれる。視覚編集をしつづける。それがターナーなのである。いわば視覚編集的独創派なのだ。それゆえターナーにはいくつもの手本や見本があった。

新たな手本は、⑤クロード・ロランとトマス・ゲインズバラである。両方とも、ぼくにはさっぱりおもしろくない絵だけれど、それでも当時のロランとゲインズバラの風景画はどんな手も抜かないような精度の高い本格的なものだった。もしもコンスタブルが風景画を確立したというのなら、この二人が先駆者なのだ。ターナーはこの技法も採り入れたかった。

ターナーによる『研鑽の書』の扉絵

ターナーのロランとゲインズバラに寄せる尊敬は、ターナーが自作した『研鑽の書』の扉絵にもあらわれている。わかりにくい図版だが、よく見てほしい。一種の風景版画の自作カタログで、ロランの『真実の書』に刺激をうけて反応したものなのだが、これは、すごくいい。「モーラの神」が降りている。

ターナーは、いつも複数の手本や見本を吸収していった。その吸収が高速で、それが自作の『研鑽の書』にもあらわれたのだが、ただし、あいかわらず関心はいつまでも同じところにとどまらない。ロランとゲインズバラの技法をあらかたマスターすると、次に行く。ついでは海洋画や海景画に関心をもった。

これも当時のイギリスに流行しつつあった画題と画風のことで、寛政十一年(一七九九)、「ネイヴァル・クロニクル」という海洋雑誌が創刊されると、ターナーはそれらの動向に興味を示し、しだいに「水」の感覚を絵筆にとりいれていった。キーワード③にあげた「海景」はこのことを暗示する。とりわけオランダの海景画家ウィレム・ファン・デ・フエルデの緑色がかったメゾチント(銅版画の一種)にぞっこんとなった。「この版画がぼくを画家にしてくれた」とターナーは書いている。こうして「岩」から「水」への転身はこのとき決定的になる。

水のイメージには断然夢中になったようで、その後のターナーの絵にしだいに溢《あふ》れるものになっていった。よほど気にいったのだろう。その水も最初は海や湖や港の光景であったものが、やがては洪水や雲気となって、ついには「水蒸気」にまで進捗していった。次の順にくらべるといい。《海上の漁師》（一七九六）、《フォントヒル・湖水の倒木》（一七九九～一八〇〇）、《テムズ川河口を行く船》（一八〇六～〇七）、《吹雪》（一八一二）、《アオスタ峡谷─吹雪・雪崩・雷雨》（一八三六～三七）、《水のある風景》（一八四〇～四五頃）、というふうに。これがついには傑作《雨・蒸気・速度》にいたるのだ。

ところで、ターナーは必ずしも名誉を無視した画家ではなかった。名誉をほしがったわけではないが、ラスキンの擁護と弁明から推すと、長らく過小評価されていたと思われがちだが、そんなことはない（ラスキンがターナーに出会うのはターナーが六五歳のときで、ラスキンがターナー擁護の『近代画家論』の第一巻を刊行したのはターナーが死ぬ八年前のことなのだ）。

実はターナーは、ラスキンの心配とはべつに、若いころからけっこう名誉と評価に取り巻かれてきた。精神のポジションはともかくも、社会的には孤立などしていない。たとえばロイヤルアカデミーの正会員に選ばれたのは享和二年（一八〇二）の二七歳のときだったし（最年少会員だった）、そのロイヤルアカデミーの遠近法教授になったのも、三二歳のときだった。こうしたことがターナーの気分を擽《くすぐ》らなかったわけはないが、これに増長したわけでもなかった。

ターナーがほしかったのは名誉や栄光よりも「崇高」あるいは「至高性」⑥というものだった。いや、ほしがったのではなく、それをこそめざした。これは技法やイメージのことではなく、絵画にあらわれるべき「崇高」と「至高性」である。むろんエドマンド・バークが提唱した、あの極北のコンセプトの「崇高」（サブライム）のことである。

十八世紀のイギリスとドイツにおいて、バークの「崇高」と「美」と「危険」をめぐる独特の哲学の影響力は、すごかった。これについてはまたいずれ「千夜千冊」にぞんぶんにとりあげたいので、残念ながらここでは説明を省くけれど（ぜひ期待していてほしい↓一二五〇夜）、ごくごく簡単にいうなら、宝暦七年（一七五七）に発表された『崇高と美の観念の起源に関する哲学的研究』がもたらした考え方は、そのころフランスを席巻しつつあったルソーやヴォルテールらの啓蒙主義にまっこうから対峙《たいじ》するものとして、近代のモダリティについての最もラディカルな旗印になったものだった。アダム・スミスの『道徳感情論』はこの旗印のもとに派生したといってよく、それがドイツに飛び火して「これこそが史上初の本物の美の思想」ともくされ、カントの美学論にもつながっていった。

それだけではなく、その『自然社会の擁護』や『フランス革命についての考察』といった論文は、ヨーロッパ中がフランス革命の美酒に酔うなかで、ひとりその限界を抉《えぐ》るように指摘して、「自由・平等・博愛」の薄っぺらな欺瞞《ぎまん》性を引っ剝がした言説となり、ノヴァーリスをして「革命に反対する唯一の革命的書物」と絶賛させたものだった。実際にも、フランス革命はすぐにジャコバンの恐怖政治となり、そのあとはナポレオンがヨーロッパ中を戦争にまきこんだ。

ターナーはそのバークの「崇高の美」に身を焦がしたのである。このことはリンゼーの本書にも、多くのターナー論にも見落とされていることだけれど、これはいただけない。ターナーはバークの思想をこそ体現した最初の画家だったのだ。それは、ターナーが「危険」にひそむ「美」に敏感で、しきりに「難破」や「吹雪」や「火事」を描いたことにもあらわれている。たとえば《難破船》（一八〇五）、《ミノタウロス号の難破》（一八一〇頃）、《雪崩で潰れた農家》（一八一〇）、《海上の火災》（一八三五頃）、そして《国会議事堂の火災》（一八三四〜三五）などである。

最近の美術界はやたらと環境危機などを訴えるようになったけれど、その表現には「迫真の危険」というものがほとんど取り除かれている。たいていはコンセプチュアル・アートに堕しているか、実は安全きわまりないものになっている。しかしターナーの絵を見ていると、ターナーの「危険と隣り合わせの美」こそが、今日の美術界に再生されるべきだと痛感させられる。

言いたいことは、まだまだあるが、このくらいにしておこう。

ターナーが黄色に執着していたこと（それが⑮「カドミウム・イエローは金色か」というキーワードに

なる)、つねにスケッチの旅をしていたこと⑧、そのため水都ヴェネツィアにはどうしても行かねばならなかったこと⑬、さらには「アルプス越え」をひとつの目標にしていて、それが多くのヴェネツィア連作と、あの傑作《アルプスを越えるハンニバル軍》(一八一二)になったこと⑨、ゲーテの色彩論と光学論におおいに傾倒してその視覚効果をなんとか「蠟」⑪による表面加工によって表現しようとしていたことなどは、今夜は省く。

ここで、ひとつだけ付け加えておきたいのは、⑰「ヴァーニッシング」ということだ。これはターナーが自作の完成をしばしば展示会場に絵の具と絵筆をもちこんで仕上げていたという驚くべきことで、このことを知らなかった者にはギョッとさせられる。

なぜにターナーが展示後に絵画の仕上げをしたのか(これを「ヴァーニッシング」という)という謎は、まだ解けてはいない。ぼくの知り合いではときどき横尾忠則さんがそういうことをしているが、一度、横尾さんにも聞いてみたいと思っている。

しかし、この気持ち、なんとなくよくわかる。〝エディティング・ペインティングは会場に飾るまで続いている〟ということなのだ。いや、絵画というもの、そこを訪れたすべての人士と空気にも響きつづけたいということなのである。もっと言うのなら、ターナーは絵画だけが絵画をあらわしているとさえ、思っていなかったかもしれないということだ。このことに関連して、ターナーがある時期から「自作の詩」⑱を会場に添付

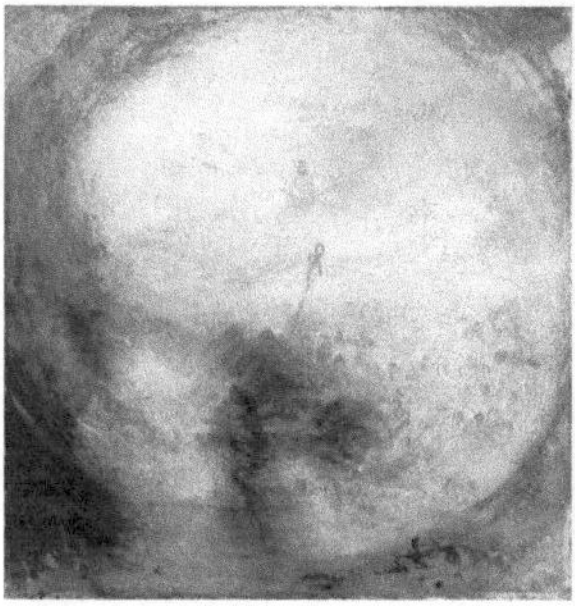

ターナー《光と色彩ー洪水のあとの朝》(1843年)、
《影と闇ー洪水の日の夕べ》(1843年)

したり、画集には必ず気にいった詩（自分の詩と他人の詩）を入れたりしていたということも、思い合わされてくる。

このほか、ターナーを見たからこそモネはモネになりえたということ⑲とか、ラスキンがなぜターナー擁護に血道をあげたのかということとか、ターナーには「死後はこうしてほしい」⑳という理想の展示プランがあったということなど、いずれどこかべつのところで書きこみたい。

肝心の《雨・蒸気・速度》についてでは何もふれなかったが、こんな大傑作ともなると、とても言葉は追いつけない。少なくとも今夜は、この孤高の作品についてはただ掲げておくだけにする。そのかわり、ゲーテに触発されて描いた《光と色彩——洪水のあとの朝》（一八四三）と《影と闇——洪水の日の夕べ》（一八四三）をとくと見ていただいたうえで、次のことを謎解きしてもらうことにする。ここには「正の色」で《光と色彩》を描いたターナーが、一転して「負の色」で《影と闇》を描いた作品である。ターナーが描きたかったこと、それは正と負にまたがる「光の泡」や「空気の泡」なのだ。ただし、それを泡の外から描くか、内から描くか、ターナーは生涯にわたって実験しつづけた。

第一二二一夜　二〇〇八年二月十三日

参照千夜

一七八一夜：デイヴィッド・シルヴェスター『回想 フランシス・ベイコン』　一〇四五夜：ジョン・ラスキン『近代画家論』　一一九九夜：フレイザー『金枝篇』　一六〇七夜：『鐵齋大成』　一三二夜：ノヴァーリス『青い花』　一〇六夜：エラリー・クイーン『Yの悲劇』　一五九一夜：キーツ『エンディミオン』　八五〇夜：『蕪村全句集』　七四二夜：ブレイク『無心の歌、有心の歌』　六〇四夜：シュティフター『水晶』　九六二夜：ユゴー『レ・ミゼラブル』　九七二夜：『ポオ全集』　一二五〇夜：エドマンド・バーク『崇高と美の観念の起源』　六六三夜：ルソー『孤独な散歩者の夢想』　一二五一夜：ヴォルテール『歴史哲学』

「塵の倫理」で書いた画家論《アーティスト》だった。
芸術と経済を同じ枠組にした時代思想だった。

ジョン・ラスキン
近代画家論

内藤史朗訳　法藏館　全三巻　二〇〇二～二〇〇三
John Ruskin: Modern Painters 1843–1860

ラスキンの一八六二～六三年の著作に『ムネラ・プルウェリス』がある。新たな経済学思想を提示したものとして注目される四三歳のころの著作だが、そこにラスキンが三二歳のころに体験した話が淡々とのべられている。

そのころラスキンはヴェニス様式の建築状況についての観察を続けていたのだが、聖ロッコ講堂で世にも悲惨なものを見た。ティントレットの天井画のうち三枚がぼろぼろに割れて木舞《こまい》や漆喰《しっくい》といっしょくたになって、オーストリア軍の砲弾三発が命中してできた裂孔のまわりにぶらさがっていたのである。雨が降るとそこいらじゅうに雨水がたまり、絵にも浸《し》みこんでいる。

ラスキンにとってティントレットは「ヨーロッパにおける最も貴重な価値」だった。本書『近代画家論』にもティントレットの《幼児虐殺》が暗澹《あんたん》たる主題を描いているにもかかわらず、眩《まぶ》しいほどの崇高な精神が貫かれていることを縷々《るる》説明している。そのティントレットがいまにも死にそうになっていた。

ラスキンは意気消沈して、芸術の価値と時間について思いをめぐらし、ヴェニスに来る前にパリで見た光景を思い出す。リヴォリ街の店頭に流行の歓楽歌舞を描いた安っぽい石版画がところせましと並んでいて、それらがよく売れていたことだ。ラスキンは考える。

もし労働価値説によるのなら、もしまた市場価値説によるのなら、パリの石版画の総数はヴェニスの一枚の絵をはるかに上回る価値をもっていると言えるだろう。しかも石版画は今後も複製可能な商品だ。そうした安価な複製画によって名画が普及することもありうることだろう。しかし自分は、いまこそヴェニスの色あせた天井の一枚の絵のために、いっさいの経済の知識と社会の価値をめぐる思想に全力を傾注しなければならないのではあるまいか……。

いまはもうないのだが、東銀座を歌舞伎座をこえてしばらくすると左側に昔ながらのモルタル二階建てのレトロな建物があって、そこに小さく「東京ラスキン協会」の看板が掛かっていた。御木本隆三《みきもと》がおこした協会で、ぼくはここでラスキンの金文字の原書にずらりと出会った。御木本は真珠王御木本幸吉《こうきち》の長男で、京都帝大で河上肇《はじめ》からラスキンを教わって啓蒙を続けた。協会ではときどき研究会が開かれ「ラスキン思考」という通信も出ていたのだが、いつのまにか消えた。その東京ラスキン協会の、名前を失念したある初老の紳士がぼくの最初のすばらしいラスキン案内人だった。その紳士は、こう言った。

あのね、ワーズワースもプルーストも、トルストイもガンジーも、みんなラスキンに学んで「透徹した精神をもつ」ということを学んだんです。御存知でしたか。みんな、ラスキンに「社会をよくする」という思想を教わったのです。いま、いったいだれが社会のために価値を作り出しているのでしょう？　どうですか。経済と倫理を同じ作用のものとして見るには、ラスキンの思想がどうしても必要ですよ。そうじゃないですか。それも日本にこそ必要です……。

あれは昭和四五年くらいのことだったろうか。まだ東銀座から築地にかけて、往時の東京がところどころに残っていたころだ。しかしラスキンは復活しなかった。

もっともラスキンを忘れたのは日本だけのことではないらしい。ケネス・クラークが『ラスキン・トゥディ』（一九六四）で書いていたのだが、イギリスにとってのラスキンは、一八四三年の『近代画家論』から約二十年後の『胡麻と百合』（中公クラシックス）まではリアルタイムな時代の寵児《ちょうじ》として、その後の五十年間は洗練されたイギリス紳士がテニスンの歌集とともに座右に備える著作を書いた知識人として、いっときも忘れられることはなかったという。それがその後、急に忘却されていったというのだ。

クラークは、そういうふうになったのは皮肉にも編集も装幀《そうてい》も完璧だったライブラリー版『ラスキン全集』が整ってからではないかと書いていた。ぼくが東京ラスキン協会で見た全集だ。むろんこれは皮肉な言いっぷりであって、実際にラスキンが流行しなくなった理由ではないだろう。第一、ラスキンの思想を流行させようというのがおかしいし、ラスキンは大ウケをせがむような、そんな思索者ではなかった。それにラスキンには、その思想が忘れられてよいようなものは何もない。

いったい何がラスキンを凋落《ちょうらく》させたのか。ラスキンの倫理が古くなったのか。そうではない。ラスキンの趣味が使いものにならなくなったのか。ラスキンの教育論が時代に合わなくなったのか。そうではない。イギリス人も日本人も美術界も資本主義市場の過熱に屈しただけなのである。われわれのまわりに一人のプルーストも一人のガンジーもいなくなっただけなのだ。

ジョン・ラスキンがロンドンに生まれたのは文政二年（一八一九）である。早くから聖書と詩にめざめていたが、少年ラスキンをとりこにしたのは鉱物だった。天保二年(一八三二)の十二歳のころ、鉱物に熱中して一人で鉱物事典を自作している。この趣味はその後もずっと持続されて、地質学会の会員としての活動となり、あのラスキン独得のストイックな岩石絵画になっていく。

聖書と詩と鉱物とともに、青年をわくわくさせたものがあった。ひとつはヴェニス、ひとつはウィリアム・ターナーだ。天保六年(一八三五)、ラスキンは肋膜炎《ろくまくえん》にかかって家族とヴェニスに静養旅行に行き、この石造りの街が秘める歴史と造作と価値とに出会う。以来、ラスキンはヴェニスを称賛しつづけた。のちに『ヴェニスの石』(一八五一～五三)という傑作を書く。そのケルムスコット版には年下の友人だったウィリアム・モリスが熱い序文を寄せた。「私の心にとって最も重要なひとつである云々」と。

ターナーの絵はもともと好きだったようだが、次の出来事がラスキンのターナー熱にいっそう火をつけた。ヴェニスに行った翌年、ラスキンはオックスフォード大学に入る準備のためクライスト・チャーチに入寮するのだが、そこで「ブラックウッズ・マガジン」がターナーの絵を攻撃していることに驚いた。ラスキンはこういう無理解が絶対に許せない。すぐさま反論を書く。十七歳のときだ。それからというもの、ラスキンはターナーにひそむ意志と技法と美意識を、すべての芸術領域にまで拡張していった。

ラスキンが『近代画家論』第一巻を書くのは、ターナー批判に対する反論を書いてから七年後のこと、天保十四年、二四歳のときである。この著作は四一歳の万延一年（一八六〇）、第五巻まで書き続けられた。ラスキンをここまで美術論にのめりこませたについては、さまざまな理由と背景が推察できる。ひとつは当時の時代風潮だった。

天保八年にヴィクトリア女王が即位した。日本では大塩平八郎が大坂で決起した年にあたる。その直後の天保十一年（一八四〇）、イギリスは世界史上で最初の資本主義戦争をアジアに仕掛けた。近世アジアにとって最も忌まわしい戦争だ。アヘン戦争である。ラスキンはこういうイギリスに名状しがたいほどの腹を立てていた。ヴィクトリア朝の社会文化がつまらなかったわけではない。むしろ「ヴィクトリアン・インベンション」の名が残るように、ありとあらゆる開発・発明・工夫が試みられ、賑やかなほどに商品が街に出始めていた。ナンセンス・マシーンのたぐいもひっきりなしだったことが、さまざまな図版に残って見えてくる。しかし、ラスキンから見ればその大半は市場の欲望のために作られたものであり、産業高揚のためのものばかりだった。それでは何も時代を超えるものは出てこない。ヴィクトリア朝特有のアッパーミドルの出現も気にいらない。そんな社会や産業はつまらない。ラスキンはそう感じたのである。

なぜラスキンは同時代を嫌ったのか。このことにピンとくるには、マルクスとラスキンが一歳ちがいだったことに気がつくといい。二人はまったく同時期に、同じ産業社会の矛盾を見ていた。大英図書館で新しい経済思想づくりにとりくんだマルクスが、産業社会の爛熟《らんじゅく》を予測してその大否定に臨んだように、ラスキンもまた産業社会の未来を憂慮するに、徹底した覚悟で芸術に臨んだのだ。まずは美術論と結びつき、次に教育論と結びつき、そのあとから経済論に向かっていったというふうになったところが、ラスキンがとったコースの独得なところだった。

何がラスキンの情熱を支えたのだろうか。問題は「価値」とは何かということだ。マルクスも同じだったように、ラスキンもまた「価値」の源泉の発見に努めたかったのだ。それがマルクスでは「労働」と「資本」と「人間の疎外」であったのが、ラスキンにおいては「芸術」や「創作」であり、それを損なう「文化の頽廃《たいはい》」だったのである。

ただし、勝手がちがうところもある。マルクスが「現在の社会」に労働と労働力と労働者の価値の源泉を見いだせたのに対して、ラスキンの「現在の芸術」には価値が少なすぎた。見当たりにくかった。なかでターナーこそは「現在の社会」に数少ない価値を創り出していたにもかかわらず、世評はこれに気づいていない。気づいていないどころか、酷評するばかりだった。このあとラスキンはダンテ・ガブリエル・ロセッティらのラファエル前派との交流を深めるのだが、そのロセッティもミレーもバーン＝ジョーンズも、当時はまったく評価されていなかった。

こうしてラスキンが価値の源泉を発見するには、ルネサンスやゴシックにまで戻らなければならなかったのである。ぼくはそう、推理する。

ラスキンがルネサンスへ、ゴシックへと降りていった目には端倪《たんげい》すべからざるものがある。たんに芸術史として降りていったのではない。経済文化のルーツを求めて降りていった。

ぼくが最初に読んだラスキンは春秋社版世界大思想全集の古い古い『ヴェニスの石』で（いまは法藏館・みすず書房・中央公論美術出版社もある）、その次がこれまた古い古い岩波文庫の昭和五年版『建築の七燈』だったけれど（その後に鹿島出版会でも翻訳刊行）、そのいずれもがゴシック論としても、その奥に眠る石質感覚を究めるグロテスク論としても、詳細にすぎるほどの比類のない記述を展開していて、こちらの読む胸がばくばくするほどだった。

おそらく後にも先にも、こんな建築論や様式論や素材論は出ていないと思う。だいたいこの二著を読んでいる日本人すら少ないのではないか、読んだのは東京ラスキン協会のメンバーくらいのものではないか、そんな気がするほどの灼熱《しゃくねつ》の詳述であり、前途を顧みない没入であって、価値の絶対評価の連打であるような、言葉を尽くしての美の採掘なのだ。

それでも『建築の七燈』のほうは建築家だったら少しくらいは読んでいるだろうと予

想していたのだけれど、かつて『建築の世紀末』（晶文社）でラスキンをとりあげた鈴木博之さんに聞いた話では、「えっ、日本の建築家？　だれもラスキンなんて読んでないよ」ということだった。もし建築史の学生が卒論や博士論文のテーマに選んでいれば、それが日本でラスキンの建築論を読んでいる唯一の数になるという、そういうお寒い事情であるらしい（追記＝のちに中村拓志《ひろし》が愛読していたことを知った）。

こんなことではラスキンが駅の雨傘のごとくに忘れられるのも仕方がないが、美術論・芸術論・建築論については、多少はラスキンにも責任がある。芸術に真実を求めすぎたこと、その建築や絵画の様式と思想と技術と主題を重ねすぎたこと、著作の構成がジグザグしすぎていることである。これらは何年にもわたって書き継いだせいでもあるが、そのことをべつにしても、また、あの密度の濃い文章に酔わせられることの快感を棚上げするとしても、たしかにあまりに芸術作品に価値の細部を求めすぎていた。

あまりいい比喩ではないだろうが、ラスキンを読んだことがない読者のためにごくわかりやすく言ってみると、ラスキンが情熱を傾けたのは、屋久島の一本の杉だけを相手に、様式も経済価値も表現価値も、その人間に与える感動のすべてをも、えんえん三年も五年にもわたって書き尽くしてみるというようなことだったのである。これは好きな者にはたまらないけれど、それを持ち出して使いたいと感じた者には、あまりにも扱いが重すぎた。

きっとラスキンもこのことに気がついたにちがいない。十七年の長期にわたった『近代画家論』にそろそろ終止符を打とうとしていた一八六〇年、ラスキンはついに経済論や倫理学に本格的に着手しはじめる。それが、かの『この最後の者にも』『胡麻と百合』や、ぼくがぞっこんだった『塵の倫理』(玄黄社)になっていく。こうしてラスキンの後半生の著作では、今度は正義や倫理や生命という、とてつもなく抽象力に富んだ理念の実現化のための思索が試みられていく。途中、『黄金の川の王さま』のような童話も試みた。

というようなことを書いてきて、さて、ぼく自身はラスキンを今日に伝える方途をもっているのだろうかという気がしてきた。鉱物のラスキンや岩石画のラスキンなら自信があるし、ターナー論のラスキンやゴシック論のラスキンなら、いくらでもみなさんに喧伝《けんでん》できる。

しかし、トルストイやプルーストやガンジーが学んだラスキンを、いったいどのように今日の社会にふりまけばいいのだろうか。ガンジーが二十年にわたって南アフリカに入るときにトルストイとラスキンの本だけを持っていった意味を伝えられるだろうか。ラスキンが正しすぎるほど正しかったということを、どういうふうに石造建築やティントレットを使わないで説明できるだろうか。そんな気にもなってきた。

今夜は、そろそろラスキンを書かなくてはと思って手を染めてみたのだが、どうやらぼくもケネス・クラーク以上の用意をもてなかったのだろうか。それともラスキンが同時代に背を向けてしまったように、ラスキンを現在の社会に向けるというそのことが、非ラスキン的なことだと、お節介なことだと、そういうことだったのだろうか。

かの『塵の倫理』にはこうあったものだ、みなさん、塵《ちり》には地球と生命と社会のすべての結末が飛沫《ひまつ》となってひそんでいるのです、その塵からこそ、新たな倫理を取り出さないで、何が政治なのですか、何が経済なのですか、何が教育なんですか、何が芸術なんですか――。

第一〇四五夜　二〇〇五年六月二四日

参照千夜

九三五夜：プルースト『失われた時を求めて』　五八〇夜：トルストイ『アンナ・カレーニナ』　二六六夜：ガンジー『ガンジー自伝』　一二二一夜：ジャック・リンゼー『ターナー』　七八九夜：マルクス『経済学・哲学草稿』

第二章

北斎・ピカソ・ジャコメッティ

周士心『八大山人』
村松梢風『本朝画人傳』
ワイリー・サイファー『ロココからキュビスムへ』
マリ＝ロール・ベルナダック＆ポール・デュ・ブーシェ『ピカソ』
トリスタン・ツァラ『ダダ宣言』
キャロライン・ティズダル＆アンジェロ・ボッツォーラ『未来派』
マックス・エルンスト『百頭女』
ニール・ボールドウィン『マン・レイ』
カジミール・マレーヴィチ『無対象の世界』
アルベルト・ジャコメッティ『エクリ』
中村義一『日本の前衛絵画』

明末清初の鬼才が到達した墨戯には、
「機序」を出入りした者の全然芸術があった。

周士心

八大山人

足立豊訳　二玄社　一九八五

　京都に泉屋博古《せんおくはくこ》館《かん》がある。数々の名品が収蔵されているが、ここの八大山人《はちだいさんじん》の《安晩《あんばん》冊《さつ》》（安晩帖）は、これを見ないでは京都にいる甲斐がないというものだ。

　このことを教えてくれたのは四半世紀前の長廣《ながひろ》敏雄さんだったが、そのとき八十歳近かった長廣さんは「京都で《安晩冊》を見ていない美術家はモグリですね、ふっふっふ」と言われた。こんな話はそこいらの連中にひけらかすものではないので、ぼくもずいぶんとっておきにしていたのだが、あるときこの人ならと思って白洲正子さんに言ってみた。白洲さんは「あら、それってどなたのセリフ？」と一瞬を受け、「長廣先生ね。そうねえ、けだし名言だわね」と言った。

　その後、この名言の話を誰かにしたということはないけれど、今夜は八大山人を案内する以上はふれないわけにはいかない。ぼくの版本は軽井沢に置いてある。軽井沢は立ち寄ればそこでしばし逗留《とうりゅう》して粗末な仏像を作るか、好き勝手な墨戯に遊ぶところである。仏像はいまのところ粘土細工の十一面観音がほったらかしのままで、墨戯のほうはたいてい臨模《りんも》する。すべて中国の山水か花卉《かき》である。なかで八大山人にはいつも振りまわされて処置がない。

　いまでもよく憶えているが、水墨山水の歴史を追ってきて明末清初に辿りつくと、そこに八大山人と石濤《せきとう》と揚州八怪《ようしゅうはっかい》が出現してくることに名状しがたい異様ともいうほどの胸の動悸《どうき》を感じたものだ。

八大山人《安晩冊》(1694年)

　いずれも画技は格別である。洒脱《しゃだつ》にすら見える。大雅や蕪村や玉堂《ぎょくどう》に出会ったおもしろみではない。若冲《じゃくちゅう》や蕭白《しょうはく》や蘆雪《ろせつ》でもない。神妙や軽妙というよりも絶妙で、かつ「勃然《ぼつぜん》たり」とでもいうものだ。しかしながら奇矯でも綺想《きそう》でもなく、幽渋もしくは沛味《はいまい》というべきだ。この文人たちは筆をもつその手を司る生きかたそのものが違う。

　中国では書画骨董《こっとう》は、人品、才能、筆墨技巧の順に見る。八大山人と石濤、この二人に石谿《せっけい》・漸江《ぜんこう》を加えて明末四僧というのだが、この明末四僧と揚州八怪の明末清初の画人たちは、その人品が他の時代とまったく異なっている。国難に遭遇した者が陶冶《とうや》せざるをえなかったちょっと変わった人品なのである。日本なら崋山《かざん》や象山《しょうざん》を想えば多少は近いだろうが、かれらは自刃や暗殺に散った。揚州八怪は国難に立ち向かうこともできず、南京すらも追われて揚州あたりに鬱勃《うつぼつ》した。金農《きんのう》、黄慎《こうしん》、李鱓《りぜん》、汪士慎《おうししん》、高翔《こうしょう》、鄭燮《ていしょう》・李方膺《りほうよう》、羅聘《らへい》の八人をいう。

　明末四僧は死ぬことも叶わない。生き延びて明室の再興を希《ねが》うしかなかった。そのためたとえば、石濤は生涯一七回にわたって名号を変え、八大山人は実に四〇回にわたって名号を変えた。日本では北斎がこのような雅号の愉快を頻繁にたのしんだ画人だったけれど、四僧は原名を隠して縁故を知られないためにやむなく名前を変えた。国家の異変に当たってただちに剃髪《ていはつ》し、八大山人にあってはすぐに雪个《せっこ》を名のった。これが「遺民」としての宿命だったのである。

　孤憤、抗節、憔悴《しょうすい》、避世というべきである。本書によれば、八大山人の画号はおそらく四十歳をすぎて灯社に隠れていたころにみずから号したものだという。

　八大山人は一六二六年に生まれた。明の王室の血をひいていたらしいけれど、それがかえって辛《つら》い足枷《あしかせ》になった。この時代は、中国の歴史にとってはかなり痛哭《つうこく》なもので、過《す》ぐる一六一六年にヌルハチが後金を興していたのだが、こういう中国は漢人《チャイニーズ》からすると本来の中国ではなかった。

中国は古来このかた、漢民族と異民族の抗争で織りなされてきたわけで、どの民族が政権をとったかということによって、その時代その地域の芸術が受ける開放感や負荷が大きく変化する。そこを見なければ北魏仏像の何たるかや、元《げん》の四大山水画家のめざすものはわからない。十七世紀、明が衰弱してそこへヌルハチの後金が入り、それが非漢人《ノン・チャイニーズ》の清朝になったということは、まわりまわって画人の人品にも圧迫をもたらしたのである。

中国の芸術を見るには華北と江南《こうなん》を分けて考えなければならない。北には峻厳《しゅんげん》な風土があるが、南には温暖な別国がある。この大きなちがいは筆一本の皴法《しゅんぽう》の描き方を変えてきた。今日の日本は江南中国を無視しすぎているけれど、水墨画や日本料理や日本禅の多くは中国の南の風土や文化とつながっている。日本文化の様式が北とつながっていたのは北魏仏教などが流れこんできた古代ばかりなのである。

明の滅亡が万暦帝《ばんれき》（在位一五七二〜一六二〇）から始まっていたというのは、中国の歴史にとってはよほどの痛恨だった。この痛恨は今日なお続いていて、中国の友人たちと話して、明が滅んで清になったことをちょっとでも気分よく話題にする者などに、一人として出会ったことがない。みんな吐き捨てるようにこの時代の宿命的な変更を言う。

日本人は平安が鎌倉になったことはむろん、昭和が戦前と戦後で分断されていることを痛恨に語る者さえ、いまは一人もいないであろう。だが、中国ではまったく事情が違うのだ。

実際には一六四四年に駅卒あがりの李自成《りじせい》が紫禁《しきん》城に攻めこんで、崇禎《すうてい》帝を縊死《いし》させ、満州族が清朝を建てたところで明は滅ぶべくして滅んだ。近松の『国姓爺《こくせんや》合戦《かっせん》』に有名な鄭芝龍《ていしりゅう》・鄭成功《ていせいこう》の闘争や、第四六〇夜に案内したように、日本に逃れて捲土重来《けんどちょうらい》を図った朱舜水《しゅしゅんすい》などの必死の抵抗がいくつかはあったものの、結局、明朝は壊滅した。明室につながる者はことごとく殺されたか、追われた。柔順を誓った漢人たちは弁髪を強要され、征服王朝のもとに屈していかざるをえなかった。その李自成もまもなく呉三桂《ごさんけい》によって政権を奪われた。三藩《さんぱん》の乱である。

ここに、明末清初の中国のアーティストをどのように見るかという視線の持ち方が問われる。もともと中国のアーティストの資質と技法を見るには、同一国家のなかではじかれて遁世《とんせい》を好んだ「逸民」と、異質国家によってやむなく南方の蘇州《そしゅう》などに逃亡せざるをえなかった「遺民」を知らなければならないが、明末清初においてはこの「遺民」の芸術をこそ眺めるということになる。中国においては、こうした遺民や逸民の文化の歴史は屈原《くつげん》や陶淵明から始まっている。

八大山人はこの明末清初の遺民アーティストのなかでも最も謎に満ちたアーティスト

だった。

孤傲落寞《らくばく》、清空出世の画人で、書人であってかつ詩人である。遺民とは故あって遁世しているのであるから、その画技や詩業には「故」というものが出入りする。八大山人の「故」も格別なものだった。

八大山人の前に、すでに明末四僧の漸江《ぜんこう》がいた。八大山人はそれを見ていた。漸江は新安派の山水画家である。安徽《あんき》省の南部を徽州といい、そこを流れる新安江にちなんで新安地方とよばれるのでこの名があるのだが、そこへ一六四四年に明朝が滅んで清軍が攻めこんできた。

漸江は義勇軍をつくって決起して抗清に立ち上がるものの、あえなく潰《つい》え、まもなく福建《ふっけん》省の武夷《ぶい》山に旅立って鳳凰《ほうおう》山報親庵で古航道舟のもとに剃髪して弘仁を号した。廬《ろ》山《ざん》や黄山《こうざん》をよく描いたが、とくに黄山の景勝を好んだ。《黄山天都峰図》（南京博物院）は縦三メートルに及ぶ。

この漸江の感化で、新安派は張庚《ちょうこう》・査《さ》士標《しひょう》・汪之瑞《おうしずい》・孫逸《そんいつ》のほか、黄山東側の宣城《せんじょう》にいた梅清《ばいせい》・梅庚《ばいこう》にいたるまで、ひたすら黄山を描いた。のちに石濤は梅氏一族を慕って宣城に十五年も寄寓《きぐう》した。いま現代中国を代表する写真家の汪蕪生《ワンウーシエン》さんが撮っている黄山のモノクローム写真には、この新安派の気骨が流韻している。

新安派については、木版画の技芸が比類ないものとなっていたことも特筆しておかなくてはならない。「徽派版画」という。ぼくもよく眺めた《仙仏奇踪》は俵屋宗達がこれをまねて自作に翻案したし、唐寅《とういん》が描いて黄一明《こういちめい》が刻した《風流絶暢《ぜっちょう》図》は菱川師宣《ひしかわもろのぶ》が春画に転用した。『十竹斎《じっちくさい》書画譜』や『芥子園《かいしえん》画伝』も徽派の技法によっている。しかし、漸江の抵抗はこのように孤憤避世せざるをえなかったのである。

もう一人、八大山人にやや先行した画人に揚州の龔賢《きょうけん》がいた。南京は史可法《しかほう》が清軍に徹底抗戦したため十日間にわたる殺戮《さつりく》がおこなわれたところで、龔賢はここで亡国の光景を目撃した。しばらく遺民の結社に入っていたが、やがて流浪して、濃墨の特異な山水画を描いた。《千巌万壑《せんがんばんがく》図》（リートベルク美術館）など、まさに「幻境」を描いたとしか思えない。龔賢自身、「奇」であることこそ「安」なのだと書いた。『画訣《がけつ》』という技法書を残していて、その画法はそのまま弟子の王概《おうがい》が編集した『芥子園画伝』の《山石譜》の皴法に採用されている。

これらの漸江や龔賢が明末清初の遺民画人の最初であるのだが、それでも八大山人や石濤のような明室直系の出自であるわけではない。そのぶん憤慨してもなんとか心を安んじていればよかった。

ところが八大山人は寧藩の分家の弋陽《よくよう》王家に生まれ、明の太祖朱元璋《しゅげんしょう》から数えて十代目の子孫なのである。それが十九歳のときに明朝が滅亡して、人生が一変する。

あまりの激変に憤懣《ふんまん》やるかたなく秘して灯社という結社に入るのだが、その高貴の身におよぶ危険をみんなが心配した。やむなく剃髪して潁学弘敏《えいがくこうびん》に師事して禅学を修め、雪个《せっこ》・刃菴《とうあん》・人屋《じんおく》・个山《こざん》などと何度も名号を変えて水墨画を描き、詩を書いた。のみならず、八大山人は佯狂《ようきょう》や佯唖《ようあ》となった。乱心の真似をしたのである。ハムレットを装ったのだ。八大山人を見るには、この佯狂の至芸を見ることになる。

ハムレットならば乱心の真似をしてもその期間は短く、復讐を果たす野望に満ちていればよかった。そこにあるのは一族の王位の奪還の問題だった。復讐も果たせた。しかし明朝の滅亡とは巨大な血統そのものの倒壊であって、漢民族全貌の失意である。八大山人の佯狂はもしそんなことを始めれば、生涯にわたらざるをえない。

けれども八大山人はそれに徹し、生涯にわたって言葉を狂わせ、行動を妖しくした。荘子の「狂言」を地でいった。地でいくだけではなく、それをもって表現に徹した。本書はそのような点にまでは踏みこんでいない記述に終始した淡調の八大山人論であるが、ぼくはどう見ても「佯狂の表意」を八大山人の表現に読みとらざるをえない。

ふつう、中国水墨画史では八大山人の独得の筆意や骨法については、王羲之《おうぎし》流の骨法や牧谿《もっけい》・梁楷《りょうかい》様の手法の感化や、前時代の董其昌《とうきしょう》の墨味の影響を指摘する。そのうえで自由奔放な書法や画法がたいてい絶賛される。むろんそういうこともないではないけれど、ぼくが見るに、そのような批評や評価は八大山人の半分しか語らない。

たとえば、《彩筆山水図》（大阪市立博物館）をよく見ていると、そこには董其昌を通り越して宋代の董源《とうげん》や巨然《きょねん》が動く。そのうえで酣暢《かんちょう》でありながら精簡な味を作っている。花鳥図では、その鉤勒《こうろく》の筆はそれが紙幅に着いていくぶん捗《はかど》ったところで高速に卒意に転化して、世にいわれる減筆とはまったく異なる趣向を発揮する。当初から減筆をはかっているのではなく、意に渉《わた》ったうえでの減筆である。だからそこに八大山人独得の卒意があらわれる。融和を遊んでいるようで、それでいて冷到なのである。冷到でいて奔放なのである。

禿筆《とくひつ》（穂先のすり切れた筆）を使いつづけたことも妙だ。さきほど孤傲落寞という言葉をつかったが、あえて旨くなりすぎないような描法に徹しようとしている。

こうした八大山人の傑作中の傑作が、冒頭にのべた泉屋博古館にある《安晩冊》なのだ。集めて全部で二二葉ある。絶顚《ぜってん》といってよい。本書では六九歳のころの筆だと推定している。

安晩とは「安らかな晩年」といった意味で、その題辞には「その昔、東晋の宋炳《そうへい》がかつて遊んだ山水を晩年に室内の壁に描いて臥遊を楽しんだ心境だ」と書いてある。宋炳は五世紀前半の画人で、生涯にわたって官につかず荊山《けいざん》・巫山《ふざん》・衡山《こうざん》などに遊び、老いて山を歴遊できなくなってからは、かつての物見遊山の記憶を絵にして、自室で坐臥《ざが》して山水をたのしみ、その心境を『画山水序』に綴った。

たしかに《安晩冊》にはその宋炳に通じる絶妙の安逸があらわされているようには見える。ついに八大山人の抗清の魂魄《こんぱく》もここにきて解放されて、一種のユーモアにさえ達したかにも見える。しかし、はたしてそうなのか。これもまた「佯狂の表意」であったろうとぼくは思っている。ついに安らかな晩年に達したといいながら、その筆はすでに佯狂を装うために会得した手法を極まらせているのだ。

それについては「个相如吃《こそうじょきつ》」の款記を参照したい。これは「私も司馬相如も吃りである」という偽りの表明で、八大山人の偽装の哲学をよくあらわしている。さらにいくつもの漢詩をあげてもよい。一般に八大山人の詩はあまりに難解で、古語も多く、大半は意味不明なところがあると評されているのだが、実は用意周到な寓意であるとともに、いわば荘子の境涯に達している「狂言」そのものなのだ。

一六九〇年の春、八大山人は《牡丹孔雀図》を描いた。もう晩年になっている。中国では牡丹と孔雀を描けば、それは富貴や艶麗や繁栄をあ

八大山人《牡丹孔雀図》(1690年)

らわした。ところが山人のこの絵では、巨岩にとまっている二羽の孔雀はともに飢えた目ともいうべき眼光を放っている。憎悪すべき禽獣《きんじゅう》になっている。上部の牡丹も折れ曲がって、画幅を横切っている。こんな瑞祥《ずいしょう》の絵はありえない。

絵の上部に書かれた七言絶句が、また不可解だ。ふつうはこれが画題になるのだが、意味がとれないことが書いてある。

孔雀　名花　竹屏に雨ふる
竹梢強半　墨もて生成す
如何ぞ了得して　三耳を論ずるに
恰も是れ
春を逢《むか》えて二更に坐す

最初の二句は孔雀を竹屏《ちくべい》にあしらって雨に遊び、その竹に私（八大山人）の墨技が及んで梢《こずえ》をもたらしたというのだから、制作のプロセスを絶句に詠むという趣向がいささか変わっているものの、とりあえず意味はとれる。ところが次の二句が以前から難解で、研究者たちも本意をはかりかねていた。「三耳」と「坐二更」がわからない。

実は「三耳」は『孔叢子《くぞうし》』に因って臧三耳《ぞうさんじ》の故事を引きながら、清朝に投降した連中に「もうひとつの耳をもて」と痛罵《つうば》を投げかけていたものだった。「坐二更」は、二更が官僚たちが午後十時ころに翌朝の宮中参内のために政務を整えている刻限をさす。そんなことをしていると二更（つまり夜更け）に坐したまま、ついに立ち上がる機会を失うにちがいないというふうに、これまたそうした連中を痛罵した文言だった。二羽の孔雀はそのような寓意を含み、牡丹は清朝の偽の宮廷を暗示した。

八大山人は還暦をこえてなお、まったく安眠など貪ってはいなかったのだ。おそらく《安晩冊》は去国あるいは悲国の画冊であるというべきなのである。こういう詩画人をいっときの中国がもったことを羨みたい。それにしても、その技法は晩年ますます神游《しんゆう》独行して、その深く入って浅く出てくる深入浅出《しんにゅうせんしゅつ》の描法は天衣無縫とも見える。よくもそこまで無為自然を佯狂したものだ。これは「機序」を出入りした者だけが可能とする全然芸術であった。

第一〇九三夜　二〇〇六年一月十一日

参照千夜

八九三夜：白洲正子『かくれ里』　八五〇夜：『蕪村全句集』　九七四夜：『近松浄瑠璃集』　四六〇夜：石原道博『朱舜水』　八七二夜：『陶淵明全集』　七二六夜：『荘子』

一蝶・光琳・応挙・文晁・北斎・竹田・芳崖・暁斎・清親・芋銭・春草・麦僊……。その画境、その趣向。

村松梢風

本朝画人傳

中央公論社　全五巻　一九七二〜一九七三　／　中公文庫　全八巻　一九七六

青年期のころから、いくたりもお世話になった画人伝だったから、その恩に報いたいと思っていた。ただし、全五巻に計四七人の画人が登場しているので、以下、村松梢《しよう》風《ふう》の一人あたり四〇頁から七〇頁ずつほどの丹念な案内を、刹那の文章スナップショットのように走ることになる。あしからず。ぼくの感想もいささか交え、順序はほぼ生年順に変えた。

その前に一言。二代目尾上《おのえ》菊之助を描いた『残菊物語』が大当たりし、川島芳子《よしこ》をモデルにした『男装の麗人』で話題をとったにもかかわらず、大衆文学にはなじまず、あえて考証的趣向文芸ともいうべき領分を拓いた梢風が、この画人伝を「中央公論」に連載したのは大正十一年が最初で、滝田樗陰《ちよいん》が編集長だった時期である。

梢風は初期に情話作家として鳴らしたのだが、昭和に入ってしばしば中国に渡って郭《かく》沫若《まつじゃく》や郁達夫《いくたつふ》らに会ううちに宗旨変えをして、しだいに史実に香りをつけるほうに筆を向けていった。職人や画人に集中して関心を寄せはじめたのだ。その代表作が『本朝画人傳』である。椶陰が四三歳で昭和を見ずに急逝していったん中断されたが、十五年をへて再開した。人を惜しんでの再開というのは、傍らで見ていてすらなかなか有り難いものである。

浮世絵師が足りないこと、浦上玉堂《うらがみぎょくどう》が入っていないこと、若冲・蕭白・蘆雪などが無視されていること、そのほか気になる不足も目立つけれど、そのぶん美術史家では書けない風情が充ちているパノラマだった。

【英《はなぶさいっちょう》一蝶】（一六五二生）　光琳も一蝶も狩野安信《やすのぶ》の門から出た。一蝶は蕉門をくぐって其《き》角《かく》・嵐雪《らんせつ》と交わったから、俳諧が絵に出た。そこへ十二年にわたる三宅島島流しだから、江戸に戻ってからはかえって悪場所遊郭三昧で、徹底して洒脱を遊んだ。吉原《よしわら》の遊びや料亭風情に面目をもたらしたのは一蝶だった。だから絵に抜襟《ぬきえり》の風情がある。「おのづからいざよふ月のぶんまはし」。

【尾形光琳】（一六五八生）　雁金屋《かりがねや》は染め縫いが商いだから、きっと光琳はああいう絵になったのである。加えて茶事を存分に嗜《たしな》んで何軒もの小間や茶室をもったので、ああいう省略（省筆）が得意になったのだ。雁金屋の子孫にあたる小西家に伝わる写生帖を見たが、孔雀をアングルを変えて何枚も描いている。肛門のまわりだけを後ろから克明に写したものもある。この根底の写生力がデザインともおぼしい意匠の光琳画を生んだのであると悟った。

【与謝蕪村】（一七一六生）　蕪村こそ滅筆省筆の人だ。たった十七文字で絵をあらわせた。「白梅の枯木にもどる月夜かな」「朝顔や一輪深き淵のいろ」「四五人に月落ちかかる踊りかな」。あえて粗末な風情を好んだのは、育った摂津天王寺村の堤を行き来していたのが花売りや魚商人や傀儡師《くぐつし》だったからではないか。門下高足の呉春《ごしゅん》松村月渓《げっけい》は蕪村の臨終に立ち会った。病中に吟を思いついたというのであわてて手元の文房をさしだすと、二句詠んでこれを捨て、「白梅に明くる夜ばかりとなりにけり」と綴って、死んだ。

【池大雅】（一七二三生）　二条の樋口《ひのくち》にいた大雅は扇絵を祇園《ぎおん》で売って世すぎの足しにしようとしたが、売れない。祇園境内付近で茶屋を開いている美人で評判の百合は、大雅の絵が上品すぎて捌《さば》けないのを知って、肩をもつ。百合は歌も書もうまい。まだ十代半ばの娘の町のほうがさらに器量がよく、歌もいい。大雅は何かを感得して、それから数十余州をまわって修業をし、七年たって京に戻ると、町と祝言《しゅうげん》をあげた。このあと柳沢淇《き》園《えん》に漢画山水を学び、洛東真葛《まくずが》ヶ原《はら》に草堂を結んで大雅堂を号してからが例の文人画の独壇場となるのだが、これを見ていただけの町も絵を楽しんで玉瀾《ぎょくらん》を名のり、この夫婦の付き合いで大雅はまた自在闊達《かったつ》になった。

【円山応挙】（一七三三生）　明和三年に応挙を号して、円満院門主祐常《ゆうじょう》の庇護《ひご》をうけてからおおいに画業が聞こえるようになったのだが、写生の極意は野の人や山の人をつかまえては聞くことにしていたらしい。あるとき伏せた猪を描いて村の老翁に見せたところ、これは病んだ猪だと言われた。馬が草を食んでいる絵を見た農夫はこれは変だと言った。馬は草を食べるときは目を庇《かば》って閉じるのだと諭《さと》された。応挙はもちろん、四条円山派はこの猪と馬を忘れない。

【司馬江漢《しばこうかん》】（一七四七生）　和漢洋を揃えたとは江漢のことだ。大和絵・漢画・浮世絵・蘭学・油絵を身の芸に射した。浮世絵は鈴木春信の門下で、錦絵の版下を描いた。この揃えを一人で体に纏《まと》っていた男がいた。平賀源内である。江漢は源内の裡《うち》に自分の行く先を見た。その体現が蠟画《ろうが》（顔料と荏胡麻《えごま》油による油彩画）だった。「のぞきめがね」なども作っている。

【酒井抱一《ほういつ》】（一七六一生）　能と狂歌と浮世絵。三味線と浄瑠璃と茶の湯。それに西本願寺の文如《ぶんにょ》からうけた得度。姫路の大名の息子の遊芸は広すぎて、このままいけば粋《いき》な嗜《たしな》みでおわるかと見えたのが、宋紫《そうし》石《せき》に師事して南蘋《なんぴん》風を手に入れたのが天成の器用に骨法を与え、そこへ文晁《ぶんちょう》から「光琳を見なさい」と示唆されたのが転機で、あの琳派一格の確立に向かった。それも抱一だが、やはり河《か》東節《とうぶし》の詞曲を好きに遊んだのも抱一だと、ぼくは見る。愛用の三味線の匣蓋《はこぶた》には自作「手鼓や朝顔の葉をもって鳴る」と書いてあった。これだけ数寄の風情を遊んで、一杯も呑まない下戸だったというところが、さらにいい。

【谷文晁】（一七六三生）　復古を唱えて先鞭《せんべん》となり、『集古十種』を編んだ。また「派手」を知っていた。喜寿の宴を両国万八楼《まんぱちろう》で催したときは名流すべてが集まり、その威勢が収まらず亀清楼《かめせいろう》まで及んだ。このことと、文晁があらゆる流派の絵を手がけたことはつながっている。時代は田沼意次から松平定信に移ったが、その定信と交友して「後援」とは何かを理解したことも関係がある。当時の大画家であるが、工夫も惜しまなかった。とくにその蝶が絶品。《群蝶之図》がいい。ただ文晁を集めるのはあきらめたほうがいい。九割が贋作だ。

【田中訥言《とつげん》】（一七六七生）　こういう人がいるから京都は保たれてきた。延暦寺で童僧となり、伏見に移って京狩野の石田幽汀《ゆうてい》にも土佐光貞の門にも習ったが、古土佐を慕って有職故実に嵌《は》まった。山崎闇斎《あんさい》の垂加神道《すいかしんとう》などを研究しているうちに、京都大火で烏有《うゆう》に帰した内裏《だいり》が再建されることになり、御用命画人の一人に若くして選ばれた。このときの絵が評判となって、訥言は古今独歩の復古大和絵の中心となった。《賀茂祭礼図》などの多くが訥言の筆だということは、いまの京都人は忘れている。浮田《うきた》一蕙《いっけい》や冷泉為恭の絵と魂を育てた。

【葛飾北斎】（一七六〇生）　こんなに奇天烈《きてれつ》で、意匠を凝らしつづけ、それでいて斬新を極めた才能は、日本の画人でもめずらしい。勝川春章《かつかわしゅんしょう》から浮世絵を、司馬江漢から西欧画を、堤等琳《つつみとうりん》からは漢画を、住吉広行に土佐派をうけて、これらをたちまち攪拌《かくはん》重畳していった。いや、その前に真似の天才だった。あるときは俵屋宗理《そうり》となり、あるときは鍬形恵斎《くわがたけいさい》になってみせた。世阿弥でいうなら「物学《ものまね》」だ。その才能は通笑《つうしょう》・京伝・馬琴の戯作《げさく》の挿絵を描くようになってから爆発的に開花した。これは版元の意向にぴたり応ずるという趣向を会得したからで、それが馬喰《ばくろ》町西村与八の求めに呼応した《富嶽三十六景》になった。小布施《おぶせ》にのこした絵では天使すら描きこんで、黒船騒ぎの海の向こうの風情をとりこんだ。《北斎漫画》はマンガのルーツというより絵手本である。

【青木木米《もくべい》】（一七六七生）　祇園の茶屋に木屋《きや》があった。そこに生まれて幼名が八十八だから木屋の八十八で木米。家は鴨東《おうとう》大和橋の北。なぜか医書を好んで漢籍をあたるうちに大坂船場《せんば》の大ディレクター木村蒹葭《けんか》堂《どう》をたずねるようになり、そこで『竜威秘書《りゅういひしょ》』に出会った。その十八冊のうちの『陶説』に震撼《しんかん》として、さっそく奥田穎川《えいせん》に磁器の呉須《ごす》赤絵など習って、最初は交趾《こうち》（ベトナムの焼き物）の写しなど作っていたのだが、それがついに「雨後の青天に雲の破れたるところ」の青磁に至った。こういう木米の絵だから、余技ながら凄い。

【田能村竹田《たのむらちくでん》】（一七七七生）　この人は文晁に学んだあと詩歌書画のため世俗を断った。医者の小石元瑞《こいしげんずい》・頼山陽《らいさんよう》・菅茶山《かんちゃざん》・木米らの莫逆《ばくげき》の友に支えられた。その水墨山水の傑作のいくつかは浦上玉堂と並ぶ。加うるに『泡茶新書』『葉のうらの記』などの茶書をものし、とりわけ『山中人饒舌』は堪能させられる。ぼくの『山水思想』にも書いたことだ。

【渡辺崋山】（一七九三生）崋山には「立志」と「世路」があった。風貌も偉丈夫で、つねに長刀を帯び短袴を着して市中を闊歩したから、どう見ても剣客に見えた。が、絵は文晁に出会って自身で入手すべきことを諭され、宮本二天（武蔵）であれ狩野探幽《たんゆう》であれ、なんとか入手して手元で学んだ。これが洋画にも及んでの、かの洋風リアリズムとなり、遠近法も描き分けた。海防を憂慮して執筆した『慎機論』が問題視されて、蛮社の獄ののち、切腹している。

【中林竹洞《ちくとう》】（一七七六生）尾張出身の竹洞はいまも京都の老舗の三条寺町の鳩居堂《きゅうきょどう》の主人の親切を中継にして頼山陽・貫名《ぬきな》海屋《かいおく》らと交わり、しだいに文人南画に深入りしていくのだが、それがストイックにとどまったのは息子の竹渓のせいもあったろう。竹渓は変わり者の画人で、たとえば応挙を嫌った。この時代になると、初めて画人のあいだに分裂が見えるのである。

【山本梅逸《ばいいつ》】（一七八三生）竹洞が同郷の梅逸を引き上げた。やはり鳩居堂が最初の世話をした。二人をもって中京二神というが、性格画風は正反対で、竹洞は隠逸派で家庭趣味、梅逸は社交を好んで祭礼の賑わいに酔えた。いま尾張の祭りの山車《だし》には梅逸の絵が多い。

その門、梅門という。

【菊池容斎《ようさい》】（一七八八生）　容斎は広重より十歳ほど年長だが、九十歳近くの長生きだったので、維新の人に見える。終生にわたって忠孝恩義を重んじた。その思いは『前賢故実』にもあらわれていて、訓蒙《くんもう》を絵の中にも移そうとした。明治天皇はこれを記念して「日本画士」の称号を与えた。おそらく画人のなかでこれほど勤皇精神を高唱した者はいなかったのではないか。貫之が好きで、これまで『土佐日記』を絵にした者がいなかったので、《土佐日記絵巻》を残した。

【安藤広重】（一七九七生）　歌川豊春《とよはる》に二人が傑出した。豊国《とよくに》と豊広《とよひろ》だ。豊国は時勢を映して濃艶な錦絵風だったが、豊広は草筆の味を出した。この豊広のほうの門を火消し同心の子の広重がくぐった。これがのちの広重の画風を決める。もうひとつ、北斎と出会ってその傲岸に辟易とし、いっさい北斎まがいの奇矯を避けようと決めたのも、広重をつくった。天保三年、幕府慣例の八朔《はっさく》の御馬献上の一行に加わってその拝観の図を描くようにとの命が出て、この見聞をもとに徹底した作り絵に仕立てたのが保永堂版行の《東海道五十三次》である。ここには「景色というのは見るたびに違うものだ」という哲学が生きた。

【浮田一蕙《いっけい》】（一七九五生）　田中訥言に土佐絵の薫陶をうけて大和絵の再生にのりだしたのは、一蕙と冷泉為恭である。一蕙は絵も書も歌も感覚を揃えられた。在原業平を偲《しの》んで庵を結んで「昔男精舎」と名付け、「わが宿の軒端の梅に鳥がきて東なまりの初音をぞ聞く」と詠んだ。

【柴田是真《ぜしん》】（一八〇七生）　是真の名が広まったのは天保十一年の初午《はつうま》に王子稲荷社殿が新造されたとき、その額堂に羅生門の鬼女の図が掲げられてからだった。明治初年に五世菊五郎がこの額を見にいって驚き考えこみ、これを芝居にしたいと思って河竹黙阿弥《かわたけもくあみ》に相談した。出来上がってきた台本が『茨木』だった。明治十六年、その初演が新富座《しんとみざ》で開かれたとき音羽屋がまた是真に鬼女を頼んだ。これが櫓《やぐら》に掲げられて大評判となり、芝居が大当たりした。一枚の絵が芝居になった稀有《けう》な例である。しかし是真は蒔絵《まきえ》こそが天下逸品だった。光琳の次の蒔絵上手は是真なのである。

【森寛斎《かんさい》】（一八一四生）　寛斎は京都に入ったときにすでに塩川文麟《ぶんりん》と並び称された。そこへ黒船来航。寛斎は絵筆を捨てて国難に立ち向かおうとして勤王の志士と交わり、長州との間を二度往復して意見調節の任を引き受けたりした。明治になってフェノロサが寛斎を訪れたときは、西洋画に影があるのを指摘して、われらは物に影があるようにも、花には香りがあるようにも描くのだと言ってのけた。フェノロサが頭が上がらなかったのは寛斎だけだったという。

【田崎草雲《たざきそううん》】（一八一五生）　あばれ梅渓の異名があった。足利藩を脱藩して放浪を好んだのと、幕末に梁川星巌《やながわせいがん》と交わって攘夷《じょうい》を唱え誠心隊を結社したりしたせいだ。絵の本領は山水である。生涯、朱舜水《しゅしゅんすい》を遠慕し、若い者には「人の噂をするな」とだけ教えた。

【冷泉為恭《れいぜいためちか》】（一八二三生）　訥言に私淑して古画の模写に熱中し、ひたすら王朝を敬慕した。それも尋常ではない。《伴大納言絵詞》に見とれ、承久の乱の絵を描き、後鳥羽院の故事全般に溺れた。《伴大納言絵詞》を模写するため京都所司代に近づいたことが勤王佐幕の世では睨《にら》まれ、浪士の狙うところとなった。紀州粉河寺《こかわでら》に隠れたものの堺《さかい》まで落ちて、斬殺された。こういう画人も少ない。『本朝画人傳』では、為恭の死が維新の鐘の音である。

【岸竹堂《きしちくどう》】（一八二六生）　かつて金沢に乙治郎という浄瑠璃好きの絵描きがいた。大坂へ出て豊竹駒太夫《とよたけこまたゆう》に入門を乞うたが断られ、絵のほうに進みなさいと言われた。これが岸駒《がんく》である。二代が岸岱《がんたい》、三代が岸連山《きしれんざん》、その連山の養子となったのが竹堂だ。着物の下絵を描いて鮮やかだった。いまも京都の呉服屋として有名な千總《ちそう》の西村友禅はほとんど竹堂の下絵による。明治に入ってフェノロサは東では芳崖《ほうがい》を発見するが、西では竹堂の画技に驚嘆した。それにしても岸派が虎を好んだ理由は、よくわからない。

【狩野芳崖】（一八二八生）　木挽町狩野《こびきちょうかのう》の勝川塾《しょうせん》に橋本雅邦《がほう》と同日に入門した。ここに松《まつ》代《しろ》出身の三村晴山《せいざん》がいて、佐久間象山を紹介した。感化された芳崖は国事に奔走するべきだと覚悟するのだが、象山はむしろ絵によって国に当たりなさいと言う。十年を研鑽《けんさん》して故郷の長州に戻ると、愛国僧霖竜《りんりゅう》和尚に、その国を思う心で坐ってみよと言われ、今度は禅林修行をした。おそらくはこうした胆力が《悲母観音》を描き上げさせたのではないか。

【河鍋暁斎《かわなべきょうさい》】（一八三一生）北斎以来の妙想者。たとえば鯉魚《りぎょ》は応挙の右に出る者はいないと言われてきたのだが、暁斎は盥《たらい》に鯉を放ってさんざん写生して、三六鱗《うろこ》があれば鯉は鯉になることを決めている。暁斎は放縦な性格だったので、このリアリズムを狂画に移したいと思う。ここから菊五郎を喜ばせた幽霊画などの奇想が始まった。自ら「画鬼」と称した。ジョサイア・コンドルがぞっこんになったせいもあって、いまも日本人よりもイギリス人のファンが多い。

【長井雲坪《うんぺい》】（一八三三生）このなかでは一番の清雅にいた画人であろう。越後の沼垂《ぬたり》の出身、十六歳で長崎に入って日高鉄翁《てつおう》や木下逸雲《いつうん》の長崎派を学び、三五歳で宣教師フルベッキにくっついて中国に渡った。維新後に東京に入ったが画名は上がらず、諸国遊歴のうえ信州戸隠《とがくし》に住みついてしまった。山を下りたのはやっと明治十七年で、それでも善光寺裏で花を塩漬けにして飯を食べながら、ヘロヘロの蘭を描いた。これをのちに漱石が感嘆した。

【橋本雅邦】（一八三五生）同門の芳崖とは無二の親友だったが、長らく赤貧に甘んじて、三味線の駒など削っていた。やがて頭角をあらわしたときはこの隠忍が生きて、若い岡倉天心をよく扶《たす》けて日本美術院創設の精神の支柱となった。後輩を育てる名人だ。

【富岡鉄斎《てつさい》】（一八三六生）　格別の魂、別格の魄。三条衣棚《ころものたな》の十一屋。永平寺御用達の法衣屋。太田垣蓮月《おおたがきれんげつ》の優美で裂帛《れっぱく》の配慮。夥《おびただ》しい漢籍の読破を通して遊んだ謫仙《たくせん》の趣向。国学を学んで自身を湊川《みなとがわ》・石上《いそのかみ》・大鳥神社の神官として奉仕した精神。これらをひっさげて、なおいっさいの世事・画壇とかかわらず、悠然と文人南画を描き続けて他の追随を許さない画境に達していたのに、本人は「絵よりも画中の詩文を読んでほしい」と言い続けてきた。おそらく、こんな人、もう出てこない。そのこと、『山水思想』最終章にも気持ちをこめて書いておいた。

【奥原晴湖《せいこ》】（一八三七生）　下総古河藩《しもうさこが》には佐藤一斎・大沼枕山《ちんざん》・鷹見泉石《たかみせんせき》がいたが、これらの碩学《せきがく》を相手に二十歳前後の美人の晴湖があふれるばかりの才藻《さいそう》をふりまいていたのだから、巷間《こうかん》の話題にならないわけがない。江戸に出て雅会を催せば、錚々《そうそう》たる名士が集まった。おまけに「支那画」に明るい。松平容保《かたもり》にも木戸松菊《しょうぎく》（孝允）にも気にいられた。その晴湖が維新となってバッサリ短髪の男装に変身し、明治五年に女は合宿、男は通塾させる「春暢学舎」を開いた。その通塾の一人に少年岡倉覚三がいた。のちの天心だ。時勢が欧風一辺倒になると、さっさと熊谷《くまがや》の田舎に引っ越して繍仏《しゅうぶつ》草堂を結んで、若衆らと老来入神の日々を送った。そうとうな美人だったのだろう。

【平福穂庵《ひらふくすいあん》】（一八四四生）　秋田角館《かくのだて》の人。子の百穂《ひゃくすい》ほどには知られていないが、その《乳虎図》はすでに竹内栖鳳《せいほう》を思わせる。明治二三年の内国勧業博覧会出品の絵だ。そのとき岸竹堂も《乳虎図》を出してどちらも銀賞をとったのだが、幸野楳嶺《こうのばいれい》は穂庵に軍配をあげた。ところが竹堂はこのとき虎に眼睛《がんせい》を入れた瞬間に錯乱したと伝えられた。何と激越なエピソードであろう。穂庵の画才は期待されたが四七歳で倒れ、百穂にその開花が託された。

【幸野楳嶺】（一八四四生）　京都府画学校を創設した。また画塾「凌雲会」「大成義会」、京都美術協会の創設の中心ともなった。夥しい子弟をつくり、とくに菊池芳文《ほうぶん》・竹内栖鳳が抜きんでた。その後の京都画壇は楳嶺がお膳立てを用意したようなものだ。近代日本画のオーガナイザーだ。

【小林清親《きよちか》】（一八四七生）　ワーグマンと暁斎に学んで、柴田是真に漆絵を下岡蓮杖《れんじょう》に写真を教わったから、ああいうモダンな夜景木版のような作品ができた。ジャーナリスティックな近代イラストレーター第一号である。弟子に光線画の井上安治《やすじ》、戦争画の田口米《べい》作《さく》、詩人の金子光晴がいる。

【竹内栖鳳】（一八六四生）　栖鳳については、以前NHKの「日曜美術館」でも話したのだが、写真術とのかかわりやヨーロッパ旅行体験がおもしろい。楳嶺の門に入ったことも右にのべた。が、村松梢風は高島屋呉服屋京都店とのつながり、天心の東京美術学校への招聘《しょうへい》を断ったこと、鴈治《がんじ》郎《ろう》との肝胆相照《かんたんあいて》らす交友などにも注目した。大観の坂東武者ぶりに対するに、栖鳳の公家繊細である。

【寺崎広業《こうぎょう》】（一八六六生）　東京美術学校助教授となって、日本美術院創設にも加わったのに、天心なき東京美術学校に戻って、そこで長らく君臨した。そういえば裏切りめくかもしれないが、日本橋芸者を囲う奔放が身上で、何事もざっくりと鷹揚《おうよう》、その絵も勝手な緩みに味がある。

【横山大観】（一八六八生）　何といっても《生々流転《せいせいるてん》》のような透徹した山水物語を描ける画人はその後は出ていない。天心は春草《しゅんそう》にくらべて大観の才能が著しく劣るのを気にしていたのに、それが一転した。大観を大きくしたのは家庭の不幸が続いたことと親分の天心を守ろうとする意志が絵にまで及んだからだった。そこには古今無双ともいうべき水墨雲烟《すいぼくうんいん》の妙というものがあって、年をへるにしたがって朦朧画《もうろうが》の長所短所のいずれをも超えてしまった。名墨の秘密に気がついていた画人でもあった。

【小川芋銭《うせん》】（一八六八生）　河童の芋銭である。が、河童も芋も酒も好物だった。そこを幸徳秋水も徳富蘇峰《そほう》もおもしろがった。『草汁漫画』の画集があるように、自身はへりくだって「漫画のようなもの」と嘯《うそぶ》いたが、どうしてそここそが追随を許さない独壇場で、あんな軽妙は他に描ける者がない。それに書が趣向に富んで、堪能だった。明治の画人で書が下手な者などいるわけないが、鉄斎と芋銭こそが雲の上を行く。

【山元春挙《しゅんきょ》】（一八七一生）　師匠は森寛斎。明治三十年代になって栖鳳・芳文と並んで京都画壇の中心を担ったが、実は京都の写真技術も春挙が引っぱったものだ。瑞気焙烙という言葉があるけれど、その画風には花鳥風月を描いて瑞気《ずいき》が香った。

【下村観山《かんざん》】（一八七三生）　下村の家は小鼓の名家で、維新になって没落した。そこで芳崖・雅邦について絵に進んだ。技倆《ぎりょう》だけでいうなら、大観・春草も及ばない。もうひとつ大観・春草が及ばないのは天心のことなら借金でも誹謗《ひぼう》でも背負う気概があったことである。とくに五浦《いづら》に日本美術院の数人が都落ちしたときは、観山の気概がよく支えた。さらに「線は気合のもの」と言って、朦朧画の成否の如何にかかわらず、線のあるなしにはまったく拘《こだわ》らなかった。人にあって拘泥を重んじ、絵にあって拘泥に遠いことが観山の特色である。

【川合玉堂《かわいぎょくどう》】（一八七三生）　楳嶺、雅邦、天心というふうに従った。波瀾の時期を通過したわりに、こんなに温雅で寛厚な画人三昧《ざんまい》を送った人も少ない。愛知の人だが岐阜が好きで、長良《ながら》川の絵が多い。根尾谷《ねおだに》の菊花石《きっかせき》にも目がなくて、これをしこたま収集した。

【菱田春草】（一八七四生）夭折《ようせつ》の天才だ。もう一人の夭折の天才は今村紫紅《しこう》だろうか。大観とともに旅行したインドが春草を変えた。すでに何度か書いてきたことだが、明治の日本画を一作だけ選べと言われれば、ぼくは春草の《落葉図屏風》になる。眼疾を患って失明寸前に追いこまれてからは、なお別種の精神の炎上があったようで、《黒き猫》など見ていて身震いがする。昔日、京都の何必館《かひつかん》で大観と春草を一緒に見たときは涙が出てきた。

【小室翠雲《すいうん》】（一八七四生）　大正十年に設立された日本南画院の中心となったのは、南画もたしかに好きだったのだろうが、群馬の館林《たてばやし》の出身で東西をまとめて見る位置にいたからだった。それで昭和十六年に大東南画院をつくるときも頭領の役を担わされた。国定《くにさだ》忠次《ちゅうじ》に惚《ほ》れていたというのが愛嬌だ。

【吉川霊華《きつかわれいか》】（一八七五生）　雅邦にも洋画の小山正太郎にも、大和絵研究の松原佐久《すけひさ》にも指導をうけて、それらのどこにも傾斜しない独得の稀有な知的画風を保った。傑作《離騒》や《菩提達磨》にその集約があらわれている。大正五年、結城素明《そめい》・百穂・鏑木清《かぶらぎきよ》方《かた》・松岡映丘《えいきゅう》らと金鈴《きんれい》社をつくった。

【上村松園《うえむらしょうえん》】（一八七五生）　《序の舞》があまりに有名で、小説も映画もテレビドラマもこの話になりすぎていて、どうも松園はおもしろくないという印象なのだが、楳嶺と栖鳳についたのだから筆はしっかりしているし、なにより四条御幸町《ごこまち》の松園さんといえば、京都ではあのへんの近又も吉勘も、葛切りもたち吉も、金剛の能まで、松園の筆の中なのである。実は祖父が大塩平八郎の血筋をひいたものであるという。

【平福百穂】（一八七七生）　穂庵の子であることを離れて鑑賞されてよい。川端玉章《ぎょくしょう》の門にもいたが、「国民新聞」の徳富蘇峰の片腕だった栗原白雲に引き立てられてのことか、俗の権威に騙《だま》されない目をもったことが、アララギ派の歌人としての目にも、のちの仏僧を描くときの炯眼《けいがん》にもなっている。その炯眼が《堅田《かたた》の一休》によくあらわれた。ぼくは自分も住んだことがあるので親しみを感じるのだが、百穂が世田谷三宿《みしゆく》に白田舎《はくでんしや》という一門をつくったことが、歓ばしい。

【鏑木清方】（一八七八生）美人画というのは必要である。鏡花や新派や女優が世の中にいる以上、浮世絵・美人画・ブロマイドまでは一直線である。しかしその風情となると、清方・小村雪岱《せつたい》から伊東深水《しんすい》・岩田専太郎まで、その趣向はおおいに異なる。清方の風情の源泉は水野年方《としかた》で、それ以外はすべて鏡花が用意したといってよい。

【松岡映丘】（一八八一生）柳田國男・松岡静雄の弟。だから姫路の片田舎、柳田のいう「日本で一番小さな家」に育ったわけである。交友関係も最初は文芸的で、絵も雅邦に習ったのちは田山花袋から山名貫義《つらよし》を紹介された。鏡花の初期の挿絵を描いていた梶田半古《はんこ》からもしばしば指導をうけた。新興大和絵に苦心して国画院をおこした。いま、この国画の心を継ぐ者が少ない。

【土田麦僊《ばくせん》】（一八八七生）佐渡の神童といわれて育ったが、絵をやるなら京都だと思い、それ栖鳳に教わった。当初からゴーギャンの異様な原色にも共感していたふしもある。それをなんとか日本に移したくて、たとえば山茶花《さざんか》・芥子《けし》・雪柳を数百枚写生した。念のため大正十年にヨーロッパに出掛けて美術館を回ったが、これで自信が出て、国画に打ちこむ以外の道を断った。くどいようだが、この国画の心を受け継ぐ者が、いまは少なすぎるのだ。

第九六四夜　二〇〇四年四月十二日

参照千夜

八五〇夜：『蕪村全句集』　一一八夜：世阿弥『風姿花伝』　九九八夜：滝沢馬琴『南総里見八犬伝』　三一九夜：頼山陽『日本外史』　四四三夜：宮本武蔵『五輪書』　五一二夜：紀貫之『土佐日記』　四六〇夜：石原道博『朱舜水』　五八三夜：夏目漱石『草枕』　一六五夜：金子光晴『絶望の精神史』　七五夜：岡倉天心『茶の本』　一六〇七夜：『鐵齋大成』　八八五夜：徳富蘇峰『維新への胎動』　九一七夜：泉鏡花『日本橋』　一一四四夜：柳田國男『海上の道』

類比《アナロジー》によって近代美術史を繙《ひもと》き、
ヨーロッパが何を「据置き《ブロカージュ》」したかを読みとる。

ワイリー・サイファー

ロココからキュビスムへ

18〜20世紀における文学・美術の変貌

河村錠一郎監訳　河出書房新社　一九八八

Wylie Sypher: Rococo to Cubism in Art and Literature 1960

ワイリー・サイファーの名を文学界と美術界をまたいで轟《とどろ》かせた三部作は、順に『ルネサンス様式の四段階』『ロココからキュビスムへ』『現代文学と美術における自我の喪失』である。いずれも河村錠一郎の訳出で河出書房新社から刊行された。ほかに野島秀勝訳の『文学とテクノロジー』（研究社）があった。こちらはのちに高山宏コレクション「異貌の人文学」シリーズ（白水社）に入った。

アナロジー（類比という見方）がかけがえのない武器であることを文芸・美術思想領域で詳細な作品例をもって実演してみせたのがサイファーだった。ルネサンスが四転しながらどのように理念と魔術と組み討ちしてきたかということも、二十世紀の文学思想とテクノロジーがアートとどう切り結んだかということも、その導線はなかなか有効で、二十世紀アートにはオフセット印刷やパッケージ技術の関与や、相対性理論や量子力学の影響があったことを指摘した。こういう指摘はありそうで、なかった。とくに美術史家には欠けていた。ぼくは杉浦康平がシルク印刷でカバーをデザインしてみせた『自我の喪失』からサイファーに入ったのだが、どの本もおおいに参考になった。

しかしぼくが一番驚いたのは、サイファーが芸術論のど真ん中にはじめてホワイトヘッドの「アクチュアル・エンティティ」の見方と「具体者とりちがえの問題」をもちこんだことだった。

本書は、まずはロココの華が開いた十八世紀をピクチャレスク、ロマン主義、象徴主義と追い、ついで印象派・ラファエル前派・ナビ派・アールヌーヴォーをネオ・マニエリスムと捉えてまとめなおし（アールヌーヴォーはネオ・ロココとも捉えて）、そこから二十世紀のキュビスムに至った各種アートの相関関係を追ったものである。こういう視点で美術史と文学史と社会史に時代ごとのテクノロジー（技法の特色）を加えながらそれぞれをほぼ同格に織り合わせたものは、サイファー以前にはなかった。

中世のプトレマイオス宇宙観がコペルニクスのルネサンス宇宙観に変わった。それで何がおこったのか。空間概念が、ゆっくりとしながらもぐるりと大きく転回した。その新たな空間概念がアートに染み出したのは、レオン・バッティスタ・アルベルティの『絵画論』（中央公論美術出版）が消点とオーソゴナル（水平線と直角をつくる線）による遠近法（パースペクティブ）という視覚的表現図法を示し、そのパースをもって絵画が描かれるようになったときだ。レオナルドの《最後の晩餐》やラファエロの《アテナイの学堂》が一点透視の遠近法空間を絵画的に完成させた。

しかしルネサンス宇宙は円球のままだった。手前の地球（＝人間の目）は少し動くようになったものの、向こうの宇宙は円球そのままだ。ルネサンスでは、キリスト教が示した偉大な場面を鮮やかに描いてはいても、それはステンドグラスの切り抜き絵のように静止していた。これを不満とみなしたマニエリスムとバロックが空間の「拡張と収縮」を可能なようにした。

マクロコスモスを見ようとする意図（ガリレオの望遠鏡）とミクロコスモスに分け入りたいという意図（フックの顕微鏡）が二つながら動き出し、絵画もこれを採り入れて、ルーベンスやブリューゲルがドームの天井画ではなくタブローの平面の中に、そういう二つの宇宙を同時に描いた。拡張したり収縮したりさせたのではない。拡張と収縮を同一形式のなかで同時にあらわしたのだ。バロックが「進行しつつある物語」を描きえたのは、この「空間の複合的な転換」による。ベルニーニがこれを建築や彫刻に転じ、音楽ではバッハが二つの宇宙を追想するフーガ様式を生み出した。

それで万々歳じゃないか、両界宇宙が手に入ったのだからそれでいいじゃないかと思いたくなるが、十八世紀前半に登場してきたロココ様式はそれらの踏襲ではなかった。ロココでは空間概念はなんと「室内」にあると主張しはじめたのだ。宇宙はミドルサイズにも適用されたのだ。

ロココにはバロックのような理論が派生しなかったが（詩人もアレクサンダー・ポープをただ一人代表させられる程度だが）、そのかわりにルネサンスやバロックのように世界を虚構（神の視点）をかかえたまま、まことしやかに堂々と描くということから退去して、あえて室内の装飾空間に描出を転成させようとしたのだ。

一七一七年に《シテール島の巡礼》でフランス・アカデミーに入会した画家アントワーヌ・ヴァトーには、『アラベスク模様、武具飾り（トロフィー）、およびその他の装飾模様集』という版画集がある。

室内飾り付けの素材と見本が並んでいるようなものだけれど、ロココにあってはこれがピエール・ルポートルやオプノールといった設計家によって建築の中に移動していくと、そこはカルトゥーシュ（内巻き文様）によるバロック空間とはまったく異なるものとなって、優美で植物的でギャラントな建物空間を出現させた。ヴァトーは「フェート・ギャラント」（雅な宴）の画家として親しまれた。

ロココは「過去からの断絶」を愉しんだ。ギリシア・ローマ・ルネサンスの縛りをミドルサイズに解いた。サイファーは「ロココとは、ニュートン的世界の新しい個人主義をともなった、過渡期にあたる社会状況を示す記号となった」と説明する。

ロココは様式としての流行力を失う直前に、風変わりな局面を演出した。ジャンル・ピトレスクである。ピトレスク（pittoresque）は絵のように美しいという意味で、一七三〇年のニコラス・ピノーの作品を嚆矢《こうし》とした「新しい趣味」をさす。「奇想の断片」（モルソー・ド・カプリス）という趣味だ。

絵のように美しいのであって、絵が美しいのではない。貝殻（コキャージュ）や小石をセメントでかためたロカイユ、空間のくぼみにもぐりこむような小部屋、鏡台を飾りこむ数々の装飾の出入り、予想のつかない水の様子を見せる噴水……。こういうものがジャンル・ピトレスクになった。不統一、不均斉、拡張の失効をものともしなかった。

ジャンル・ピトレスクは、その後の一七五〇年から一九〇〇年にかけての長きにわたるロマン主義を用意した。ボードレールが『一八四六年のサロン評』（ちくま学芸文庫『ボードレール批評』）という時代を画するクリティックのなかで「ロマン主義はただ内部にのみ見いだされる」と書いた、あのロマン主義だ。そこにピクチャレスクや印象派や象徴主義が次々に胚胎《はいたい》していった。

ロマン主義の眼目は主題の選択や真実の訴求をしないことにある。感情がおもむくところにスタイルを求めた。感情が写生や写実に向かうなら、日本の俳句の多くが写生俳句であるように、近代ヨーロッパにおいてはその写実主義もまたロマン主義だったのである。だからフリードリッヒもドラクロワもクールベも、マネもドガもジェリコーもロマン主義だった。

これは美術様式というよりも、意識と表現がかぎりなく近づいていったスタイルというべきものだった。ヘーゲルは自身の美学論において、そういうロマン主義がもたらす内面性（インジッヒザイン）を「絶対の芸術価値」と称揚した。


本書はピクチャレスクに言及してサイファーの勇名を斯界《しかい》で馳せた一冊なのだが、それほどピクチャレスクは美術史や文化史が摑みそこねていた。美術批評史ではながらくジョン・ラスキンを除いて、ピクチャレスクの見た目の不安定性と危険な香りと、それにもかかわらずそこに秘められた崇高な気分とを言い当てられる者がいなかった。

一言でいえばピクチャレスクは「暗示の技法」だったのである。スタイルの一部にアナロジーが用いられたのではなく、アナロジーそのものをスタイルの核心にした。だから暗示といってもメタファーを用いるのではない。浮世絵のように見立てや組み合わせを工夫するのでもない。描法そのものに暗示性が富んでいくこと、そのため空の模様も海の光景も雪山の構造も、クロード・ロランやターナーがそれをこそ見せてくれたのだが、次の一瞬には大きく変化しそうに見えるのである。

こういう絵を描いてみせること、それがピクチャレスクだ。必然を見定めつつも、その直後におこるかもしれない偶然（アザール）を描く。ドガの踊り子やゴッホの糸杉に、この技法が飛び火した。絵画における印象派も文学における象徴主義も、ピクチャレスクが生み出した。このことを指摘できたのはサイファーだけだった。

一八六三年にマネが《草上の昼食》を発表した。十一年後の一八七四年にモネ、ドガ、ルノワール、ピサロらが官展（アカデミーのサロン）に対抗した展覧会を開いた。会場は写真家ナダールの店だった。みんな主題を軽視して、ドガ以外の全員が戸外で制作し、思い思いの印象を描きまくった。

印象（impression）とは「感じたこと」ではない。感じたように描けること、その描いたものが見る者をインプレスすること、それがイン・プレス（印圧）としての印象（インプレッション）だ。もっともこのことを大事にすると、印象派の画家たちはさまざまな欠陥をあらわにするしかなかった。マネは首尾一貫性を欠き、モネは構図を失い、ルノワールはダンディズムをこぼし、ゴッホは安心から見放された。しかしそれこそが印象主義の矜持《きょうじ》だったのである。

ただ、ゴーギャンだけが苦々《にがにが》しい感想を吐き捨てた。印象主義は「表現を束縛するものを温存しすぎている」のではないかと。おそらく印象派が好きな日本人のファンも、あのような作品群が知的な高揚やアートの衝撃をもたらすものとは思わないだろう。ルノワールの少女やモネの睡蓮は絵画をその描景にとどまらせるものであった。

とはいえ印象派は印象を閉じこめなかった。ドガの思いもよらない視覚がロートレックの絵柄を生み、モネの大気描写がスーラの点描主義やセガンティーニらのディヴィジョニズム(分割主義)を生んでもいた。サイファーは、ゴーギャンの不満はナザレ派、リヨン派、ナビ派、ラファエル前派、アールヌーヴォーに転じていったとさえみなしている。これは卓見だ。

たとえばナビ派のモーリス・ドニやピエール・ボナールの予言的平面主義、ラファエル前派のホルマン・ハント、ダンテ・ガブリエル・ロセッティ、ジョン・エヴァレット・ミレーらのやや魔術的とも見える幻想的な超時空性、さらにはオスカー・ワイルドの反自然主義とともに開花したアールヌーヴォーのビアズレーのイラストレーションやウィリアム・モリスやバーン＝ジョーンズのどこにでも貼れるようなデザイン的装飾性、エミール・ガレの目を奪うガラス彫刻細工、建築家エクトール・ギマールのうねるような鉄の門扉やファサードなどは、いずれもこれらを見る者たちに「画家が束縛した印象」

からの解放をもたらしたのである。

アーティストの勇気と表現力に甘いぼくなどは、ベルニーニのバロックの玲瓏《れいろう》な爆発、ターナーとピクチャレスクの実験性、ロココのフェミニズム、ロセッティのダンディズムには存分な軍配を上げたくなるのだが、ところが、スタイルの転換はこんなところでピークを迎えたのではなかったのである。ここまでの数々の様式の実験は二十世紀を告げるものとはならなかったのである。なぜなのか。

十九世紀の美術には、ピエール・フランカステルが『絵画と社会』（岩崎美術社）で「ブロカージュ」（据置・凍結）と名付けたような文化的遅延がある。十九世紀ヨーロッパ美術はどこか歴史的なプリミティビズムをかかえこんだままなのだ。

これにいたたまれなくなって、ルネサンスこのかた十九世紀末尾にいたるブロカージュを一気に壊したのが、キュビスムだった。キュビスムは一つの視点から始まって絵画および美術全般の中に構成されてきたヨーロッパ流の三次元空間を破壊した。ブラックが着手し、ピカソがそのやり口を拡げた。

これに似たことを先行してやってのけたのは、他には科学しかない。ミンコフスキーの時空連続体幾何学、マックス・プランクの量子定数とシュレディンガーの波動関数、アインシュタインの相対性理論である。科学哲学的にはこれらの思考回路を、ホワイトヘッドの有機体哲学とウォディントンの分化の理論が用意した。

ブラックやピカソはそのような科学思想にもとづいて二十世紀アート革命にとりくんだのではない。近代のプリミティビズムの残滓《ざんし》ではなく、アフリカ美術やアルタミラの洞窟絵画のプリミティブとフェティッシュにまでさかのぼることによって、かれらはブロカージュの破壊にとりくんだ。

キュビスムとはべつに狼煙《のろし》を上げたアート活動がある。ドイツの表現主義、カンディンスキーの構成主義、ダダと未来派、シュルレアリスム、そして写真術と映画技法だ。本書はこのへんのことにはふれてはいないけれど、言外にキュビスムのブロカージュ潰しが二十世紀前半のアート活動の全般に及んでいったことに拍手を送ろうとしている。こんな一節がある。

映画の複雑な総合性は、ピカソの一九二六年の作品《婦人帽子屋の仕事場》で名人芸的な使われ方をした。アール・ヌーヴォーの二重輪郭線（鏡のような水面）技法をジャズのシンコペーションに適合させた動く複合物が、白黒でスクリーンに映写されたような絵画である。

この絵はエイゼンシュテインが定義をくだした映画的遠近法の完全な例証になっている。描写をわれわれの上に引き付け、輪郭を平板にしデフォルメするクローズアップの効果さえ持っている。

これらの複雑に絡まりあいゆれ動くシルエットは、ビアズリーのグラフィック・アートに新しい次元を与えたものであり、一方、マティスのフォーヴィズム空間の表現主義的な短縮遠近法を使っている。またジョアン・ミロの生形態学的《バイオモーフィック》な形と密接に関係している。

サイファーの三部作を順に読まれることをお勧めしたい。アートは言葉じゃない、見ればいいんだ、感じればいいんだとついつい思うかもしれないが、これは半ちらけだ。少なくともルネサンスから二十世紀初頭までのヨーロッパ五〇〇年の美術の有為転変では、当のアーティストたちこそが、それぞれにおける乾坤一擲《けんこんいってき》の美術批評家であり、すぐれた研究者たちだったのである。

アートは言葉であらわせないとは思わないほうがいい。もともと発生・身ぶり・記号・標識・図案・文様・共感・拒絶は一緒くたに出現してきたものだ。何が先行していたとは言いきれない。そのことは幼児のふるまいや学習力から憶測できる。その幼児にもさまざまな「ずれ」がある。はっきりしているのは、その幼児が「絵」を描き「言葉」を習得する段階になるのは、少々あとからになるということだ。

美術や文学の歴史においても、このことがあてはまる。小学生が絵日記を「つくる」

ようになるとそうなるように、作家やアーティストたちはどこかの段階から「本人」とは少々別の「表現者」に転じていけるのだ。では、どんな「表現者」になったのか、それをラスキンやサイファーらの美術批評家が擬《もど》いてきたわけである。その解析に付きあうのはスリリングで、おもしろい。

第一七七七夜　二〇二一年七月二二日

参照千夜

五七二夜：河村錠一郎『コルヴォー男爵』　四四二夜：高山宏『綺想の饗宴』　九八一夜：杉浦康平『かたち誕生』　二五夜：『レオナルド・ダ・ヴィンチの手記』　一七三四夜：ガリレオ・ガリレイ『星界の報告』　七七三夜：ボードレール『悪の華』　一〇四五夜：ジョン・ラスキン『近代画家論』　四〇夜：ワイルド『ドリアン・グレイの肖像』　一〇三四夜：石鍋真澄『ベルニーニ』　一二二一夜：ジャック・リンゼー『ターナー』　一〇四三夜：シュレディンガー『生命とは何か』　五七〇夜：アインシュタイン『わが相対性理論』　九九五夜：ホワイトヘッド『過程と実在』　一六五〇夜：マリ＝ロール・ベルナダック＆ポール・デュ・ブーシェ『ピカソ』

様式を着脱自在に弄《もてあそ》んだこの傍若無人な男は、最後の自画像で本音を吐く

マリ＝ロール・ベルナダック＆ポール・デュ・ブーシェ

ピカソ

天才とその世紀

高階秀爾監修　創元社（知の再発見双書）一九九三

Marie-Laure Bernadac & Paule du Bouchet: Picasso 1986

屈託はないが、天才的に傲慢だ。そのくせどんな才能からも貪欲な摂取をしたい。ピカソは文明技法に対する勘が冴えていた〈勘〉。すぐれたアーティストにありがちな性格だろうが、ここまでまるごと起爆できる男は、なかなかいない。ボーダーレスで、リミナルな直観がすばやく動く侵略者なのである〈喚〉。

ピカソの造形力は動物がみずから次々に分化していくような造形力である。動物だから、つねにクリティカルに、かつ複合的に分化する〈坎〉。そのたびにウイルス変異がおこって、過剰な環境適用がおこる。しかも反動形成を厭《いと》わない。ようするに、植物的で

はないのである。ピカソの造形力の特徴がうわべのデフォルメーション（デフォルマシオン）にあるなどと、思わないほうがいい。

死ぬ前の自画像（一九七二）が凄い。ピカソは九一歳で死ぬのだが、その前に描いた。この自画像を見ていると、とても安らかに大往生したとは思えない。目が巨きく見開いていて、左右の眼球の大きさが違う（捍）。顔貌の右側が「影まがい」になっている。さしずめ暗闘だ。最後の最期になってこんなネクラの自画像を描くだなんて、なんという男だろう。ぼくがピカソに名状しがたい敬意と畏怖をもつようになったのは、この最後の自画像を見てからだった。

二十歳のときの自画像（一九〇一）はまだまだ青年らしいピカソだった。技法もセザンヌやゴーギャンと変わらない。「青の時代」を纏《まと》った棒っきれだ（竿）。ここからは、きっと何でも描けたのだろうけれど、いまだ何を描くか決めかねていた迷妄のピカソが見えてくる（甘）。あきらかに自信がもてないピカソだ。《盲人の食事》（一九〇三）や《生》（一九〇三）と連なったピカソだ。

多くのピカソ・ファンはなぜか「青の時代」が好きなようだ。たしかに《ラ・セレスティーナ》（一九〇四）はいいけれど、ぼくにはキーツや梶井基次郎だとも見える。

ピカソの自画像（1972年）

盲人に憑かれていたことがそれを語っている。頑健なピカソは目が見えない男の触知感覚を描きたかったのだ。想像上のハンディキャップを表現すること（撼）、それを気にした。ここにその後のヒントがある。

二五歳のときの二つの肖像画がピカソの行く先を暗示する。ひとつはゴソルから帰った直後の自画像（一九〇六）で、仮面のような表情と裸の上半身が描かれている。彫塑的野性が押し殺されているように蓄えられている（堪）。もうひとつは《ガートルード・スタインの肖像》（一九〇五～〇六）だ。よくぞ難物で鳴るスタインの肖像画をあのように仕上げたと思う（莞）。アリス・B・トクラスとのレズビアンで有名なスタインに長時間のポーズをとらせたうえに、当初に描いた顔貌を塗り潰して、白皙《はくせき》のペルソナのように描きなおした。かなり異様な仕上がりだが、スタインは「これは私の唯一の肖像画であり、そうあり続けるだろう」と言った。スタインもたいしたものだ。

ピカソは「肖《あやか》る」に徹した画家なのである（嵌）。ただ、その「肖り」は時代と相手によって好き勝手に変質した。それがピカソの人生そのものでもあった。

マラガの大きな白い家。一八八一年十月二五日にここで生まれた。モーリス・ラヴェルの六歳年下、土田麦僊の六歳上、ココ・シャネルと北大路《きたおおじ》魯山人《ろさんじん》の二歳上。

両親は純粋なアンダルシア人だ。母親のマリア・ピカソ・ロペスは漆黒の髪で、父親は赤毛の装飾画家だった。父親の職能のおかげで、絵の具は少年のまわりにいつもあった（管）。父親の装飾モチーフはたいてい鳥の羽と木の葉と鳩だった。少年はこの鳩に魅せられている。十三歳の初夏、父は息子をプラド美術館に連れていった。ベラスケス、スルバラン、ゴヤたちがピカソを襲った。大きな衝撃だった。ジョン・リチャードソンの全四冊の大著『ピカソ』（白水社）の第一巻「神童」を読むといい（二〇一七年夏の時点ではまだ三巻までしか翻訳されていない）。

一家はよく引っ越しをした。ピカソもそうとうに引っ越しが大好きだ。死ぬまで引越しばかりしている。家と女を変えつづけ、できれば危ういほどに家と女を平衡進捗させること（関）、これは信条にすらなっている。

父親がラ・ロンハという美術学校の教師になったときは、バルセロナに移った。このころのバルセロナではカタロニア語が会話の主流だったが、そこにフランス人が交じって独特の文化をつくっていた。ピカソは欣喜《きんき》してこの町の文化に身を任せ、ラ・ロンハの試験をやすやすと突破して、並み居る教師たちにそのデッサン力のすばらしさを刻印した（歓）。そのラ・ロンハでマヌエル・パリャレスと親友になり、互いに肖像画を競った。パリャレス以上の竹馬の友となったのがハイメ・サバルテスだ。ピカソは独創的な表現力の持ち主だと思われているが、こうした友人たちとの交流がもたらしたものが途方もなく大きい。

ピカソは「画家にならなければピカドールになりたかった」らしい。マタドールではなくてピカドールだ。マタドールは闘牛士だが、馬に乗って槍《やり》で牛の肩を突き刺して威勢を弱めるのがピカドールだ。ピカソはピカドールなのだ。九歳で描いた《闘牛と鳩》にその気分が横溢《おういつ》している。ピカドールのピカソは直観がすばやく、反動形成を厭わない侵略的なピカドールだった（貫）。

一九〇〇年、十九歳。友人のカルロス・カサヘマスとともに憧憬《しょうけい》と念願のパリに出た。パリにはそうとう驚いた（刊）。感じたぶん、貪欲に吸収しまくった。とくにリュクサンブールとルーブルでアングル、ドラクロワ、ドガ、ゴッホ、ゴーギャン、ロートレックに目を奪われ、ほぼ同じ目でエジプトとフェニキアのエネルギー溢《あふ》れる美術的表現力を感受した。

それでもちっとも満足していない（乾）。クリュニーではゴシック彫刻に、ついでに浮世絵にも気を惹《ひ》かれた。若いピカソでなくとも、これらの傑作に目を奪われるのはめずらしいことではないけれど、ここまで多様な表現体に目を奪われたのは（潤）、その後のピカソのハイパーヴィジュアル・サーカスの源泉とも手本ともなった。まもなくカサヘマスが恋に破れてピストルで頭を打ち抜いた（棺）。

クリシー街に部屋を借りて、ここで《青い部屋》（一九〇一）を描いた。すぐに画商のアンブロワーズ・ヴォラールがピカソの小さな個展を開くとマックス・ジャコブがやってきて、二人は意気投合した。みんなで安カフェの「ル・ズュット」に屯《たむろ》した。ジャコブはピカソがあまりに貧しい暮らしをしているので（自分も劣らず貧窮だったのだが）、二人で軀《からだ》を寄せあうように住んだ（敢）。

部屋にはベッドとシルクハットが一つしかなかったから、二人で使い分けた。ピカソの周囲ではこうした友人たちの接近と破滅と混乱が生涯にわたってつきまとっている。そういう奔放な連中がひしめいていた時代に生きたのだ。とりわけジャコブは青春のピカソを変奏した。

閉じない才能というものがある。開いているのではなく、ひたすら閉じない。開きっぱなしなのではない（函）。

閉じない才能は万能なのではない。万能の天才を示さない。ピカソはレオナルド・ダ・ヴィンチやベルナール・パリシーなのではない。入ってくる技法と才能に存分に官能できて、これをすぐさま四肢と形姿に転用できるウイルス感染型の耽美《たんび》的才能だ（感）。このあたりは、さしずめ加藤唐九郎《とうくろう》や北大路魯山人といったところだ。

けれども唐九郎や魯山人とはちがって、入ってくる技法と才能に自分が官能するときのレセプターがとてつもなく柔軟なのである。だから刺戟《しげき》が入ってくる注入口をいつもぎりぎりまで研ぎ澄ましていた（鹼）。それゆえ、入ってきたときの刺戟をその入力時のインターフェースごと（境界ごと）、外にあらわすことができた。それがピカソだ。

ピカソのキュビズムとは何かといえば、《アヴィニヨンの娘たち》を作り上げることだった。神話の娘たちの造形に、イベリア半島の彫塑、アフリカの仮面、オセアニアの模様などを引用し、まるで象嵌《ぞうがん》のごとくにあてはめた（慳）。

一九〇七年の夏、ピカソはこれらの習作を数ヵ月かけて一〇〇枚以上の下描きで組み立てた（巻）。そのあいだ画室には誰も入れず、ほぼ完成したときに友人たちを次々に招いた。評判は悪い。ジョルジュ・ブラックは「これは麻を食べろ、石油を飲めと言っているようなものだ」と呆《あき》れ、互いに信頼しあっていたギヨーム・アポリネールさえ才能の偏極を惜しんだ。一人、若い収集家のカーンヴァイラーだけが褒めた（のちにヨーロッパを代表する大画商になる）。

どうも美術史家たちはキュビズムに攪乱《かくらん》されすぎている。ピカソは手当たり次第のキュビストにすぎない。手当たり次第だから、《パンと果物入れのある静物》（一九〇八〜〇九）、《オルタの工場》（一九〇九）はつまらない。セザンヌ風キュビズム、コラージュ風キュビズム、パピエ・コレ（貼紙）風キュビズムなのである。

それが《フェルナンドの顔》（一九〇九）から《ヴォラールの肖像》（一九一〇）に変位する

につれて、やっとピカソになっていく。解体が本気になる(嵌)。いよいよ「解体もどき」が始まった。

一九一四年に開戦した第一次世界大戦がピカソの周辺を変えた。友人たちはことごとく召集され(アポリネール、ブラック、レジェ、ドラン)、モンパルナスもすっかり勢いを失った。このヨーロッパ事情は芸術を変えた。スペイン人のピカソと病気がちのジャコブだけが召集されなかった。

寂しがり屋のピカソは半ば喚《うめ》いていた。そこへ三年にわたって熱い交歓をしてきたエヴァ(マルセル・アンベール)が結核で病没した。かなりの心の危機だったようだが(患)、そこを救ったのがジャン・コクトーからの意外な声がかりだ。

一九一七年の春、コクトーはディアギレフのバレエ・リュスの舞台のための衣裳と装飾の下絵を頼んできた。それにはローマに出向く必要があった。そのローマで、ゲイでもあったディアギレフはたちまちコクトー、ピカソ、サティらを独特の魔法にかけた。いちころだった(浣)。五月にシャトレ劇場で開幕した『パラード』は毀誉褒貶《きよほうへん》が入り乱れるすさまじい反響になった。

観客はバレエ・リュスの踊りというより、ディアギレフとコクトーとピカソが作り出した人物造形にひそむ「奇妙なもの」に目を見張った(灌)。アポリネールがそれを初めてシュル・レアリスムと呼んだ。

バレエ・リュスはバルセロナでも上演された。パトリオットな愛郷心が強いピカソは張り切った。そこにオルガ・コクローヴァがいた。《肘掛け椅子に座るオルガの肖像》（一九一八）を描く。この絵は、「ピカソは自分からキュビズムを裏切った」と言われるほどに古典的様式をみごとに踏襲した油彩画だ。

オルガは最初のピカソ夫人だ。二人はボエティー街の広い二階建アパルトマンに居を構え、食堂を飾り付け（歓）、いっぱいの椅子を入れ、自分の絵とルソー、マティス、セザンヌ、ルノワールの絵をそこらじゅうに置いた。ただただみんなをびっくりさせたいからだ。高級住宅が並ぶ八区、毛皮や高い衣裳が並ぶサントノレは目の前だ。二人は社交界の花形になっていく。

この時期のピカソは折り目のついたズボンを穿き、ステッキを持って歩いた。気取るのは大好きだ。アパルトマンは千客万来だったが、古い友人たちの足は遠のいた。軍隊から戻ってきたブラックは負傷していたし、アポリネールは死んだ。ピカソはどんどん大金持ちになり、どんどん鼻持ちならない男になっていく（羨）。

ピカソは様式を着たり脱いだりすることができた。たんなるモードチェンジではない。時代の様式そのものを着脱する（奐）。自分で作った新たな様式も率先して脱ぐ。いわば守・破・離を徹底するのだが、そんなことがいつもできるなんて、よほどのことである。

当時、キュビズムに走るような画家たちは「ドイツ野郎」と蔑まれていたが、ピカソは進んでその汚名の先頭に立ち(寛)、これを自身で換骨奪胎し、さまざまに繕い(ブリコラージュ)、次の着替えに向かっていった。これも守・破・離だった(瀚)。あまつさえ、ときに同時期に別々の意匠に挑んでもみせた。

たとえば《海岸を走る女たち》(一九二二)と《ダンス》(一九二五)。二つとも女たちが描かれているが、まったく異なる画風になった。「はちきれる女」と「削られた女」の違いではない。そこに投入されたヴィジョンが違う(稈)。ピカソにあっては「守・破」のヴィジョンが技法をつくり、その技法が「離」をつくる。まさに離れ技だった。

本書は、長らくピカソ美術館のキュレーションをしていたマリ＝ロール・ベルナダックと美術ジャーナリストのポール・デュ・ブーシェが書いた。コンパクトではあるが、要訣を得た一冊だ。日本版監修に高階秀爾《たかしなしゅうじ》が、翻訳に娘の絵里加さんが当たった。

かつて高階秀爾は一九六四年刊行の『ピカソ　剽窃の論理』(ちくま学芸文庫)で一世を風《ふう》靡《び》した。日本人でピカソを議論するのにこれを読んでいないのはモグリだ(翰)。ぼくも早稲田に入ってしばらくして夢中で貪った。それから二十年ほどたって美術公論社から増補版が出た。第九章「画家とモデル」が新たに書き下ろされていた(栞)。ここまでピカソの意表を抉《えぐ》ったピカソ論はその後もほとんどなかった。

高階はピカソが剽窃《ひょうせつ》していたことを立証したが、告発ではない。ピカソが方法としての剽窃に長《た》けていたことを、あたかも罪状を挙げるかのように詳細に列挙した。とくにドラクロワの《アルジェの娘たち》の改作についての突っ込みがいい。そうしているうちにピカソの深部に籠絡《ろうらく》された（綣）。本望だろう。

列挙されたものはかなりある。モネの《キャピュシーヌ大通り》とピカソ《クリシー大通り》、ロートレックの《キャピュレ小母さん》とピカソ《宝石の首飾りをつけた遊女》、ベラスケス《宮廷の侍女たち（ラス・メニーナス）》とピカソの同名作品の連作、ドラクロワの《アルジェの女たち》と同名作品の連作（一九五四〜五五）、クラナッハの《婦人像》とピカソ《クラナッハによる婦人像》、グレコの《画家の肖像》とピカソの《グレコによる家族の肖像》……等々。

ピカソは剽窃を決して隠さない。伏せては開け切っていく（緘）。模倣、見立て、モンタージュ、添加、変形、コラージュ、パロディ化、本歌取り、アッサンブラージュをやり尽くし、その方法的冒険をあからさまに誇り続けた（鉗）。《ティツィアーノの「ヴィーナスと音楽家」》、《レンブラントの「レンブラントとサスキア」》、《ダヴィッドの「サビニの女たち」》など、その諧謔《かいぎゃく》的変形とその転戦ぶりには恐れ入る。その後、クラウス・ヘルディングが『ピカソ　アヴィニヨンの娘たち』（三元社）を書いた。高階のような毒気はないが、穏やかにピカソの「ミメーシス」に介入していた。

ピカソの剽窃は「擬《もどき》」なのである。「ほんと」と「つもり」の両方に巧みにまたがっている。したがって、フェイクやミミクリーではあったとしても、シミュラークルではない。激越に見えていて、俳諧やシャンソンやコスプレなのだ。しかし、これを強調しておきたいのだが、この「擬」は美術史上においては「おおもと」へ戻るための手口だったのである(観)。その方法にはエーリッヒ・アウエルバッハの『ミメーシス』よりも、ガブリエル・タルドの『模倣の法則』に近い。

シュルレアリスムはピカソを悦ばせなかったし、凌駕《りょうが》しなかった。しょせんアンドレ・ブルトンたちはピカソの一部にすぎず、ピカソを瞠目《どうもく》させるはずのアポリネールは早々に死んでしまった。キュビズムもシュルレアリスムもピカソを屈服させなかったとしたら、では何がピカソを動顚《どうてん》させたのか。それは明白だ。女たちである(嫺)。

ピカソの恋は火のようだ。聖火と淫火がまじっている。二二歳のときに「洗濯船」で出会ったフェルナンド・オリヴィエとは、毎日数十枚のデッサンをする恋になった。ピカソにあっては絵と恋と女と生とが同義語だったのだろう(奸)。手慰みなのではない。余技でもない。全力投球だ(渓)。こういう画家は、いまはなかなかいない。とくに日本ではこういうフルヴァージョンの放蕩《ほうとう》が認められたためしがない。

一九二七年に僅か十七歳のマリー＝テレーズ・ヴァルテルを見染めた。ラファイエット百貨店近くの路上だ。ピカソは四五歳だった。まるで拉致だ。激しい恋に堕ちた。深い美貌と官能的な肢体に参った。たちまち蕩《とろ》けるような日々が連打されるのだが、当然、夫人オルガとの関係はひどくなる。そこへ世界恐慌がやってきた。マリー＝テレーズはマイアという娘を産んだ《人形を持つマイア》一九三八）。

ピカソの日々は最悪になっていく(槇)。友人のサバルテスに懇願して自分を助けてほしいと頼んだ。サバルテスはすぐやってきて、ピカソの死にいたるまで傍らで幇助《ほうじょ》をしつづけた。友情ではなく、友助だった。扶《たす》けられることを親友の心にとどくものとして発酵させていくのも、ピカソ持ち前の才能だった。ピカソはとうてい一人では生きられない(閑)。

本人は、気にいった女はことごとく犯せるものだと思っていたようだ(姦)。実際にもそうしたのだろう。傍らで観察しつづけていたマリー＝テレーズが言っている、「ピカソは女を犯してから描く」と(紺)。本人はもっとあからさまにこう言っていた、「妻を替えるたびに、前の妻を焼いてしまうんだ。私が若さを失わないのはそのせいだ」。

女を描くピカソこそ、ピカソの芸術的生理なのである(肝)。その真骨頂はおそらく《泣く女》（一九三七）にある。黄色と紫と緑。まるで補色を組み合わせたような禍々《まがまが》しい色づかい。赤い帽子に挿している青い花。黄色い顔色に眼窩《がんか》からは涙が紫の影をもつ。

モデルは写真家のドラ・マールだった。描きおえて、「女は苦しむ機械だ」とピカソは言った（蒄）。

一九三六年の夏、ピカソはムージャンにいた。ポール・エリュアール夫妻、ドラ・マール、編集者のクリスチャン・ゼルヴォス夫妻、画商のポール・ローザンベール、そしてマン・レイが一緒だった。みんながみんな、ヒトラーとスペイン戦争を話題にした（衝）。ファシズムが近寄っていたのだ。翌年はフランスで万国博覧会が開かれる予定だった。スペイン館がピカソに何かを制作してほしいと依頼していた。

そこへ惨《むご》たらしいニュースが届いてきた。将軍フランコの要請でドイツの爆撃機がバスク地方の小村ゲルニカを全滅させたというのだ。スペインはついに狂ったのである。一ヵ月後、たちまち《ゲルニカ》（一九三七）を完成させた（喊）。四五点のクロッキーにもとづいて構成され、闘牛がミノタウロスに変じ、ミノタウロスがミノタウロマキアに逆上した。《ゲルニカ》はかつてない構想によって黒・白・灰色をベースにしたので（諫）、見る者には「悲しみ」と「悔恨」が溢れ出した。

大戦はフランスを真っ暗にした。しかしピカソは《ゲルニカ》以降、戦争そのものを一度も描かなかった。《鳥をくわえる猫》（一九三九）などでお茶を濁しただけだ。好きな鳩をいろいろな形にしただけだ。政治的な思想も深めなかったし、何かの反対意志を述べたこともなかった。それでも共産党には入党した（看）。そういう戦争中のピカソについて、エリュアールは「ますます激しく、ますますきちんと振る舞おうとしていた」と言っている（扞）。

こういうピカソの在りかたには、あえていうなら山田風太郎的なものがある。ピカソはヴィジュアルな「不戦日記」を綴っていたのだったろう（斡）。マリー＝テレーズの娘のマイアは「私の父は人間の苦悩の熱狂的なファンなのよ」と言う。

戦後のピカソはあまりにも多能だった。また、周囲が勘弁してほしいと思うほどに、奔放で、好き放題だった。一九四五年、版画家フェルナン・ムルロと出会うと、一気《いっき》呵《か》成《せい》に版画にとりくみ、当時の伴侶としていたフランソワーズ・ジローの顔をさかんにそこに入れこんだ。ドローイングも乱発しつづけた。乱発だが、やたらにうまい。

版画やドローイングをするピカソはまるで牧神だ（侃）。すべてを懐妊させていく牧神だ（濫）。ロザリンド・クラウスの『ピカソ論』（青土社）がその秘密を解こうとして、遂に達しなかった。そりゃそうだろう、ピカソに勝るエクスタシーがない者にはピカソは牛耳れない。

老いてなお矍鑠《かくしゃく》としていたピカソは、もともと小太りで頑丈な骨格だった。胸がそうとうに厚い。自慢の胸だ。ミシマのような「つくり」などする必要がない。そのせいか縞々《しましま》のTシャツが気にいっていた。ミシマは縞のTシャツでは過ごせない。ピカソはまるで陽気な海賊か、ピカレスクなのだ(漢)。あっけらかんを見せたかったのだ。

晩年のピカソは何を手遊《てすさ》びしても好きほうだいになれた(憾)。実はピカソには超越技巧なんて、ない。描くもの、作るもの、遊ぶものに応じた才能を、そこに、そのぶん、それらしく、充足させるのが格段にうまかったのである。

これって、何なのか。これが天才というものなのか。二十世紀の食べ尽くしというものなのか(奐)。多くの評者がその謎を説明しようとしたが、うまくいかなかった。アリアーナ・ハフィントンは『ピカソ 偽りの伝説』(草思社)で、ピカソがつねに苦しまぎれであったこと、晩年は死の恐怖に脅えていたことなどを詳細に報告して、その生涯が偽りに彩られていたことを証《あか》そうとしたが、それはピカソの表現力のおもしろさの謎をなんら説明するものではなかった。かつて「遊」の編集部にいた西岡文彦君も『ピカソは本当に偉いのか』(新潮新書)でそのへんに突っ込もうとして、やはり周辺の美術事情との関連で解説するしかなかった。あらためてジョン・リチャードソンの『ピカソ』全四巻を検証したほうがいいだろう。

ピカソは平和主義者ではない。社会活動にはまったく興味がもてなかった。ピカソが好きなのは「混合」であり(丱)、「混淆《こんこう》」なのだ(蚶)。すべてはスタイルで、またすべてのスタイルからの逸脱だった。つまりはピカソは「擬《もどき》」なのである。全身がアブダクティブ（仮説的）で、全霊がコンティンジェント（偶発的）な「擬」なのだ（還）。すべての欲動とすべての表現とすべての決断が「擬」なのだ。

生涯、およそ一万三五〇〇点の油彩画と素描画、約一〇万点の版画、三万四〇〇〇点の挿絵、三〇〇点ほどの彫刻と陶芸品を遺した。こういう男はなかなかいない。ただただ、八三歳の誕生日に写真家のブラッサイが贈った一冊『語るピカソ』（みすず書房）を読むばかり（完）。

第一六五〇夜　二〇一七年九月二十日

参照千夜

一五九一夜：キーツ『エンディミオン』　四八五夜：梶井基次郎『檸檬』　四四〇夜：マルセル・ヘードリッヒ『ココ・シャネルの秘密』　四七夜：北大路魯山人『魯山人書論』　二五夜：『レオナルド・ダ・ヴィンチの手記』　二九六夜：パリシー『ルネサンス博物問答』　九一二夜：ジャン・コクトー『白書』　一三一八夜：ガブリエル・タルド『模倣の法則』　六三四夜：アンドレ・ブルトン『ナジャ』　七四夜：ニール・ボールドウィン『マン・レイ』

自発的な軽業《かるわざ》で反哲学する。
表現を消尽させるにはダダをする。

トリスタン・ツァラ
ダダ宣言

小海永二・鈴村和成訳　竹内書店　一九七〇
Tristan Tzara: Lampisteries précédées des Sept manifestes Dada 1963

函《はこ》入り。本表紙はソフトカバーで黒羅紗《らしゃ》にホワイトブルー系のシルク刷り。粟津潔《あわづきよし》の装幀だった。版元は竹内書店。いったん潰れそうになって会社更生法で新社が踏んばり、けれどもほどなくやっぱり潰れてしまった出版社だ。雑誌「パイディア」でも勇名を馳せた。名物編集長の安原顯も死んだ。

第八二五夜に紹介したボン書店のように、彗星《すいせい》のようにあらわれて、いっときの蟬しぐれを残して消えていった版元はいくらもあるが、せめて書物が残るのがかぐわしく、ついつい当時の本をとりあげたくなる。季節の袷《あわせ》にときどき腕を通したくなるように、その袖が恋しくなる。

本書はいまごろ書店に走ってもどこにも置いてはいない。古本屋ではときどき見かける。詳細は調べていないが、その後『ダダ宣言』という書名の本は一冊として出ていないように思う。トリスタン・ツァラにこのような書名の刊行物はないからだ。ツァラは何度かにわたってパンフレットを叩きつけただけ。ぼくの手元のものでいえば思潮社の『トリスタン・ツァラの仕事』（ツァラ全集のようなもの）に収容されて、全部がまとまっている。しかしツァラは『ダダ宣言』なのだ。

ダ・ダダ。世にダダ宣言とは言いならわしているが、これは七つの断片的な宣言や紙っぺらや絶叫を後世がまとめたものだ。

第一宣言にあたる『アンチピリン氏の宣言』は一九一六年七月十四日のチューリッヒ度量衡会館ホールでの世界初の「ダダの夕べ」のときの口上をノートにしたもので、「ダダはスリッパもなく比較もない生活だ」がいまさらながら、懐かしい。ぼくは七つの宣言のなかでは一番好きだった。アンチピリンとはアスピリンのことである。

ダ・ダ・ダダ。いまではいったい誰がつくったかわからない伝説になってしまったが、「ダダ」という言葉は一九一六年二月八日午後六時、チューリッヒのカフェ・ド・ラ・テラスでツァラが突然〝発見〟したことになっている。ハンス・アルプの説だ。そのときツァラはチューリッヒ大学に留学中の二十歳の学生だった。このあとツァラはフーゴー・バルとともに、世界史上最も危険ではかないない「キャバレー・ヴォルテール」をダダの牙城《がじょう》にしていった。

いわゆる「ダダ宣言」は一九一八年のときのものをいう。チューリッヒのマイゼ会館で読まれ、「ダダ」三号に掲載された。この雑誌はツァラ一人の編集だ。パリにダダが飛び火したのはこの宣言による。「ダダ。この一言こそが諸観念を狩猟に導く」「家族の否定をゆるす嫌悪から発したもの、それがダダである」「ダダは何も意味しない」。

ダダ・ダ・ダ・ダ。こんな有名なフレーズが吐出されている。さきほど本を開いてみたら、ぼくは「精神分析学は危険な病いだ」という箇所にシャープペンシルのアンダーラインを引いて、欄外に小さな文字で「その通り！」などとえらそうなメモを書きこんでいた（本書は横組）。

第一宣言と第二宣言のあいだに、「一九一七年」という決定的な年が挟まっている。ぼくは未来派やダダやシュルレアリスムのことを学生に講義するときは、この「一九一七年」をおぼえなさいと言う。そして、わかりやすく三つの事例をあげ、この三つの意味をつなぎなさい、わからなければ調べなさいと言う。ロシア革命、デュシャンの《泉》、マレーヴィチの《白の上の白》である。

ついでにいえば、「一九一七年」はアインシュタインとド・ジッターの宇宙モデルが発表され、日本では萩原朔太郎の『月に吠える』、菊池寛の『父帰る』、岡本綺堂《きどう》の『半七捕物帳』が刊行されていた。学生に話すときは、これに「カルピス発売」（正確にはカルピスのもと）を加える。

ダダ・ダダ・ダ・ダ。第三宣言は『気取りなき声明』で、一九一九年四月にチューリッヒ商工ホールのダダ夜会で読まれたとても小さな断片である。「僧侶のヒヤシンス」「自発的軽業の反哲学」といったフレーズが並ぶ。フレーズばかりがダ・ダ・ダダ・ダダダなのだ。この夜会をもってチューリッヒ・ダダは終息した。あっけなく、危険で、壊れやすく、殺気だっていた。

一九二〇年になって、ツァラはパリに移り住んだ。フランシス・ピカビアと出会い、「リテラチュール」誌を創刊したばかりのブルトン、アラゴン、スーポーと出会った。かれらは派閥のごとく団子状になり、それぞれの示威集会の乱打になっていく。ダダ・ダは危険になってきた。

次の二月五日にシャンゼリゼのグラン・パレで読まれた第四宣言、二週間後のパリのクラブ・フォーブールの民衆大学で読まれた第五宣言、五月のガヴォー・ホールの「ダダ・フェスティバル」で読まれた第六宣言は、それぞれ宣言というほどではない紙片のようなもので、「脳髄の甲殻と蝙蝠傘」「歯のはえた女の性器」「音のない――ゴム製の――急激な崩壊」「台所と劇場の混淆」といったツァラ得意の根本対同が走っているばかり、すでにツァラが低空飛行していることを感じさせる。ダ……ダ…ダ・ダ。

不幸なことに、ツァラの才能は周囲が勝手に感染して盗用できるようになっていて、この程度の言葉の乱れぐあいでは、そろそろみんな驚かなくなっていたのである。

最後の第七宣言にあたる『弱き恋と苦き恋についてのダダ宣言』は、一九二〇年十二月にポヴォロズキイ画廊で開かれたピカビア展のときに読み上げられたものだが、着想はいよいよやっとフラジールなところへ届いたのではあるけれど、すでにブルトンとの亀裂が生々しく、読めたものじゃない。こうしてツァラもダダもあっというまに熱く消尽していった。ダダはベルリンやニューヨークに飛び散ったまま、劇的に結ぶなら、一九二四年のブルトンの『シュルレアリスム宣言』とマレーヴィチの「シュプレマティズム宣言」で消えたのである。ダ……ダ……ダダ。

ふつう、ダダの運動というと、ここまでが微に入り細を穿《うが》って語られる。みんな詳しく語りすぎるほどなのだ。それはそれでありがたいのだが、実はありがた迷惑なのだ。またフーゴー・バルなどについてはむしろダダの渦中で反ダダであったところが注目されるのだが、これもダダから離れて語ったほうがずっとよかったのだ。

それにダダは反文学でもあったが、ダダイズムとしての反アートを告示してもいた。

これはスイスにおいてはポール・ランドのデザインワークとして、またバーゼル造形学校として開花し、ニューヨークの五〇年代後半からはラウシェンバーグやジャスパー・ジョーンズに飛び火して、ポップアートの先行馬の役割を担っていった。

ツァラはルーマニアのユダヤ人の家に生まれている。裕福な家だった。ブカレストの中学でフランス語の授業をうけて二重言語の感覚にめざめ、十六歳でイオン・ヴィネアやマルセル・ヤンコと雑誌「象徴」をつくっていた。ブカレスト大学に入って哲学と数学に向かうのだが、二重言語の魅惑は捨てがたく、チューリッヒ大学に留学してからは、いまのべたようなダダの日々になる。そして、ダダを捨てた。人はいつかは銃を捨てるときがあり、漫才師をやめるときがあるものだ。

ではダダを捨てたツァラがどうしたかというと、つまり『シュルレアリスム宣言』と「シュプレマティズム宣言」の翌年の一九二五年からのツァラがどうしたかというと、二九歳で結婚をして、翌年はアドルフ・ロースに設計を依頼した家づくりに入ったのである。この家がおもしろい。『ツァラの家』という一冊の研究書が書かれてもいいほどだ。ただこのネタはあまりにおもしろいので、ここではとっておくことにする。まさにヴィトゲンシュタインの家の設計とくらべたいほどなのだ。

三三歳にはブルトンと和解してシュルレアリスムに参画するのだが、こんなことは長続きするはずはなく、スペイン内乱が始まり、ガルシア・ロルカが虐殺された一九三六年に、スペイン支援委員会の書記として、エレンブルグとともに内戦のスペインに赴いた。その一方でアラゴン、カイヨワ、モヌロとともに「人間現象学研究会」を結成した。それが四十歳のときである。大戦下、ツァラはそのままレジスタンス運動に邁進《まいしん》して地下出版に協力し、地下放送局の主宰にさえ乗り出した。パリ解放後の四九歳のときは、オック語の研究所の設立にも尽力している。

こうしたツァラこそ、ツァラである。ダダ以降のツァラこそがツァラなのである。人は青春の蹉跌《さてつ》をどのように打擲《ちょうちゃく》して、そこからどのように変貌するかに大半のエネルギーをかけるものなのだ。だからツァラが一九四七年にフランス共産党に入党し、その後はしだいに新聞・ラジオ・講演を次々にこなしていく〝立派な知識人〟になっていたことも、驚くべきではない。

ただひとつだけ驚いたことがある。驚いたというよりもまったく予想できなかったことだったのだが、ぼくが高校二年生としてどきどきしながら安保闘争の端っこに加わった一九六〇年には、ツァラはまだ存命だったということである。このときのツァラはサルトル、ボーヴォワール、ロブ＝グリエらとともにアルジェリア独立戦争の「一二一人宣言」に加わって、六四歳の気を吐いていた。こうなると、ツァラをアルプやスーポーやエルンストとくらべるのではなくて、まして辻潤や高橋新吉とくらべるのではなくて、むしろ大沢正道《まさみち》や埴谷雄高《はにやゆたか》とくらべたほうがいいということを知る。

それにしても「キャバレー・ヴォルテール」をツァラに提供したフーゴー・バルは『時代からの逃走』（みすず書房）一冊をのこして、なぜ仏教に走っていけたのだろうか。ダ・ダ……ダ・ダダダ。ヨーロッパの仏教にはあれほど誤解が渦巻いていたのに……ダ。

第八五一夜　二〇〇三年九月十七日

参照千夜

八二五夜：内堀弘『ボン書店の幻』　五七夜：マルセル・デュシャン＆ピエール・カバンヌ『デュシャンは語る』　四七一夜：マレーヴィチ『無対象の世界』　五七〇夜：アインシュタイン『わが相対性理論』　六六五夜：萩原朔太郎『青猫』　九六三夜：岡本綺堂『半七捕物帳』　六三四夜：ブルトン『ナジャ』　八三三夜：ヴィトゲンシュタイン『論理哲学論考』　八九九夜：カイヨワ『斜線』　六九〇夜：ランボオ『イリュミナシオン』　八六〇夜：サルトル『方法の問題』　一七四五夜：ロブグリエ『嫉妬』　九三二夜：埴谷雄高『不合理ゆえに吾信ず』

感知の多層性と多流性を絵に探り込んだボッチョーニ。
速度と機械と雑音を咥《くわ》えたマリネッティ。

キャロライン・ティズダル&アンジェロ・ボッツォーラ

未来派

松田嘉子訳　PARCO出版　一九九二
Caroline Tisdall & Angelo Bozzolla: Futurism 1977

パブロ・ピカソは《頭》を彫刻にしないほうがよかった。つまらない作品になった。キュビズムはそれ自体が平面における立体の発生をめざしたのだから、それをリアルな立体物にするにはよほどの仕組みがいる。

ウンベルト・ボッチョーニの彫刻、たとえば《頭の抽象的な空虚と充実》《空間における壜の展開》《疾走する筋肉》《空間における連続性の一つの形態》はめざましい。それはボッチョーニ自身が描いた絵画《魂の状態》や《マテリア》の成果をまったく裏切らない。その表現力は、アーキペンコ、ブランクーシ、デュシャン=ヴィヨンとつながっている。

ルイジ・ルッソロの「雑音の芸術」と雑音調音器「イントナルモーリ」は、コンセルヴァトワールのアカデミー公認の楽器による音楽ではなくて、機械が生み出す雑音に音楽の必要を訴え、新たな時代の音を聞き分けた。それはストラヴィンスキーとモーリス・ラヴェルとアルテュール・オネゲルとダリウス・ミヨーを驚かせ、のちのシュトックハウゼンやジョン・ケージやナム・ジュン・パイクに五十年以上を先駆した。

未来派はなんと不可思議な電撃性をもっていたことだろう！　ほぼキュビズムと並行して出現したこのダイナミックな形態と色彩の運動と、雑音と文字と破壊をともなった表現は、なぜダダにもシュルレアリスムにも先行できたのだろう？　それなのにファシズムの台頭とともに、未来派は戦争と軍靴の只中に埋没していった。好むものも好まざるものをも巻きこんで。そしてその終焉に向かって、マリネッティは「戦争――世界でただ一つの健康法！」と叫んだのである。

かつてぼくにとっての未来派は、二十世紀初頭の最も謎に富んだ衝撃波だった。こんなものがイタリアでおこっていたなんて、二三歳のときに稲垣足穂《たるほ》の『未来派へのアプローチ』を読むまでは、まったく知らなかった。さっそく新宿四谷の図書館でボッチョーニの画集を見つけ（ここは『ウパニシャット全書』を読み耽《ふけ》った図書館でもあった）、新聞を読むオヤジたちに交じってこっそり大きなページを繰りながら、胸ときめかせた。

ボッチョーニに続いて、ジーノ・セヴェリーニの温和な反逆が、カルロ・カッラの柔らかい過激が、ついでジャコモ・バッラの光条のような電気絵画が突き刺さってきた。ぼくはどきどきして、足穂さんへの手紙にこう書いた、「未来派は量子力学をとりこんだのだと思います」。

しかしそのうち周囲に未来派のことを持ち出すと、なんだかいっこうに感応してくれないことに気がついた。とくに美術関係者はそっぽを向きたがる。うーん、いいんだけれどねえ、という捩《ねじ》れた反応だ。ぼくは〝美術の大人〟というものが未来派はファシズムに加担したという定番の見方をもっていて、そのため面と向かって議論すらできなくなっていることを知り、愕然《がくぜん》とした。のちに〝思想の大人〟たちが、レニ・リーフェンシュタールやマルティン・ハイデガーについて発言することさえ躊躇《ためら》っていることを知って呆《あき》れるのだが、それに似ていた。

フィリッポ・マリネッティの「未来派宣言」の序文が一九〇九年二月二十日の「フィガロ」の一面に掲載されたときが、未来派が公式に誕生した瞬間である。だから未来派は一九一〇年代に火を噴いた。火が噴くはずだ。「本日われわれはイタリアから世界に向けてこの扇動的な宣言文を船出させ、これを未来派と名付ける」と書いたのだ。

そこには「巨大な鋼鉄の馬のような蒸気機関車」と「サモトラケの女神ニケより美し

い自動車」と「荒々しい電気仕掛けの月のもとに浮かび上がる兵器工場と造船所」が賛美され、速度と騒音と戦闘の美が謳《うた》われていた。

翌年にはマリネッティの雑誌ポエジーアに「未来主義画家宣言」が掲載されて、かつてのイタリアのいっさいの美術と芸術がこきおろされた。ローマのこれみよがしの古典主義、フィレンツェの神経症的な両性具有趣味、ミラノの戦争画の盲目性、トリノの恩給生活的芸術観、ヴェネツィアの錬金術的な寄せ集め主義などが、博物館のなかの過去の遺産としてことごとく爆撃された。

この宣言には、昼間のうちにボッチョーニとカルロ・カッラとルイジ・ルッソロの三人が署名し、夜にマリネッティとジーノ・セヴェリーニが加わり、数日後にジャコモ・バッラが参加した。かれらはニーチェとベルクソンを味方にし、ダンヌンツィオに対抗し、エティエンヌ＝ジュール・マレーの「リヴォルヴァー・カメラ」とエドワード・マイブリッジの「クロノフォトグラフィ」を武器とした。二ヵ月後、ボッチョーニは「未来派絵画技術宣言」を書いた。

空間はもはや存在しない。目映い電燈のもとで雨に濡れている舗道は、地球の中心に向かって沈んでいく。すべてのものは動き、すべてのものは走り、すべてのものは急速に変化している。ある横顔はわれわれの前でけっして静止しておらず、たえず現れては消えている。網膜上における映像の存続によって、運動している物体はつねにみずからを増殖している。急速な振動のように、その形は全速力で変化している。したがって走っている馬は四本ではなく二〇本の脚をもち、その動きは三角形になる。

われわれがソファに座れば、体がソファに入っていき、ソファが体に入っていく。バスは家々に陥入し、家々はバスを食らって溶けあっていく。昨日の画家たちに真実であったものは、今日はもはや虚偽でしかないのだ。

ボッチョーニは「知覚の多層性」に気がつき、早々とアフォーダンス理論を予告した。宇宙にひそむダイナミズムがソファに及び、電車の電気美学が室内まで飛びこんでくることを察知した。これはキュビズムではなかった。キュビズムはこんな観察の理論をもってはいなかった。

未来派は速度・機械・都市・力学・雑音・運動を、絵画にも彫刻にも、マリネッティにおいては文学にも、そしてルッソロにおいては音楽にも、バッラにおいては文字絵画やタイポグラフィにも、捩りふせるように持ちこんだ。それはまさに予言と矛盾に満ちていた。マリネッティの『統辞法（シンタックス）の破壊』は「解き放たれた想像力」と「自由な状態にある語」というサブタイトルをもつのだが、あきらかにその後の二十世紀文学が実験すべき方向を摑《つか》まえていた。マリネッティはまた「力動的要約的朗読法」なるもので『ザン・トゥム・トゥム』を公開の席上で朗々と読むことによって、このあとトリスタン・ツァラがキャバレー・ヴォルテールでおこすことを予告した。

それだけではない。アントン・ジュリオ・ブラガーリアにおいては「フォトディナミスモ」が提唱されて、のちのマン・レイ、モホリ゠ナギが、さらにはフランシス・ベイコンが先取りされた。ブラガーリアは荒木経惟《のぶよし》の半世紀前に「写真は芸術になりうるか」と問うた。それにもかかわらず未来派は、ムッソリーニのファシズムとともに戦争賛美に向かっていった。

それははたしてマリネッティの「忌まわしい思想」のみのせいであったのか。今夜、本書を選んだのは、その疑問にちょっとばかり向かっておきたかったからである。

イタリアが二十世紀を迎えたときにどういう国だったのか。一九〇一年は明治三四年であるけれど、イタリアは日本と似て列強に遅れをとっていた。イタリアが統一国家になったのは一八六一年で、明治維新より少し早いだけだった。

それでいて日本と同様に、二十世紀を迎えるころは、ドイツとオーストリアと三国同盟を結んで帝国主義侵略国としての資格を整えていた。とくにフランスのアフリカ侵略に対抗したかった。反仏親独のイタリアはリビアを手に入れたかったのだが（日本が朝鮮をほしがったように）、そこはトルコも進出を狙っていた。

一九〇〇年、ジョヴァンニ・パスコリが有名な「ウナ・サグラ」という演説をした。パスコリはボローニャ大学を出た詩人で、当時のイタリアがアフリカに仕掛けようとしていた戦争を「愛国的社会主義」と名付けて激励した（日清戦争を正岡子規も鼓吹したように）。階級闘争を確信していたパスコリは貧しいイタリアが富める国々と伍《ご》するには、貧しい国の論理が必要だと考えたのだ。そういうイタリアがリビア戦争をおこしたのが一九一一年である。そのころリビアは黄金の国エル・ドラドだと思われていた。だからカトリック勢力さえもこれは一種の十字軍戦争だとみなした。

こんな気運のなか、真っ先に熱狂的ナショナリズムをもってイタリアの若者を鼓舞したのは、かの『死の勝利』と『アルチヨーネ』と『聖セバスチャンの殉教』の作家ガブリエーレ・ダンヌンツィオである。すでに世紀末、ダンヌンツィオはニーチェの超人思想にもとづいて、文化における戦争と革命の必然を説いていた。その後は、『可なり哉《や》、不可なり哉』で戦闘という宿命をもつ飛行機を賛美した。

このダンヌンツィオに続いたのがマリネッティなのである。二人は、アフリカの解放を信じ、革命的サンディカリストや無政府主義者とともに、アフリカに生命を、アフリカに文化を、アフリカに直観をもたらすことを夢見ていた。かれらにとってアフリカは〝未来〟だった（日本にとって満州が未来だったように）。

これがヨーロッパ列強によるアフリカの帝国主義的な分割競争であったとは、かれらは読みきれてはいなかった。読みきれないどころか、ダンヌンツィオも未来派の未来主義者も、そのような解放と革命の変革の意志をもつことをベルクソンの「生の躍動《エラン・ヴィタル》」とクローチェの「新理想主義」とレーニンの「電力+社会主義=ソビエト」に結びつけていた。

このころのマリネッティを、共産主義者の新たな旗手となりつつあったアントニオ・グラムシは革命家とみなしていた。グラムシはマリネッティがあらゆるブルジョワ文化と対決していると見えた。ところがローザンヌ条約で手に入れてみたリビアはエル・ドラドなどではなく、不毛の砂漠でしかなかった。日本は三国干渉で泣いたけれど、イタリアは不毛の戦争をしてしまったのだ。

そこへ第一次世界大戦が勃発《ぼっぱつ》する。マリネッティならずとも、イタリアはこの戦争に介入して国力をつけるしかないところへ追いこまれた。ダンヌンツィオは義勇軍を率いてフィウーメ占領に出陣していった。

ごくごくはしょって未来派と同時期に何がイタリアでおこっていたかということを瞥《べっ》見《けん》してみたが、ここまではまだマリネッティも未来派も、カトリック勢力や労働者や無政府主義者と変わらぬイタリアン・ナショナリズムのなかにいただけなのである。未来派はそういう政治状況の動向とは異なる視点で、機械や速度を、飛行機や雑音を好んだのだ。

けれどもここにベニート・ムッソリーニという、それまでまったく無名だった男が登場してきて、イタリアの状況を戦争からファシズムへ転換してしまった。そこにもうひとつ因縁が加わった。ムッソリーニはそのころ発刊されたフィレンツェの「ラチェルバ」という雑誌の愛読者で、そこにはジョヴァンニ・パピーニという名うての編集長がいて、斬新きわまりないレイアウトを好んで未来派のアーティストたちを引きこんだ。加えて度しがたいほどの戦争賛美をプロパガンダしはじめた。

本書は未来派に関するかなりニュートラルなまとめをしている一書なのだが、さすがに「ラチェルバ」がもたらした未来派の危機とマリネッティとムッソリーニの接近については二章をもうけて、その危険な香りを炙り出している。パピーニの役割こそ〝美術の大人〟が知るべきもうひとつの未来派の不幸だったのである。

こうしてマリネッティはダンヌンツィオとムッソリーニを追う戦士として自身を高揚させ、それに従おうとしたボッチョーニも戦争に従軍するのだが、その直後に落馬がもとで死んでしまう。まだ三三歳だった。

ボッチョーニ亡きあとのマリネッティはムッソリーニの台頭とともにしばらく第一線で活動し、六六歳のときは第二次世界大戦のロシア戦線に参加した。未来派はまさにマリネッティの宣言とともに歴史の舞台に登場してきたのであるが、ボッチョーニの落馬とともに打ち切りになったのだ。

三人を付け加えておきたい。

一人目はフォルトゥナート・デペーロだ。デペーロがファッション史において特異な役割をはたしたことは、あまり知られていないけれど、デペーロがいなければフランス・ファッションはココ・シャネルを生みはしなかった。

二人目は建築家のアントニオ・サンテリアだ。『新都市』で卓抜なドローイングによって発電所・鉄道・飛行船発着所といった、今日では考えもつかないボキャブラリーを連絡させて都市の脈絡を描いた。サンテリアの「うつろいやすい建築」はル・コルビュジエの非永続的建築観を先行していた。けれどもサンテリアもまた、二八歳で戦場に消えた。

三人目はフェデーレ・アザーリだ。アザーリが始めたのは未来主義的航空美術運動というべきものだ。航空美術の渦巻は強烈で、バリッラ・プラテッラやジェラルド・ドットーリらとともにその数十一人に及んだとき、一九三〇年代のヴェネツィア・ビエンナーレ展の継続的参加の準備をなしとげた。その後、このようなエアフロート・アートは、パナマレンコなどのごく少数をのぞいて、まったく継承されていない。

未来派にはボッチョーニからブラガーリアまで、たしかにいくつもの傑作はあるのだが、総じてすべてのアートジャンルの予告篇だったといったほうがいいのかもしれない。これも稲垣足穂が言っていたことであるけれど、「予告篇のほうが、みんなの意識に速く届くんですよ」なのである。

第一一〇六夜　二〇〇六年二月十日

参照千夜

一六五〇夜：マリ＝ロール・ベルナダック＆ポール・デュ・ブーシェ『ピカソ』　八七九夜：稲垣足穂『一千一秒物語』　九一六夜：ハイデガー『存在と時間』　一〇二三夜：ニーチェ『ツァラトストラかく語りき』　一二一二夜：ベルクソン『時間と自由』　八五一夜：トリスタン・ツァラ『ダダ宣言』　七四夜：ニール・ボールドウィン『マン・レイ』　一二一七夜：モホリ＝ナギ『絵画・写真・映画』　一七八一夜：デイヴィッド・シルヴェスター『回想 フランシス・ベイコン』　四九九夜：正岡子規『墨汁一滴』　一〇四夜：レーニン『哲学ノート』　四四〇夜：マルセル・ヘードリッヒ『ココ・シャネルの秘密』

剽窃《ひょうせつ》こそコラージュの本来であり、
アナロジーこそ芸術である。

マックス・エルンスト

百頭女

巖谷國士訳　河出書房　一九七四　河出文庫　一九九六

Max Ernst: La Femme 100 Têtes 1929

古代ギリシアの創作三原則のアナロギア・ミメーシス・パロディアのうちで、最もらくちんだと思われているのはミメーシスである。そう、誤解されてきた。しかし、模倣はなまやさしいものじゃない。社会そのものが模倣によって成り立っている。むろん伝統も前衛も。

気が向いたらそのうち千夜千冊しようと思っているガブリエル・タルドの『模倣の法則』(河出書房新社)では、模倣の厳密な定義は少なくとも二つある。ひとつが「脳の中のネガを別の脳でポジにする作用」で、もうひとつが「ある精神を別の精神にする作用」だ。このタルドの定義にジル・ドゥルーズが唸《うな》って驚いて、『差異と反復』(河出書房新社)

のなかで「タルドの哲学は最後の偉大な自然哲学だ」と褒めちぎり、『フーコー』（河出書房新社）では「タルドはフーコーに似ている」と評価した。タルドは「社会は模倣である」とすら言った。

　模倣が意外に手ごわい問題だとすると、それでは剽窃はどうか。剽窃なら表沙汰《おもてざた》だけを真似ているみたいなものだから、これならまさにらくちんだし、そんなものは盗作にすぎないじゃないかとケチもつけられる。そう思っている連中がわんさといるだろう。ところが、これまたそうじゃない。剽窃のなかにアナロギア・ミメーシス・パロディアの三つともがすっぽり入ってしまうからだ。それどころかプルードンとマルクスは、剽窃（窃盗）の哲学をこそ闘争の武器にした。

　マックス・エルンストにとって剽窃とは何かといえば、コラージュ（collage）のことである。ナンシー・キュナードの恋人でもあったルイ・アラゴンは、『侮蔑された絵画』のなかで、剽窃にひそむ芸術行為と社会思想に言及した。いまの世の中では模倣や剽窃にはやたらにうるさくて、すぐに知的所有権やら著作権侵害を問題にする。エルンストの時代では、剽窃とは資本家や資産家の価値収奪に対抗する表現であった。社会の前衛を担うことでもあった。

　コラージュとは、ふつうにいえば既存の視覚的情報をさまざまに貼り合わせることである。ウィリアム・バロウズふうにいえば、カットアップすることだ。ヘルタ・ヴェッシャーの大著『コラージュ』では、その手法の出現は雑誌「パンチ」の編集者だったエドワード・ルーカスが試みた一九一一年の〝作品〟に起源するという。そこでは、一人のイギリス人の一生がすべて、ホワイトレー商会の商品カタログの切り貼りされたヴィジュアルだけで構成されていた。

やがてコラージュはダダやシュルレアリスムのなかで爆発的に開花した。言葉のコラージュ、視覚のコラージュ、音のコラージュ、行為のコラージュ、みんなそろって起爆した。未来派のルイジ・ルッソロが試みたノイズ・ミュージックだって、もとはといえばコラージュが音楽に食いこんでいったものだった。

しかし、コラージュの本当の狙いがどこにあるのかといえば、絵や音を切り貼りすることにあるはずがない。コラージュの狙いの本質は、さまざまな事物や情報の要素に従事する属性たちの呪縛《じゅばく》を解放して、理性や知識が所属するアドレスに切実な変更と編集を迫ることにある。ぼくが好きなコラージュは、事態を切迫させるような〝過激なエディティング・アート〟なのである。そこには合理ではなく非合理が、常識ではなく唐突が高速に躍り出る。

そのことをシュルレアリスムがいつしか失うと心配してのことか、老婆心にかけては人後に落ちないアンドレ・ブルトンは、「コラージュは日常の秩序を別の秩序にするだけでは意味がない」と言ったものだった。むろん、その通りだ。さらに『超現実主義と絵画』（厚生閣書店）のなかでは、「いっさいの結び付きの予測を超える必要がある」と念を押したものだ。これまた当然のことだが、心配なさるに及ばない。

いまでは音楽的なリミックスやウェブ上のカット&ペーストがとても盛んになって、コラージュもモンタージュもその手法自体はめずらしいものではなくなった。CGなんて、まさに多様無限なコラージュのシンセサイズ（合成作用）の上に成り立っている。けれども、そういうものに〝過激なエディティング・アート〟が跳梁跋扈《ちょうりょうばっこ》しているかといえば、そうじゃない。みんな、〝マウスで私小説〟しているか、幻想アートの囚人になりたがっているばかりなのである。エルンストの衝撃に匹敵するものは、ウェブやCGアートを見ているかぎりはなかなか見当たらない。すでにレーモン・クノーが、こう書いている。「もっと無償の目的のために、君の糊と鋏を用意するべきだ、そして突然に、一気にその世界の住人になっていくべきだ」。

エルンストも、もとよりそうだった。いや、あるときに突如としてそうなった。『絵画の彼岸』（河出書房新社）には、こう書いていた、「一九一九年のある雨の日、ライン河のほとりのある都市にいたとき、人類学や微生物学、心理学、鉱物学、古生物学などの実用図解用のオブジェが載っている挿絵入りカタログのページが、突然、驚愕的に私の視線にとりついた」というふうに。この、ある都市とはケルンである。ケルンはエルンストのシュルレアリスム開眼の都市となったのだった。

唐突ではあったけれど、こういうことは唐突にしかおこらない。一九一九年という年も記念したほうがいい。エルンスト自身が「ぼくは一九一四年八月一日に死に、一九一八年十一月十一日に魔術師になるために蘇った」と書いている。魔術師になるとは、文字通りマジカル・アーティストになるということだ。グノーシスの知に触れたということだ。だからアートを魔術にしてみせた。そんなことはないだろうと思うなら、たとえば《永劫の渦》(一九二二)を、たとえば『慈善週間』(一九三四)を、たとえば《ユークリッド》(一九四五)を見てみるとよい。そして、一冊になった『百頭女《ひゃくとうじょ》』のページを。

エルンストの『百頭女』は物語になっている。合計一四七葉のコラージュ・アートでもある。全九章立ての、予想を超えた前衛と伝統が相克しあう奇っ怪な物語になっている。

冒頭は「犯罪か奇蹟か」というキャプションで、一人の男が気球から飛び降りる。それから風景が三度変わり、空が二度晴れる。そうするとどこからか、突如として巨大な怪鳥ロプロプが現れる。ロプロプは街灯に食事を運んでくるために、パリの夜にやってくる。ロプロプがいない空には何もいなくなったのかといえば、聖ニコラが無罪の寄生者につきまとわれている。鳩もいる。燕《つばめ》もいる。けれども鳩が鳩舎《きゅうしゃ》に戻ってきてみると、赤ん坊は腹を切り裂かれ、金属の髪をした愛らしい小さな昆虫があらわれる。

こうして風景の無意識は完璧なものに向かっていき、恩寵《おんちょう》と沸騰のゲームが男と女のなかでくりかえされる。

これではあの百頭女が黙っているはずがない。そこで、百頭女が厳かな袖をやおら広げると、世界には惑乱が乱打され、魔法の光がさしこんで、途方もない報いと曖昧《あいまい》な忠告と幽霊たちの金切り声が満ちてくる。

こんなとき、公証人はどうするのだろうか。ハツカネズミたちはどうするのだろうか。おじさん

エルンスト『百頭女』より、「パリの窪地では、鳥類の王者ロプロプが、街燈たちに夜の食事を運んでくる。」

はどうするのだろうか。なぜなら百頭女は私（エルンスト）の妹なのかもしれないのだから……。百頭女と私の妹と怪鳥ロプロプが入り交じる物語は、こんなふうにいたるところに裂傷を巻き散らしながら脈絡なく進んでいく。

これは幻想の物語なのだろうか。あるいは物語の幻想なのだろうか。それとも精神錯乱者の夢なのか、コラージュした図版群が自分で告白を始めているお話なのか。それらのどれでもなく、そのどれでもあった。シュルレアリスムでは、このような手法を好んで「デペイズマン」(dépaysement) と呼んでいた。

デペイズマンとはデペイズすること（追放すること、異国に移すこと、環境を変えること）に因《ちな》んだ言葉で、シュルレアリストたちは「事物を日常的な関係から追放して異常な関係のなかに置く」ということ、また、そこから「ありうべからざる光景が出現する」ということを、この言葉に託していた。『百頭女』も、エルンストが存分にそれを承知したうえでのコラージュ・ロマンなのである。

これはおとなしい編集ではない。きわめて過激な編集だ。しかもそれを徹してアートにしようなどという魂胆は、マックス・エルンスト以前にはここまで過激に逆上していなかった。

エルンストは、『百頭女』のような作業に、自身の狂気や逆上のためにとりくんだので

エルンスト『百頭女』より、「その幽霊ー球体の上でただひとり生き生きと、
美しく、おのが夢に彩られた——騒乱、私の妹、百頭女。」

はない。目の前で出会った学術書の図版を見ているうちに、少年や少女ならきっとそんなことを思い浮かべるかのような眼差しで、それらを丹念にカットアップして、淡々と接合し、そしてそこに得意のエッチングを加えていっただけなのだ。けれどもそこに誰もが見たことのない光景が立ちあらわれた。

あとはキャプションである。おそらくはランボオの『地獄の季節』の一節を思い出しながら、愉快なキャプション・エディットを半ばくそまじめに、半ばは見る者をそそのかすために、つまりはぼくが「遊」のキャプションをいつも真夜中までとりくんでいたように、たのしんだのだろう。で、ランボオは『地獄の季節』の一節「言葉の錬金術」にどういうことを書いていたかというと、こう書いていた。

「私は好きだった、痴《たわ》けた絵が、戸口の上の装飾が、芝居の書割りが、サーカスの天幕が、看板が、通俗的な色刷り版画が、また流行おくれの文学が、教会のラテン語が、綴りもあやしい好色本が、祖母たちの好む恋愛小説、御伽噺が、子供たちの小型本が、古くさいオペラが、ばかげたルフランが、素朴なはやし歌が……」というふうに。

『百頭女』のコラージュ・ロマンは、第五章に入っていくと、惑乱と私の妹と百頭女とが三つ巴《どもえ》になってきて、ぐるぐる回りだし、ときに巨大な車輪とも、街区を覆うジャイロスコープとも、タイタンの一族を屠《ほふ》るに足りる溶鉱力ともなっていく。

惑乱は上昇し、下降し、太鼓が連打されるなか、曙光《しょこう》の浪費と安穏な殺戮《さつりく》をくりかえし、ついにはすべてを引き連れて海上の一団となって海洋に漕ぎ進むのである。これが第六章になる。一方、都会の夜のほうにはまだロプロプがいて、夢幻の変容を見せている。他方、森の中ではいくつもの信じがたい奇跡がおこっているらしく、「木の葉の手淫」と「敬虔な嘘」が争っている。それが第七章で、物語はもはやどんな終幕にも至らないという予感が広がる。

かくて第八章で、エルンストはここに探偵、ダンテ、相場師、セザンヌ、パストゥールらを総動員させると、第九章のいっさいに口をとざすためのコラージュに向かっていった……。

過日の澁澤龍彥は、こういう『百頭女』を「現代の最もオリジナルな暗黒小説」と名付けたものだった。澁澤にしてはずいぶんまっとうな評価をしたものだ。埴谷雄高はそうではなくて、『百頭女』に出てくるものたちをまとめて「物霊」(ディングガイスト)と名付けた。「もののけ」だ。これなら埴谷雄高に軍配があがる。

というようなわけで、実は『百頭女』はいまだにアートの聖域のままなのだ。これに介入し、これを蹴散らす者が出てこないままなのだ。これはいささか残念だ。そこでぼくならば諸君にけしかけて、ねえ、ときにはマックス・エルンストをコラージュしなさいよ、CGしなさいよ、フラッシュしなさいよと言いたくなったのだ。

付記：マックス・エルンストは一八九一年のケルン近郊に生まれ、ボン大学で哲学を専攻しているうちに、ピカソやキリコやマッケに惹《ひ》かれて表現主義的な絵を描くようになっていた。ついで第一次世界大戦の勃発に衝撃をおぼえると(これが一九一四年八月一日の死だ)、ハンス・アルプとダダに走った。
けれども、アートはもっともっと不安になるべきだと感じていたとき、学術書の図版を見ているうちに魔術師になるべきだと決意する(これが一九一八年十一月十一日のコラージュ誕生だ)。ブルトンはすぐさまエルンストをパリに呼んだ。以来、エルンストはホアン・ミロの位置と同様の〝シュルレアリスム別格本山〟になる。ロプロプ鳥はこのときに羽ばたいた。

その後、第二次世界大戦中にナチに追われ、一九四一年にはニューヨークに入ってアクション・ペインティングに多大な影響を与えた。それから何を思ったのか、アリゾナに移り住んで〝砂漠の島人〟ばかり描いた。実はコラージュもフロッタージュも、この島人一族のための手法でもあった。一九七六年、パリで没。

第一二四六夜　二〇〇八年六月六日

参照千夜

一三一八夜：ガブリエル・タルド『模倣の法則』　一〇八二夜：ドゥルーズ&ガタリ『アンチ・オイディプス』　七八九夜：マルクス『経済学・哲学草稿』　七九四夜：アン・チザム『ナンシー・キュナード』　八二二夜：バロウズ『裸のランチ』　六三四夜：ブルトン『ナジャ』　一三八夜：レーモン・クノー『文体練習』　六九〇夜：ランボオ『イリュミナシオン』　九六八夜：澁澤龍彥『うつろ舟』　九三二夜：埴谷雄高『不合理ゆえに吾信ず』

ポール・ポワレとキキとデュシャンと、そしてADのブロドヴィッチが、マン・レイに「モード」を開かせた。

ニール・ボールドウィン

マン・レイ

鈴木主税訳　草思社　一九九三
Neil Baldwin: Man Ray 1988

七、八年前に、ロンドンのサザビーズでマン・レイのオリジナル・プリント《ガラスの涙》が二〇〇〇万円で競り落とされたというニュースを聞いた。一枚の写真の値段としては当時の史上最高額だった。ついにマン・レイも芸術考古学になったのかと感慨深かった。

マン・レイというと、ソラリゼーション、レイヨグラフ、ディストーションの写真家だと思うのは、ちょっと損である。マン・レイ自身も「写真は私のオーケストラの第二ヴァイオリンのようなものだ」とわざわざ言っているほどで、おもしろいのは第三ヴァイオリンなのだ。そして〝その他〟がアートなのだ。

どこがマン・レイの〝その他〟かというと、むろんつぶさに作品集を見ればわかるはずだが、これは意外に見られていない。また、作品集だけでは人生の〝その他〟が見えにくいということもある。宮脇愛子のように実際にマン・レイと遊んだり、付き合ったりした人でないかぎりは、そのへんのことはよくわからない。そこで本書がひとつのヒントになってくる。ぼくが薦めるのだから、評伝としてはよくできているほうだと思ってもらってよい。

では、著者に代わって超特急の案内を買ってでることにする。話は一九〇五年、アルフレッド・スティーグリッツとエドワード・スタイケンがニューヨーク五番街に、縦横わずか一五フィートの小さな画廊「291」を開いたことに始まった。

一九一一年、この画廊でセザンヌ展が開かれたとき以来、青年マン・レイはここに入りびたりになる。次のピカソ展を見たあとは興奮さめやらず、父親の裁断室の床や棚に散らかっていた布切れでタペストリーをつくる。これで父親はだしの職人的アーティストになった。そこへあらわれたのが、フランスからやってきたマルセル・デュシャンだった。デュシャンはニューヨーク中の話題をひっさらう《階段を降りる裸体 No.2》によって、あっというまにスキャンダルの渦中の人となったが、本人はあくまで静かだった。するすると美術の現場から距離をおいていった。

その生き方にマン・レイが惹かれた。芸術の扱い方に感心した。このとき以来、二人の親交は死ぬまでつづく。「心が騒いだ」とマン・レイはそのときのことをのちに一言だけだが、書きしるした。

この時期、アートの時代を引っ張ったのは雑誌「アザーズ」である。とても、いい。アルフレッド・クレイムボルグとウォルター・アレンズバーグが編集をした。マン・レイもその編集力に煽《あお》られて、一九一五年に初めての個展をひらいた。風景画が中心ではあったが、このときにひとつの〝発見〟に出会っている。

記録のために自分の絵をプロの写真家に撮ってもらったのだが、これが気にいらず、自分で作品を戸外に出し、太陽のもとで撮影してみた。そしてそこに、絵でもない、写真でもない〝もの〟を発見した。当時のフィルムや現像液が不安定だったため、偶然の異常がおこったのだ。ソラリゼーションである。

こういう〝脇見〟や〝その他〟がマン・レイのその後のアートをつくっていった。また、そういう〝その他〟に没頭したくなるような、そういう変な雰囲気が「291」の周辺にはいつも漂っていた。とりわけデュシャンが悠々と引きこもってレディメイドや大ガラス作品だけに手を染めているのが、かれらの〝脇見芸術〟を正当化する。

こうしてマン・レイは『二次元における新しいアートの手引』という自費出版のタイ

トルに示されたような、「すべての美の動向は平面に包含されうる静的要素をもっている」という確信を得るにいたる。それはまだサンクロミスム（シンクロ主義）ともいうべきもので、色彩を抽象的な構成に投影させる程度のものだったが、そのかわりにデュシャンとともに一種の芸術NPOともいうべき活動を始めた。

この芸術NPOっぽい動向を「ソシエテ・アノニム」という。スポンサーがいた。鉄鋼王の娘のキャサリン・ドライヤーである。マン・レイたちはあくまで非商業的なアートセンターをつくりたがったらしい。これはずっとのちの一九八〇年代にエットーレ・ソットサスが「メンフィス」で狙おうとしたことに近い。

そんなころ、ヨーロッパで革命的な美術運動が勃発することになる。チューリッヒのキャバレー・ヴォルテールにダダが生まれたのである。

ダダはマン・レイをアナキズムに近づけさせた。トリスタン・ツァラと「アザーズ」のアレンズバーグが交流しはじめたのも刺激になった。ダダはまたたくまに世界中に飛び火する。感染する。すぐにニューヨーク・ダダも産声をあげた。けれどもダダの本場はなんといってもツァラのいるパリである。マン・レイはついに決断してパリに行く。すでにデュシャンがパリに戻って遊んでいた。デュシャンは「ツァラが住んでいる小さなホテルに君の部屋をとっておいた」と書いて、マン・レイの心をくすぐっていた。デュシャンは自分にはダダは面倒くさいけれど、マン・レイなら波に乗るだろうと読んでいたらしい。

一九二一年七月、マン・レイはサン・ラザール駅に着いた。すでに長い船旅のあいだに、自分の過去をすっかり捨てることを決めていた。パリでのマン・レイは新たな仮面をかぶり、未知の服装をまとった〝謎のアーティスト〟を自作自演する。第八五一夜に書いたように、一九二一年はそういうことが許される唯一の気孔が開いていた時期なのだ。またそれを見抜いたのが、マン・レイ畢生《ひっせい》の自己演出だった。

そのように変身を覚悟したマン・レイを迎えたのは、ダダイストやシュルレアリストの屯《たむろ》する「カフェ・セルタ」だ。そこではブルトン、エリュアール、アラゴン、スーポーらの、いまはまだツァラの時代だが、やがてはそれを打倒することになるシュルレアリストの半熟卵たちが毎夜ポートワインを飲んでいた。マン・レイはその連中に、半ば早合点されてニューヨーク・ダダの王様として歓迎された。

その後は、よく売れる交遊録のような日々をおくった。理由がないわけではない。一九二二年からの二年ほどのパリはのちに「あいまいな時代」とよばれるような爆発寸前の混沌の時代で、ともかく人が人と複雑に出会っていた時期だった。それでも何人かの中心はいた。一人はポール・ポワレだ。傘のセールスマンから劇作家・画家・俳優、メリーゴーランドの設計や劇場所有者をへて、一世を風靡《ふうび》する香水をつくりだし、さらにフランス・ファッション界の草分けになった。ココ・シャネル以前のパリはポワレの時代である。マン・レイはこのポワレに強烈に惹きつけられた。

もう一人はキキだ。モンパルナスの女王として君臨しつづけたキキを有名にしたのは、まぎれもなくマン・レイの幻想味に富んだ写真であったが、それだけではなく二人は同棲もし、キキが出かけるときはマン・レイがメークアップとスタイリングに二時間をかけた。マン・レイはキキに魔法をかけつづけた魔術師になった。

このほかシルヴィア・ビーチやガートルード・スタインやジャン・コクトーがこの時期の、そして二十世紀においてこの時期だけに出現したバガボンドな主人公たちであるが、そのあたりのことは、「千夜千冊」の別の本の紹介のときにふれてみたい。

ともかくもマン・レイはパリでまんまと成功した。一回の撮影料が一〇〇〇フランになることもあった。みんなそれが当然だと感じた。マン・レイは写真を撮ったのではなく、事件をおこしたからだ。

マン・レイを有名にしたのは女たちと、そして男たちである。それはウォーホルが有名人のシルクスクリーンによって有名になっていったのと似ていなくもない。ただし、マン・レイは槍《やり》一筋の浪人のようなウォーホルよりずっとテクニシャンであった。女たちの顔ぶれには、キキの次にリー・ミラーが登場した。〝空気の妖精〟といわれたリー・

ミラーは、コクトーが《詩人の血》に出演させてからは世界中が知る大スターになっていた。マン・レイの有名な《天文台の時：恋人たち》で、空に浮かんでいる巨大な唇はリー・ミラー自身の唇を象《かたど》ったものである。

男たちもマン・レイのカメラの前に座るのを好んだ。ジェイムズ・ジョイス、エズラ・パウンド、アンドレ・ジッドらは、マン・レイの写真によってその顔が知られていった。まあ、坂田栄一郎によって「AERA」の表紙になったようなものだが、坂田のものとはちがって一枚一枚が事件となった。

マン・レイはますます図に乗っていく。その牽引役《けんいん》には、新たにアレクセイ・ブロドヴィッチがついた。そのころから今世紀最大のアートディレクターとよばれていた男である。「ハーパーズ・バザー」のADだ。ブラッサイ、ブレッソン、リゼット・モデル、そしてマン・レイは、この雑誌のなかで「ファッション写真」というジャンルをつくりあげた。見開き二ページで写真や広告をつかったのも、ブロドヴィッチが最初に思いついた卓抜なアイディアである。

マン・レイはチャンスをことごとくものにした。なぜにまたそんなことばかりができたかというと、故郷のアメリカを離れるときに、本名も性格も習慣も、すなわちいっさいのアイデンティティを捨てていた。それがよかった。これはジャン・コクトーにもあてはまる捨て身というものだ。そのまったく逆の、つねに自分のアイデンティティだけで勝負しようとしたのがサルバドール・ダリである。もっとありていにいうのなら、マン・レイは芸術をバカにできたのだ。『自由な手』『写真は芸術ではない』などという著書の内容が、その反芸術感覚の一端を伝えてくれる。

マン・レイ。それは世界をモノクロームにすることで自分を自在に遊ばせたラテルナ・マギカであった。ぼくには、その幻灯機のランプの中には未来派とマルセル・デュシャンの人間人形がこっそり棲んでいたように見える。

第七四夜　二〇〇〇年六月二十日

参照千夜

五七夜：マルセル・デュシャン&ピエール・カバンヌ『デュシャンは語る』　一〇一四夜：ジャン・バーニー『エットーレ・ソットサス』　八五一夜：トリスタン・ツァラ『ダダ宣言』　六三四夜：ブルトン『ナジャ』　四四〇夜：マルセル・ヘードリッヒ『ココ・シャネルの秘密』　二一二夜：シルヴィア・ビーチ『シェイクスピア・アンド・カンパニイ書店』　九一二夜：ジャン・コクトー『白書』　一一二二夜：ウォーホル『ぼくの哲学』　一二一夜：アマンダ・リア『サルバドール・ダリが愛した二人の女』　八六五夜：アンドレ・ジッド『狭き門』

どうしてみんな対象をほしがるのか。
非対象あるいは無対象こそ至高の表現《シュプレマティズム》ではあるまいか。

無対象の世界

カジミール・マレーヴィチ

五十殿利治訳　バウハウス叢書（中央公論美術出版）　一九九二

Kasimir Malewitsch: Die Gegenstandslose Welt 1927

そのことを知ったのがいつだったか、何年何月とは言えなくなっているが、マレーヴィチのシュプレマティズムを知ったときはむちゃくちゃ衝撃をうけた。ある夕刻、マレーヴィチの大型作品集を銀座イエナの二階で見たのである。イエナに通っていたのは、父が死んで銀座と虎ノ門のＭＡＣに勤めていたころだから、そのころなら二五歳前後のことだろう。

まいった。北園克衛《きたぞのかつえ》の詩を読んでいなかったら失神していたかもしれない。これは未来派やバウハウスどころではないと感じた。その後になってマレーヴィチの語録にちらちら出会うにおよんで、今度はものすごく考えさせられた。戸惑いもした。マレーヴィチの絵は「世界で最も退屈な絵画」ではなかったのだ。

シュプレマティズム（スプレマチズム）は造形芸術におけるきわめて純粋な感覚の絶対性のことである。至高絶対主義と訳されることがあるが、むしろ非対象主義と見たほうがいい。感覚の絶対性だけを描くこと、それがシュプレマティズムの理念だった。

そういうシュプレマティズムからすると、自然の諸現象からさまざまな印象をうけとって、これをあれこれ表現することは、まったく無意味にすらなってくる。自然や世界がたんに無意味だというのではなく、そこに適当な意味を付与することが自然を摑まえたことにはならない。そこで「何も加えない、何も引かない」という方法をマレーヴィチは考えた。考えたどころではない。まさにこういう言葉は矛盾しているが、激越な無念無想をやってのけたのだ。

こうして、マレーヴィチが芸術を対象的なもののバラストから解き放とうとして「死にものぐるいの努力で」（と、本人が書いているのだが）、正方形に活路を求めようと決意したのは一九一三年のことである。このとき白い地に黒い正方形だけを描いて出品した。

その後、この芸術哲学は教育に注がれた。一九一八年にはペトログラードとモスクワのスヴォマス（国立自由芸術工房）で、翌年にはヴィテプスクの芸術学校で、その翌年には芸術団体「ウノヴィス」を結成し、その革命的な思想が伝授された。織物工房もつくった。

縦糸と横糸だけでできている織物はシュプレマティズムに近い感度をもっていたからだ。こうしたプロセスのなかで、レーニンのロシア革命が劇的に進行していった。マレーヴィチはマフノ運動の激しいウクライナに生まれ育ったのだ。

マレーヴィチのシュプレマティズムの全貌が姿をあらわしたのは一九二七年の大ベルリン美術展である。全員があっと声を上げて腰を抜かした。

そこには「白の中の白」「白の中の黒」「黒の中の黒」しか提示されていなかったからだ。これはカンディンスキーの抽象をこえていたし、クレーの自由をはるかにあしらっていた。さすがに失神した者はいなかったろうが、言葉を失った者、唸った者、困惑した者、何かを説明しようとして内にこもってしまった者、そして絶賛した者、冷笑した者、罵倒した者、まさに賛否両論というより、震撼《しんかん》たるセンセーションになった。

ぼくはどうだったかというと、むろん美術史の順に美術作品を見ているわけではないから、この時期にマレーヴィチがいたということ、すなわち構成主義や表現主義や未来派や、キュビズム、ピュリスム、シュルレアリスム、ダダが林立するなかでシュプレマティズムが登場していたことがまず驚きだったのだが、次にはすぐさま降参し、そして惚《ほ》れぬいた。

このくらい徹して思考したものにはつねに敬意を払うべきである。そう、確信した。

だいたいぼくはカンディンスキーもクレーも、ジャコメッティもフォンタナも、あのような「徹底」が好きなのである。なかでマレーヴィチの「徹底」はもはやこれ以上の進展がないという際限をめざしたもので、いわば究極というものだった。それにマレーヴィチは「思考と作品の一致」という難題にさえ突入していた。ふつうはこういうことはしないものである。それだけに、その心情察するところあまりあるものがあった。

マレーヴィチを咀嚼《そしゃく》するには時間がかかった。本書を読むまではマレーヴィチの言葉が断片でしか紹介されてこなかったせいもある。だから最初は、たとえば「私はフォルム・ゼロにおいて変貌を遂げ、アカデミックな芸術の掃き溜めから私自身を引き上げた」という、シュプレマティズム宣言の意味がわからなかった。「フォルムが無から出発する」とはどういうことなのか。フォルムをなくすのではなく、フォルムを無によってつくる？

やがて、こういう断片の文章にぶつかった。「ミロのヴィーナスはその堕落を如実に示す一例である。この作品は現実の女性ではなく、パロディなのだ」。うんうん、パロディね。これならなんとなく意味が伝わってくる。ついで、「ミケランジェロのダヴィデ像は醜悪である。その頭部と胴体は、まるで相容れない二つのフォルムを貼りあわせてあるかのようである。幻想的な頭部とリアルな胴体とを」。ふん、ふん、醜悪か。そうかもしれないけれど、頭部と胴体の強引な合接はたしかに気になるが、そこまで断罪する？

ミケランジェロの《ダヴィデ》をこれほどくそみそに言ったのは前代未聞であるが、しだいにマレーヴィチのいうフォルムの意味が見えてきた。何かが読めてきた。そして、こうなのだ。「絵画を絵画たらしめているものは、色彩とファクトゥーラであり、これこそが絵画の本質である。この本質はつねにテーマによって損なわれてきた」。テーマが絵画を壊している？　そうか、テーマは不要なのである。対象の描写なんていらないのだ。これがマレーヴィチの旧美術界に贈る決定的な袂別《べいべつ》の言葉なのだ。ぼくはやっとマレーヴィチの意図を把《つか》んだようだった。ちなみにファクトゥーラはマレーヴィチら当時の前衛美術家たちが好んでつかった用語で、もともとは画肌《テクスチュア》のことだが、絵そのものが発揮しているぎりぎりのメッセージのことをさしている。

さて、本書『無対象の世界』は、これまでのあらゆる美術論・芸術論のなかで最もストイックなものだったろう。これほどに美術観念や芸術論思考を洗浄し、浄化してくる一冊もめずらしい。美術の宿便が出る。そのかわり、本書を安易に読んでしまうということは、もはや芸術表現の衝動などおこらなくなってもいいですねということでもある。そこを覚悟させる一冊なのである。

マレーヴィチが「無」の哲人であることはまちがいがない。それもはなはだ東洋的である。かつてぼくはそのようなマレーヴィチに「撥無《はつむ》」の一語を贈ったものだ。最初は一九七七年の「遊」で、次に十年後の『遊学』（中公文庫）において。しかし禅の「撥無」は「無」をも撥《は》ねとばすのだが、マレーヴィチの「無」は動ききったのちに静まりかえっていく無対象の無というもので、無という存在ではなく、「存在という無」だったのである。

このあたりのこと、一に水墨画をどう見るか、二にサルトルの『存在と無』をどう読むか、三にタブローが白いカンバスを相手にしたことをどう考えるかということとともに、今日のアートにぶつけられたままになっている。

第四七一夜　二〇〇二年二月五日

参照千夜

一〇四夜：レーニン『哲学ノート』　一〇三五夜：クレー『造形思考』　五〇〇夜：ジャコメッティ『エクリ』　八六〇夜：サルトル『方法の問題』

「当然」と「当体」を求めるための、
たった五〇グラムの勇気が、ぼくには必要だった！

アルベルト・ジャコメッティ

エクリ

矢内原伊作・宇佐見英治・吉田加南子訳　みすず書房　一九九四

Alberto Giacometti: Écrits 1990

ジャコメッティは勇気である。不変の勇気ではなく、変化の勇気。配達の勇気ではなく、背信の勇気。だから、その勇気はきっかり「五〇グラムの勇気」である。その勇気がどうしても必要なときがある。そのときぼくはジャコメッティを思い出す。ジャコメッティを見る。ジャコメッティを読む。

ジャコメッティは少年のころに村のはずれで一本の金色の石を見ている。その石は女ともだちのように少年を誘った。それから毎朝、少年はその石を見たいと思う。別の日、少年は繁みのなかに黒い石が立っているのに出会う。敵意に満ちた黒い石にはどこかに窪みや穴があいていて、何かの挑戦を待っているかのようだった。

ジャコメッティは一九〇一年十月に生まれ、一九六六年一月に死んだ。他人とくらべても意味はないが、エルンストの十歳年下、デュビュッフェとは同い歳、ダリとイサム・ノグチの三歳年上になる。そのあいだずっと、ジャコメッティは「ずれる」の中にいた。金色の石と黒い石のあいだにおこる「ずれる」だ。あえて、そうした。最初は朝めざめると感じる「ずれる」だったが、そのうち一時間ごとの「ずれる」の深さに気がついた。五〇グラムに深さがあった。

ジャコメッティはつねに「似る」の中にもいた。弟を目の前に置いてデッサンをすれば、そこには弟が「似る」になった。チマブーエの絵を頭のなかで思い浮かべればチマブーエに似た像がそこにあらわれたし、エジプトの彫像を思い浮かべればそこにエジプトの婦人がいた。しかし、それを取り出すにはどうしたらいいのか。ジャコメッティは「似る」をめがけてすべてを試みる。

当然とは何か。当体とは何か。ぼくもそのことを追いつづけてきたように思っていたが、ジャコメッティはそのことをずっと深く、ずっと危険に、ずっと過剰に考えつづけていた。「多数の一を、無限に唯一であるひとつの一に引き戻したいという欲求」というふうに。

これはほんとうに驚くべきことだった。これでは限界がない。界を限れない。ひょっとしたら界をなくしかねない。背信に向かいそうでもある。それでもジャコメッティは当然と当体を追い求めた。

画家だった父親の影響で幼年期にすでにデッサンにも彫像にも長《た》けていたジャコメッティにとって、少年のころの当然と当体はデューラーとレンブラントとファン・アイクである。中学生のとき、それはゲーテとヘルダーリンとドイツ・ロマン派と、そして歴史と科学とロシア革命になった。

ところがジュネーヴの美術工芸学校を出て、初めてイタリアに旅行したときにヴェネツィアでティントレットを発見して夢中になり、ついでパドヴァでジョットに衝撃をうけた。一九二〇年の二度目のイタリア旅行では、アッシジのチマブーエが最高のものだと確信できた。チマブーエの前ではティントレットもジョットも顔色がない。

いったいどういうことなのか。なぜ自分はティントレットがわかり、そしてチマブーエのほうがすばらしいとわかるのか。しかもローマに着くとボロミーニとビザンティンのモザイクと、とりわけエジプト美術の胸像の〝真実〟にまいってしまった。

ああ、このフェチの変容はすごい、ここにすべてがある。しかし、なぜそうなのかということは、すぐにはわからない。ぼくのばあいはそれが科学にも芸能にもデザインにもチームにも空家《あきや》にも幅が振れるのだが、ジャコメッティはその感動を「肖像」というものに絞っていった。

そこでジャコメッティはこれらの大半を模写しつづけ、さらに二つの胸像も制作していくことにしたのであるが、なんということか、これらはすべて破棄されたのだ。頭のなかには当然と当体が見えているのに、それが作品になるととんでもない別物になってしまっていたからだ。

一九二二年、ジャコメッティはパリに入って、アカデミー・ド・ラ・グランド・ショミエールのブールデルの教室に通った。二五歳のときイポリット・マンドロン通りのアトリエに移り、生涯、一歩もここから離れなかった。

まずは見えているものを彫刻にしようとし、見えているものを描こうとした。しかし何を彫っても、何を描いてもそれらは「見えているもの」とどこかが違っていた。これはいっさいの写実主義が誤りであることを示しているにちがいなかった。かくしてジャコメッティは「ずれる」と「似る」のあいだの微妙きわまりない渦中に、もっと正確にいうのなら知覚と表現のわずかな隙間に飛びこんでいく。

では、想像によって当然と当体を表現すればどうか。ジャコメッティは「平らな彫刻」や「開かれた彫刻」を試みる。ちょっと前衛めいてみたのだ。アンドレ・マッソン、ミシェル・レリスが近づいてきて、互いの友情も育《はぐく》まれた。けれども前衛にはなりきれない。レーモン・クノー、ジャック・プレヴェール、アレクサンダー・カルダー、ホァン・ミロたちが、そのような厳密という「ほど」に賭けるジャコメッティに興味をもった。

アラゴン、ブルトン、ダリはそういう〝現実離れ〟をしているように見えるジャコメッティをシュルレアリスムに引っぱりこんだ。けれども予想するまでもないことだが、ブルトンの画策したシュルレアリスムなんてものは、しょせんジャコメッティとはどこかで対立するものだった。キリコもブルトンのそういう策動には引っかからなかった。ジャコメッティもそうだった。「1＋1＝3」を考えていたが、シュルレアリスムにはそれが理解できなかった。除名された。

ジャコメッティはふたたび実物を対象にして写生による仕事に戻ろうとする。そこで午前中は弟のディエゴが、午後はモデルのリタがポーズをとった。一年中である。来る日も来る日も二人の頭部を彫刻にしようとしたのだが、なんと彫像はしだいに小さくなって、怖ろしいことにいくらか幅が狭くなったのち、最後にはほとんど消えるばかりのものに、「実像としての最小のもの」になっていったのだ。

バルテュスやドランがすかさずその「縮退していく何か」に関心を示したものの、ジャコメッティはついに作品を発表しなくなっていた。

五〇グラムの勇気を変化に投じるときがきた。ジャコメッティは方針を変える。もはや実物を見ないことにした。そして記憶によって裸婦像をつくることにするのだが、なんと、この裸婦像もしだいに小さくなっていき、ついには消えていくのである。ピカソとサルトルがその〝縮退する事実〟に驚嘆した。

この〝縮退する事実〟のことを、ジャコメッティは淡々とこう書いている。「私が見たものを記憶によって作ろうとすると、怖ろしいことに、彫刻はしだいしだいに小さくなった。それらは小さくなければ現実に似ないのだった」と。が、ジャコメッティはあきらめない。「私は倦むことなく何度も新たにはじめたが、数ヵ月後にはいつも同じ地点に達するのだった」。そしてぽつんと書き加える。「それでも、頭部や人物像は微小なものだけがいくらか真実だと私には思われた」。

ジャコメッティは、この「細っていくもの」にこだわって懸命にデッサンをつづけ、一九四五年にはついにデッサンを重ねることでもっと大きな彫像が作れるかもしれないという、かすかな確信を得た。それはまったく奇蹟的なことだったが、「今度は、驚くべきことに」とジャコメッティはまたもや淡々と書いている。それらはことごとく「細長くなければ現実に似ないのだった」。

いったい何がおこっているのか。芸術にとっての面影について、人間の知覚にとっての面影について、何か本当のことがおこっているのだ。何かを表現するというときの最

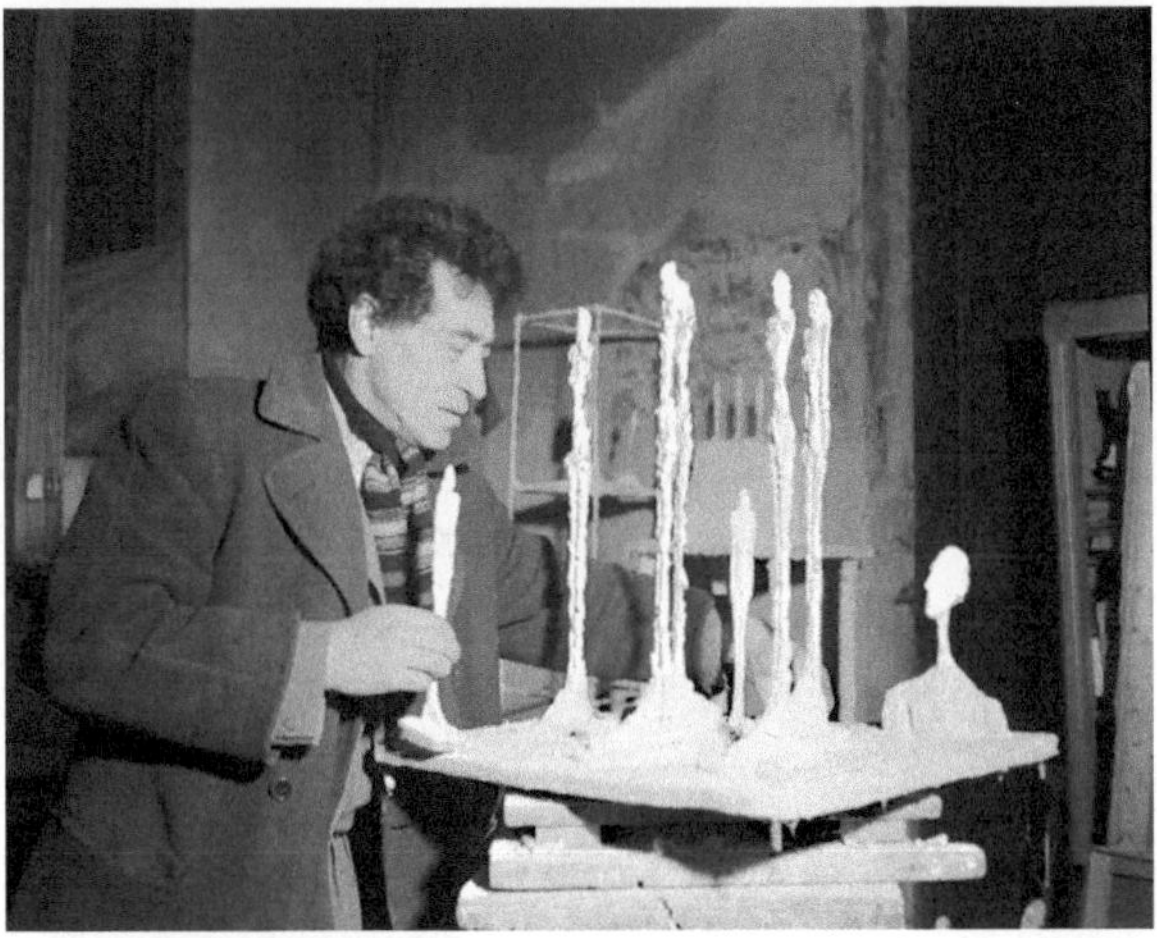

アトリエのジャコメッティ（1950年）
photo by Archivio Cameraphoto Epoche/Hulton Archive/Getty Images

も根源的なことがジャコメッティを襲い、ジャコメッティに宿ったのである。それはかつて芭蕉や許六《きょりく》や去来が達した「しおり」や「ほそみ」であったのかもしれない。

いささかおこがましい話になるが、ぼくはこのことにとても近いことを「遊」を創刊したころに、考えこんでいた。

知覚と表現のあいだにはあきらかに一本の線がある。この線は自然や事物や人物を見るときは輪郭線にもなるし、脳のなかでは視覚野から言語野に移るときの縮退力や増殖感になる。一本の線の両側ではあきらかに「値」や「質感」や「大きさ」がちがっている。どちらが本当なのかは、わからない。それなのにわれわれは、この「あいだ」を安易に連続して見すぎている。では、その「あいだ」にもっと分け入ればいいのか、それとも二つの〝世界〟を真に連続させるための方法を、これまでの科学や芸術の常套手段を振り切ってでも、もっと思いつけばいいのか。

そういうことを、ぐずぐず考えこんでいたのだ。このことをめぐって、当時、とことん話ができたのは最初は杉浦康平ただ一人であり、ついで武満徹《たけみつとおる》と高橋悠治であり、そして北園克衛や岩成《いわなり》達也だった。ほかの連中はそんなことを考えるのさえ面倒のようだった。もう一人、ぼくが押しかけていた逗子《ずし》の下村寅太郎《とらたろう》さんが、ぼくがあまりに知覚と表現のあいだの「ずれ」について尋ねるものだから、ダ・ヴィンチとライプニッツがそのことを考えているということを示唆してくれたが、一緒に考えてはくれなかった。このとき下村さんが、暗い書斎の椅子に深く沈みながら、優しい笑顔で「そういうことは自分で考えなさい」と言ったのだが、この瞬間、ぼくはジャコメッティとまったく同じ孤立を強いられたのである。

ぼくはとりあえず、この「ずれ」や「あいだ」に生ずる正体を「面影」と名付けることにした。面影とは、目の前の現実からいったん離れて、あとから取り出せる「像」に何かを託すことをいう。その後、この話題は田中泯や横須賀功光や浅葉克己が共有してくれた。

ジャコメッティはどのように知覚と表現のあいだの驚異的な孤独に耐えたのだろうか。ジャコメッティは書いている、「最初から失敗にきまっているものを追いかけるのは不条理に思われた。仕事を続けようとするかぎり、私にできることは記憶を再現すること、自分が本当に知っているものだけを作ることだ、と私は思った。十年間、私は再構成することしかしなかった」というふうに。こうも書いている、「私が熱情をいだく唯一のことは、実現することが不可能に思われるこれらのヴィジョンに、それでも何とかして近づこうと試みることだ」というふうに。

ふと思うのは、ぼくが「終わりなき編集」を決意することになったのも、おそらくはこのジャコメッティのいう「実現することが不可能に思われるこれらのヴィジョン」を再構成するという仕事に追いこまれたためだったのではなかったかということである。何かのおりにジャコメッティを読むたびに、挫《くじ》けたときにジャコメッティを見るたびに、ぼくはそんな気がしていた。

しかし他方、ジャコメッティは次のようにも綴《つづ》っている。「そのことが起きているその自己から完全に離れて」というふうに。あるいはまた、「まったく常軌を逸している。唯一の自己という考え。それ自身馬鹿げていて、滑稽だ」というふうに。

そうなのだ。ぼくはこの知覚と表現の「あいだ」に、自己を離れた記憶と現実との「あいだ」に引きこまれていったのだ。その「面影」に引きこまれたのだ。そしてその「あいだ」という狭い棚には、必ず一瓶の「五〇グラムの勇気」が待ちかまえて、ぽつんと置いてあったのである。「エクリ」とは「編集」ということなのである。

第五〇〇夜　二〇〇二年三月十九日

参照千夜

一二五五夜：高田庄『レンブラントと和紙』　一二一一夜：アマンダ・リア『サルバドール・ダリが愛した二人の女』　九七〇夜：ゲーテ『ヴィルヘルム・マイスター』　一二〇〇夜：『ヘルダーリン全集』　一三八夜：レーモン・クノー『文体練習』　七八八夜：ジャック・プレヴェール『金色の老人と喪服の時計』　一三四夜：ブルトン『ナジャ』　九八四夜：クロード・ロワ『バルテュス』　八八〇夜：キリコ『エブドメロス』　一六五〇夜：マリ＝ロール・ベルナダック＆ポール・デュ・ブーシェ『ピカソ』　八六〇夜：サルトル『方法の問題』　九八一夜：杉浦康平『かたち誕生』　一〇三三夜：武満徹『音、沈黙と測りあえるほどに』　二五夜：『レオナルド・ダ・ヴィンチの手記』　九九四夜：『ライプニッツ著作集』

北脇昇が「図」をアートにした。
それが日本のシュルレアリスムの他端になった。

中村義一

日本の前衛絵画

美術選書（美術出版社）一九六八

どんな時代にも前衛がいる。日本でいえば今様《いまよう》の遊女もバサラもカブキ者も前衛だった。英《はなぶさ》一蝶は遊蕩《ゆうとう》の前衛だ。既存の価値を壊し、新たな意匠をともなって急激に出現してきたものたちは、つねに前衛とよばれるにふさわしい。

ぼくの青春時代ではオノ・ヨーコや草間《くさま》彌生《やよい》、唐《から》十郎や寺山修司、高松次郎や赤瀬川原平や高橋悠治が前衛だった。そこには国内における特異性だけでなく、国際同時代的な目で見てもある程度の独自なスタイルやメッセージが発露していた。だからこそこの芸術兵士たちは日本の前衛というにもふさわしかった。

海外のアヴァンギャルドな活動をまねる前衛らしきものも前衛もどきたちも、いる。これもどんな時代にも跡を絶つことなく、懐素《かいそ》をまねる書人にも八大山人を好む水墨山水にもあらわれた。かれらは意外に日本独自であろうとすることを誇示した。

二十世紀の日本美術でも前衛はたえず取り沙汰《ざた》されてきた。とくに構成主義や表現主義、ダダやシュルレアリスムが入ってきたころは喧《かまびす》しい。ただし、そこにはいささか複雑な事情があって、これこそが日本の前衛絵画だと太鼓判を捺《お》せるものが際立たない。

北脇昇をKと名付けることからペンをおこした本書は、二十世紀の半分を走りつづけた特異な画家北脇の思索と実験と挫折を縒《よ》り糸にして、そうした日本の前衛美術の動向の実像、とりわけ日本に根差したかどうかもさだかではないシュルレアリスムの動向を追って、読ませた。古賀春江や福沢一郎ではなかなか乗れないなと感じていたぼくも、本書で初めて見えてきたことが多かった。一九六八年の刊行とほぼ同時に読んだのだと思う。


昭和前半までの時代に最初の前衛美術があった。明治洋画壇が確立したのちのフュウザン会や二科会の新人たちの動き、キュビズムやフォビズムが入ってきて触発された東《とう》郷青児《ごうせいじ》や萬《よろず》鉄五郎の活動にはそういう気概があったし、未来派美術協会、アクション、マヴォ、三科会、造形美術家協会も前衛美術運動の萌芽《ほうが》たりうるものだった。

ふつう、日本の近現代の絵画運動がどのように語られているかというと、これを洋画にかぎっていうのなら、たとえば青木茂と酒井忠康が監修した『日本の近代美術』全十二巻（大月書店）などの分配などがそのごく一般的な指標になろうかと惟《おも》うのだが、どうだろうか。次のようになっている。

第四巻　「新思潮の開花」萬鉄五郎・岸田劉生・坂本繁二郎・小杉未醒・中村彝・小出楢重・関根正二・村山槐多

第七巻　「前衛芸術の実験」古賀春江・普門暁・村山知義・柳瀬正夢・神原泰・東郷青児・坂田一男・中原実

第八巻　「日本からパリ・ニューヨークへ」佐伯祐三・藤田嗣治・岡鹿之助・北川民次・野田英夫・石垣栄太郎・清水登之

第九巻　「一九三〇年代の画家たち」前田寛治・長谷川利行・児島善三郎・鳥海青児・須田國太郎・海老原喜之助・安井曾太郎・梅原龍三郎

第十巻　「不安と戦争の時代」三岸好太郎・福沢一郎・靉光《あいみつ》・松本竣介・川口軌外・北脇昇・宮本三郎・山口薫

いくぶんプロレタリア美術を重視しているところはあるが、おおむねはこういう流れであった。その後に大家になった画家も数々いるけれど、だいたいはこの順で世間を騒がせた。なかに前衛や前衛もどきが交じっている。しかし、ここが「前衛」だと美術史が認定しているのは第七巻の古賀春江から中原実までの短い季節なのである。そこから飛び火して第十巻の三岸好太郎や福沢一郎や北脇昇になる。なぜ日本の前衛絵画はこんなに跛《は》行《こう》的になったのか。本書はその理由としてシュルレアリスムの定着がきわめて甘かったことにも関係があると見た。詩人の活動が先行していたこともある。

とくに昭和とともに動き出した詩人たちによる前のめりは、前衛のもつ独特で清新な気風に溢《あふ》れて、あたかも芸術全般のリーダーをつとめるかのような勢いだった。北園克衛・上田敏雄・上田保たちが「文藝耽美」にアラゴン、エリュアール、ブルトンの訳詩を載せたのが大正十四（一九二五）年である。二年後、北園らはいまでは伝説的な雑誌となってたまに復刻されることさえある「薔薇魔術学説」で（この雑誌はぼくがいっとき憧れていた）、日本の超現実主義宣言を放ち、その二年後の「詩と詩論」では北川冬彦がブルトンの『シュルレアリスム宣言』を抄訳して、北園・西脇順三郎・瀧口修造・春山行夫がそれぞれ果敢なメッセージを加えていた。

けれどもそれが日本のシュルレアリスムのリーダーシップとよべるものだったかというと、はなはだ心もとない。北園らにはブルトンの役割など担う気がなかった。批評家の荒城《あらき》季夫《すえお》はそうした意図を見抜いたかのように、北園らの〝遊び〟をこんなふうに揶《や》揄《ゆ》した。「しょせんはナンセンス文学にある無目的な放浪性の魅力と等しい精神の夢遊状態、精神のプロムナード、目的のない精神上のヴァガボンタージュであって、社会不安、思想的動揺期、爛熟《らんじゅく》した文化の上で指標を失った思想的放浪者にすぎない」。

なかなか手厳しいが（また、北園克衛をこのようなリトマス試験紙で見ることはまったく見当ちがいでもあるのだが）、これらはまだしも詩人たちの動きであって、美術家たちの動きはどうだったかというに、この「精神上のヴァガボンタージュ」の先頭を走るというのでも、それに呼応するというのでもなかったのである。

少なくとも画家の古賀春江や東郷青児や福沢一郎が呼応していたようには見えなかったのだ。三岸好太郎や川口軌外に日本のシュルレアリスム絵画があったかどうかといえば、疑問がのこる（三岸は三一歳で夭折《ようせつ》しているので、もし生きていたらどうなっていたかはわからない）。ともかくも、それらは新しいフォルマリスムの気分の主張と技法の踏襲ではあったろうけれど、それ以上のものではなかったと中村は書いている。


ヨーロッパのようにリアリズムの季節を十分に体験しなかった日本がシュルレアリスムに走ることは、瀧口修造が本書の「序にかえて」で書いているのだが、あの瀧口でさえ「当時の画家たちにシュルレアリストとしての徹底を期待することはかなり早くに断念しなければならなかった」のである。そのため瀧口は、「この序文を書くことに心苦しさを蔽うことができない」とも書いた。

洋画が生まれてまだ数十年、表現主義やシュルレアリスムがやってきたからといって、すぐさま飛びつこうとしても無理があったということなのだ。ぼくは必ずしもそのようには見ていないけれど、総じていえば、日本のシュルレアリスム運動はヨーロピアン・アヴァンギャルドの浅薄な模倣でしかなかった。他のスタイルはともかくも、シュルレアリスムについては日本の画壇は消化もできず、また乗り越えられもしなかった。

では、北脇昇の画業や苦闘や実験は何だったのか、北脇とともに前衛絵画を描こうとした試みは何だったのか。このことが本書のライトモチーフだ。この難題をかかえて近現代史を書き抜けきった本書は、日本の前衛美術論にはきわめて稀《まれ》な好著であった。

北脇昇は明治三四年（一九〇一）の生まれだから、まさに二十世紀とともに生を受け、サンフランシスコ講和条約と日米安保が調印された昭和二六年（一九五一）年に五十歳の思索と行動にまみれた生涯をおえた。そのうちの三十年ほどのあいだ、北脇はつねに前衛に挑戦しつづけた。中村義《ぎ》一《いち》に倣って北脇をKと呼ぶことにする。

Kは名古屋の生まれだが、活動の大半は京都を舞台にした。大正八年（一九一九）に京都の鹿子木孟郎《かのこぎたけしろう》の洋画塾に入って、昭和五年（一九三〇）に津田青楓《せいふう》塾に入った。それが二九歳のときだ。プロレタリア美術が全盛に向かおうとしていた。ナップ（全日本無産者芸術連盟）が昭和三年に結成されたばかりだった。鹿子木はパリでジャン＝ポール・ローランスに師事した画家で、のちに関西美術院院長になっている。

津田のほうは、四條派の升川友広《ますかわ》に手ほどきをうけ谷口香嶠《こうきょう》の門に入った日本画家である。その後、明治四十年に安井曾太郎《そうたろう》とフランスに渡ってアカデミー・ジュリアンで三年をすごした。その津田が東山霊山《りょうぜん》に洋画塾を開いたのが大正十四年（一九二五）、翌年には機関誌「フュウザン」を創刊している。

画室を鹿ヶ谷《ししがたに》と北白川にもち、学芸委員に和辻哲郎・成瀬無極《むきょく》・黒田重太郎《じゅうたろう》を擁した。塾生には独立美術協会の今井憲一、大津田正豊・津田正周の兄弟、のちにKと美術文化協会のメンバーとなった下郷羊雄《しもざとよしお》、陶芸の近藤悠三ら、五十名がいた。津田青楓が二科会会員だったので、塾生は全員が二科会の入選をめざした。飛ぶ鳥を落とす勢いだったといってよい。

津田はしだいにプロレタリア美術に接近していった。それが高じて、昭和八年（一九三三）には神楽坂《かぐらざか》警察署に連行され、留置された。河上肇《はじめ》の逃亡を幇助《ほうじょ》したという罪名だった。津田画塾は解散した。

こうしてKが動き出すのである。すぐに独立美術京都研究所をつくり、昭和十年（一九三五）の京都市展に対しては、静かなKにしては次のような過激な檄《げき》を飛ばすにいたっていた。「全京都美術界のヤンガーゼネレーションの鳥瞰図として期待された此の展覧会が、余りにも武陵桃源の安きにまどろむのならば、平安の都の空に防空警報も伝えようとする現実にひたすら惰眠をむさぼる京都美術界を、われわれの手で爆撃しなければならない」。

Ｋの変貌を背中から押したのは津田の挫折と、左翼文化の鋭さと、当時さかんに美学的理論活動をおこなっていた中井正一《まさかず》の影響だった。Ｋは小牧源太郎とともにしきりに下鴨《しもがも》の中井宅を訪れている。当時の中井は「委員会の論理」を標榜《ひょうぼう》して、ノイエ・ザッハリヒカイト（ドイツ発信の新即物主義）に堪能する、と集団的社会性と芸術の関係をラディカルに主張し、機械の美学を持ち出した。

中井はドイツ美学を通して「美の集団的性格」を読みとっていた。この中井理論の影響下、Ｋはしだいに人工美学に挑み、その人工的社会感覚のもとに日本性や日本人の思索をくみこむような絵画を発表しはじめた。《独活》《章表》《鳥獣曼荼羅》《変生》《最も静かなる時》などである。

いずれも寓意《ぐうい》に富んだものばかりで、その特異な傾向は《空港》（一九三七）に結晶した。不気味な蝶をおもわせる楓《かえで》の種子、植物の残骸、空中に浮遊する節穴のある木片といった象徴物を空間に配置して、飛行機と格納庫のイメージを暗示させつつ、そこに何事もおこりえないという静謐《せいひつ》を描き出そうとしている。

が、そうした絵とともに、Ｋは仲間によびかけて浦島物語を集団的に連作しようではないかという実験にもとりくんだ。数年後は小牧源太郎・吉加江清《よしがえきよし》・小石原勉《こいしはらつとむ》・原田潤とともに共同制作《鴨川風土記序説》にもとりくんだ。二〇号大のカンヴァス四枚を細いカンヴァスで挟んでつなぎ、ひとつの画面に集合しようとした試みだった。これではKが中井理論を正確にはうけとっていないと言われてもしょうがないが、中井の「委員会の論理」を仲間とともに動けばよいと曲解したふしがある。

Kの前進はとまらない。Kはつづいて「観相学」にとりくんで、横光利一《よこみつりいち》の〝四人称の設定〟とも見まごう視覚を絵画で実現しようとした。「観相学シリーズ」と銘打たれたその作品群には、《暁相》《聚落》などといった、いまこそ話題を集めてもよいとおぼしい作品がある。フンボルトの観相学《フイジオノミー》に関心をもったかどうかはわからない。

北脇昇《空港》
(1937年)

本書はこうしたKの決意とも変節ともとれる動向をつぶさに追いながら、「前衛」を喪失していった日本の美術界の行き詰まりを解きほぐしていく。とくに戦時中の美術界の混乱と左翼芸術論の行き詰まりについて

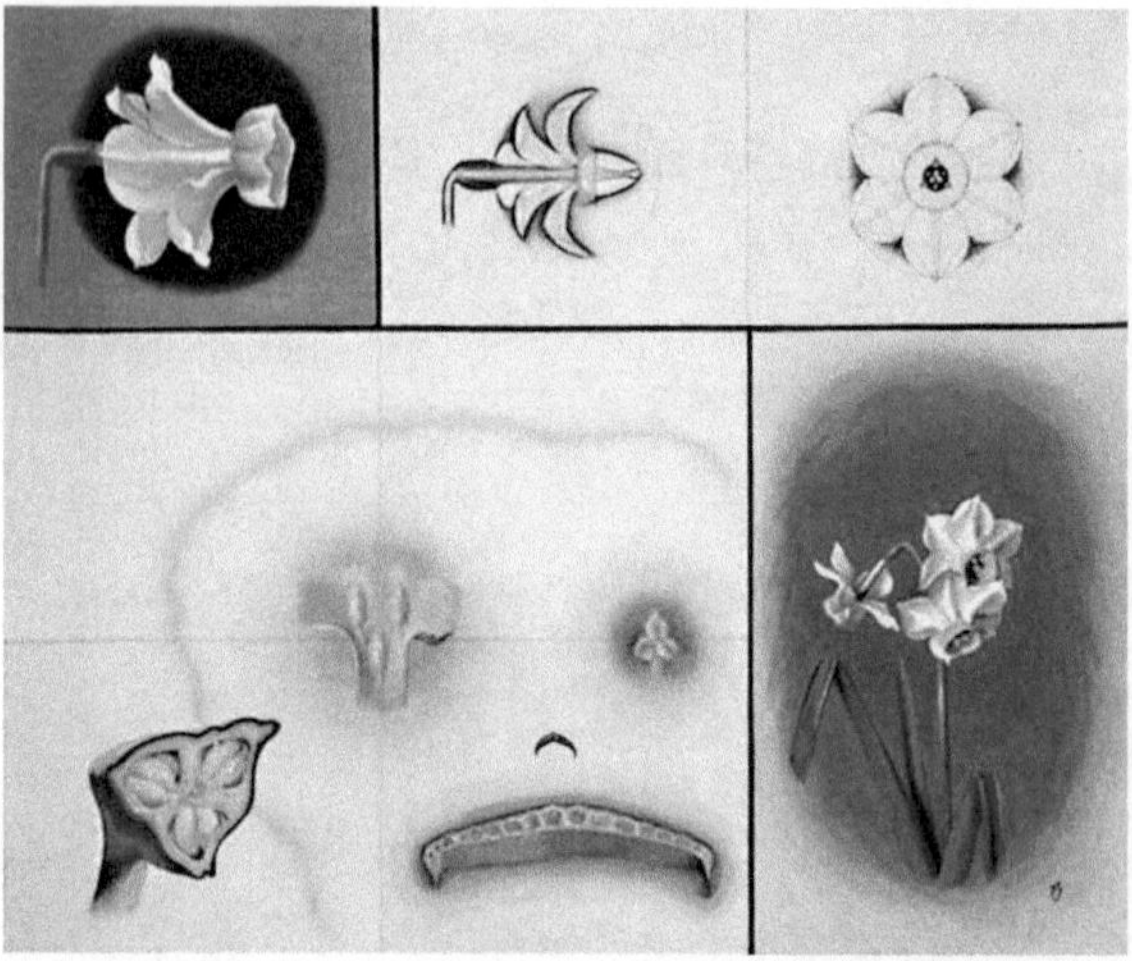
北脇昇《水仙の形態学》(1946年)

は冷静な判断をくだした。

戦後になると、Kは図式主義ともいうべき徹底した図解美術と、科学主義とでもいいたくなるほど単純な宇宙線美学のようなものに傾いていく。それをいったい絵画というのか、それをデザインとよんでいいのか、もはやどんな美術議論によっても説明がつかないものになっていく。かくて、ぼくはけっこうおもしろいとみているのだが、一般にはまったく顧みられない《秩序混乱構造》《水仙の形態学》《雪舟パラノイア図説》を発表して、もはやどんな絵画とも似つかぬ地平に一人降り立ってしまうのである。

むろんKにもKのまわりにも日本

の前衛はすっかりなくなっていた。Kはたった一人になっていた。代わって戦後の前衛美術は、ここで言い出しては煩わしいが、日本美術会主催と読売新聞社主催の二つの「日本アンデパンダン展」（無審査展）という、無名主義と自立主義を謳歌《おうか》する〝アンパン〟の噴出に託されていった。

かくしてKは後ろ姿の男と貝殻と道標だけを地平線の手前に描いたまことに暗示的な作品《クォ・ヴァディス》を残して、医師でKの友人でもあった松田道雄の介護のかいもなく、死んだのである。いったいKとは何だったのか。日本の前衛絵画はどこから来て、どこへ行こうとしたのか。中村義一は「クォ・ヴァディス」（何処へ行くのか）という問いを、ふたたび明治末期から昭和初期にひそんだ日本の前衛の黎明《れいめい》期に尋ねる。

第一〇三六夜　二〇〇五年五月十六日

参照千夜

四一三夜：『寺山修司全歌集』　一〇九三夜：周士心『八大山人』　三二〇夜：岸田劉生『美の本体』　九二九夜：村山知義『忍びの者』　六三四夜：ブルトン『ナジャ』　七八四夜：西脇順三郎『雑談の夜明け』　八三五夜：和辻哲郎『古寺巡礼』　一〇六八夜：中井正一『美学入門』

第三章　アートワールド

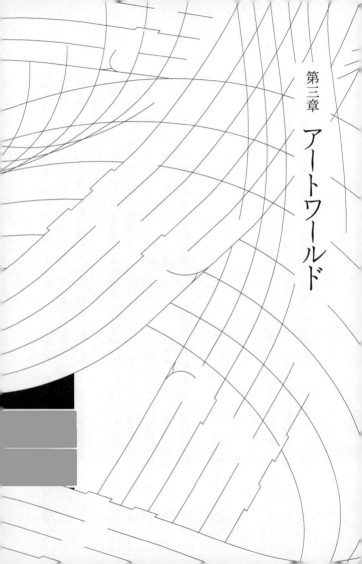

マルセル・デュシャン＆ピエール・カバンヌ『デュシャンは語る』
ロザリンド・Ｅ・クラウス『視覚的無意識』
アーサー・Ｃ・ダントー『ありふれたものの変容』
トニー・ゴドフリー『コンセプチュアル・アート』
ハイナー・シュタッヘルハウス『評伝ヨーゼフ・ボイス』
ナム・ジュン・パイク『バイ・バイ・キップリング』
菅原教夫『日本の現代美術』
坂根厳夫『拡張された次元』
杉本博司『苔のむすまで』
森村泰昌『芸術家Ｍのできるまで』
小崎哲哉『現代アートとは何か』

あらゆる外見から遠ざかること。
何も創造していないようなアートに淡々と耽《ふけ》ること。

マルセル・デュシャン&ピエール・カバンヌ
デュシャンは語る

岩佐鉄男・小林康夫訳　ちくま学芸文庫　一九九九
Pierre Cabanne: Entretiens avec Marcel Duchamp 1967

マルセル・デュシャンに対する驚きが、ぼくを十年以上にわたって支えた時期があった。デュシャンを知ってからというもの、興奮しっぱなしだった。それからいったん鎮まって、ときどき禅の公案のように起問してきた。

われわれは二つの事柄に長期にわたる興奮をする。ひとつは深くて厖大《ぼうだい》だ。たとえば宇宙、たとえばアリストテレス、たとえばダンテ、たとえばリヒャルト・ワーグナー、たとえば道元、たとえば三浦梅園《ばいえん》である。ここにはコスモロジーとシステムがある。もうひとつは暗示的で断片的なものである。たとえば叙事詩『カレワラ』、たとえば小林一茶、たとえば石川啄木、たとえば薄情な異性、たとえばエゴン・シーレ、たとえばデュシャン。ここには、「そこに何があるか」と容易に問わせないものがある。

一九一三年、ニューヨークのアーモリー・ショーに出品された《階段を降りる裸体No.2》が話題騒然となったとき、人々はデュシャンについては何もわからなかった。一九一七年に便器をさかさまにして《泉》と名付け、R《リチャード》・マットの署名をつけて出品しようとしたときも（展示が拒否された）、誰一人としてデュシャンを理解しなかった。理解しないどころか、不快に感じる者のほうが多かった。

デュシャンは「私は何もしていない」と言いつづけた。理解を求めて説明などしなかった。なぜならデュシャンはその存在そのものが深い断片にすぎず、作品そのものが公案であったからである。《泉》は美術史の「全体」に対して「部分」が署名をもって凌駕《りょうが》した最初の事件だった。これは「美術者という存在」の新たなタイプの出現だったのである。デュシャンはこう言っていた。「私はひとつのプロトタイプである。どんな世代にもひとつはそういうものがある」。

デュシャンは生涯にわたって一貫して「創造」という言葉を嫌っていた。最も美しいものは「運動」だとみなしていた。青年期に心を奪われたのは、ガス燈の光とジュール・ラフォルグの詩とアンリ・マティスと数学上の「四次元」である。

だいたいこんな程度のデュシャン像でもぼくが夢中になるのに十分だったが、そのうえぼくは多くのレディメイド作品も大ガラス作品も青年期に知ってしまったのだから、これは信奉するしかなかった。とくに大ガラス作品については、中村宏と何時間も、何日にもわたって話しこんだ。それがデュシャンを知って数日目のことだったと憶《おも》う。早稲田の二年生のころである。江古田《えごた》の中村宏のアトリエでのことだ。陽差しがいっぱい入りこんでいた。機械部品だけで作った蒸気機関車の模型が置いてあった。

白状すると、ぼくはもともとフランシス・ピカビアの信奉者であった。また、そのピカビアを投影する者が出現していないことに疑問をもっていた。デュシャンを知ったころも、その驚くべき感覚とピカビアをむすびつけて見ることはしなかった。けれども本書にもしるされているように、デュシャンは美術者としての存在自体がピカビアの射影幾何学だったのである。これで十分だ。ぼくはその後は十年にわたってデュシャンに興奮しつづけた。そして鎮まった。

デュシャンは「大衆との交流」をバカにしていたし、それ以上に「芸術家との交流」をバカにしていた。デュシャンが好きなのは、細縞薔薇《ピンストライプ・ローズ》色のシャツとハバナの葉巻とチェスである。外出も大嫌いだし、美術館や展覧会にはほとんど出かけない。

デュシャンが重視していたのは「あらゆる外見から遠ざかっていたい」ということである。レディメイドについてさえ外見の印象を拒否するもののみを選んでいる。デュシャンが嫌いなのは〝網膜的な評判〟にとらわれて社会が律せられていることなのである。ごく初期に絵画を捨てたのもそのせいだった。

　あまり指摘されていないことがある。それは、デュシャンの最も劇的な特徴は、知識を勘でしか解釈しないところにあるということだ。分析など、とんでもない。分析は絶対にしない。いやいや解釈というのもあたっていない。解釈には党派性がある。だからあくまで勘を重視した。のちのことになるが、ぼくはこの「勘釈」とでもいうやり口を「最初から略図的原型に付きあう方法」と呼ぶことになる。

　こういうデュシャンの態度は、むしろ偉大な一知半解といったほうがいい。デュシャンは一知半解しかしないのだ。これは実のところはけっこう多くのすぐれたアーティストに共通していることなのであるが、ただしデュシャンはその勘が格別に冴《さ》えていた。とくに数学的四次元に対するデュシャンの勘は、科学の目でいえばほとんどでたらめに近いものであったにもかかわらず、しかしめっぽう冴えていた。

　なぜ、こんな程度のことがデュシャンを支えられたかといえば、デュシャンは人間の生きかたを見分ける目、とくにニセモノとホンモノは見分けがつかないことを知っていた。また、他人の評判から逃れる術《すべ》に長けていた。意外に、こういうことが人生を救うものなのである。

デュシャンに関する本は意外にもあまり多くはないのだが、それでもいくつものまことしやかな本が出回っている。そういうなかでは、晩年のデュシャンがインタビューに答えている本書を読むのが最も無難だ。たとえば東野芳明《とうのよしあき》のものなど、読まないほうがいい。ぼくは「遊」第Ⅰ期に「マルセル・デュシャン解析」を連載したときも、瀧口修造邸で作業をさせてもらったのだが、できるだけ瀧口翁のデュシャン論を拝聴しないようにした。

第五七夜　二〇〇〇年五月二五日

参照千夜

二九一夜：アリストテレス『形而上学』　九一三夜：ダンテ『神曲』　一六〇〇夜：ワーグナー『ニーベルングの指輪』　九八八夜：道元『正法眼蔵』　九九三夜：三浦梅園『玄語』　七六七夜：『一茶俳句集』　一一四八夜：石川啄木『一握の砂・悲しき玩具』　七〇二夜：フランク・ウィットフォード『エゴン・シーレ』

ラスキンとデュシャンが見抜いていたこと、
アートにおける「代理形成力《サブスティテューション》」とは、何なのかということ。

ロザリンド・E・クラウス

視覚的無意識

谷川渥・小西信之訳　月曜社　二〇一九
Rosalind E. Krauss: The Optical Unconscious 1993

デュシャンには「公衆」とかかわりをもつにはどうしたらいいかという策略を、むっつり助平のように練りあげるダンディズムがあった。フェティシズムかもしれない。たとえば、こういうふうに。日用雑貨をアートギャラリーにもちこむ、チェスに耽る、性的な出来事を匂わせる、モナ・リザで遊ぶ、あえて難解な概念を提示する、何食わぬ顔をする、作品に図解番号をつける、油彩画からは遠のいて別の支持体を選ぶ、友人をたいせつにする、数学を敬う……云々かんぬん。

いろいろ思いついたが、デュシャンはこれらをおおむね実行にうつすべく計画し(少しデッサンして、いろいろメモも書いて)、そのどこかの切り口をアートにするための入念な制作プロセスを日々の生活の一部にとりこんだ。

作戦はうまくいった。美術界はまんまとひっかかった。あまりの人を欺く作戦に、誰も作品の質など問いはしなかった。ほんとうはマチエールの細部にアートが収差していたのだが（ぼくはそこが好きだったのだが）、批評家たちはそれらがまったく新しい「アートの提示」であることばかりを指摘した。追随者がゴマンとあらわれた。ポップアートやコンセプチャル・アートが市場を確立した。

それから半世紀近くがすぎるうちに、この策略はデュシャンだけが組み上げたものではないことがわかってきた。当時のデュシャンのまわりのいろいろな事情やエピソードも調べ尽くされた。こうして、デュシャンの前後事情入りの現代思想装置のしくみを書きたくなった連中がいろいろ出てきた。そういうなかにジャン＝フランソワ・リオタールやロザリンド・クラウスがいた。

本書は、じっと海を眺める幼児のころのジョン・ラスキンの描写から始まる。これはうまかった。ラスキンには「世界の観察」ではなくて「世界からの観照的抽象」という見方があるのだが、その世界の見方に関するリバースモードを、クラウスは本書の冒頭に仕込むことができた。

タイトルの『視覚的無意識』はヴァルター・ベンヤミンからの転用である。ベンヤミンはこの用語を『写真小史』（『ベンヤミン・コレクション1：近代の意味』ちくま学芸文庫）でエドワード・マイブリッジやエティエンヌ＝ジュール・マレーの連続写真群を前にしながら使っている。この二人は特殊なリヴォルヴァー・カメラ（写真銃）を工夫して、走る馬や人体を連続的に断続させる写真帖を発表した。これでクールベの馬がまちがった脚の上げ方をしていたことがバレたのだが、ベンヤミンにはそんなことはどうでもよくて、この連続写真が視覚的無意識をもたらすことに気がついた。

ふつうには無意識は脳の中にひそんでいるものだとみなされているが、何かをずっと見ていると無意識状態っぽくなるときがある。海を見ている幼児のラスキンだけではなく、われわれも窓外をじいっと見ていたり、車窓をずうっと見ていたりすると、そんなふうになる。ベンヤミンはそこを逃さない。「目の身体」がもたらしたカーナル（肉体的）な無意識が視像や写像や映像とともにおこることを指摘した。歩行者や移動者のパサージュがもたらした無意識でもあった。

ついでながら付け加えておくと、ベンヤミンは複製力をもつカメラの役割に注目し、それが個人の力を拡張する「義肢」であるとも指摘した。

そういう視覚的無意識がアートを見ていてもおこるし、アーティストもすでにそういう視覚的無意識をもつようになっていると、クラウスは想定したのだったろう。とくに斬新な切り口ではないが、クラウスらしかった。

クラウスはハーバードで美術史にとりくみ、コロンビア大学で教えた。『オリジナリティと反復』（リブロポート→改訳版『アヴァンギャルドのオリジナリティ』月曜社）、『ピカソ論』（青土社）、イヴ＝アラン・ボワとの共著『アンフォルム：無形なものの事典』（月曜社）、『独身者たち』（平凡社）というふうに次々に著書を出して、ハーバード時代の師クレメント・グリーンバーグのモダニズム美術論（フォーマリズム）から離れて、ポストモダン派の旗手ともくされるようになった。

ただ、そうした著書はデビュー作のリキからするとだんだんわかりやすいまとまりを示すようにもなっていた。それが本書ではリキを取り戻して、彼女の趣味のよい知的本領を発揮した。

第二章は、マックス・エルンストのコラージュ作品『百頭女』を材料にして、ダダやキュビズムやシュルレアリスムとの絡みのなかでツァラ、エルンスト、ブルトン、エリュアール、ブラックらの見方の重なりと違いが浮き出てくるようになっている。

クラウスはそれをいったんテオドール・アドルノの『百頭女』についての解釈を通してスケッチすると、ついではエルンストのコラージュのアイディアには、もともとアポリネールが「カタログのもたらすインスピレーション」に着目したところに始まり、ブルトンがその行為は「レディメイド」（既成品）の活用なんだよと言っていたことなどを紹介しながら、話がリバースしていくように仕向ける。

エルンスト自身はコラージュを「オーバーペインティング」と呼んでいた。当時のアーティストたちは既存のカタログやチラシやポスターや看板を引き出してきて、そこに何かをオーバーペインティング（上塗り）するおもしろさを遊んでいたのだった。

これは遊びでもあるが、それがやがて《エナメルで塗られたアポリネール》を持ち出すまでもなく、デュシャンとウォーホルによって現代美術の大潮流になるのだから、遊びだけではなかった。そこにはリクツで説明できるアートの仕組みがあるはずだと、クラウスはここでよせばいいのにラカンの鏡像過程論を援用する。これはもったいない勇み足だった。

第三章はいよいよデュシャンをどう説明するかというところだが、クラウスは横丁から攻めた。デュシャンは一九二〇年代のはじめから「精密検眼士」という名刺を持ち歩いていて、ときどきその名刺で発明フェアのブースを開いてヴィジュアル・レコードを売っていた。ヴィジュアル・レコードというのは、レコード盤の表面にぐるぐる目のまわるようなロトレリーフを施したものだ。

クラウスは、これは錯視をおもしろがるためではなく、視覚的無意識を合法化するためのマシーナリーな装置というものにデュシャンがかなり執着していたせいだろうと考える。

これについてはリオタールによる大ガラス作品や遺作の分析のなかでも、デュシャンにはニューロ＝オプティカルな（神経－光学的な）な関心が異様に蟠《わだかま》っているという指摘があった。ぼくはオブセッションやフェチでもあろうとみなしているが、それはともかく、デュシャンは二十世紀のアートはタブロー主義から脱出して、新たな視覚装置になったほうがいいとの決意をかためていたのである。

かつて、印象派の描法は網膜主義であろうというふうにみなされていた。かれらは絵の具をパレットの上で混ぜて目的の色をつくるのではなく、絵筆につけたそれぞれの絵の具を次から次へと外光の中のカンバスにまるで色覚検査表のようにくっつけて描いた。黄色の絵筆の点、橙《だいだい》色の絵筆の点、白濁色の絵筆の点は、パレットの上ではなく、それらの点が混在したカンバスを見る画家と鑑賞者の網膜の上で混ざるのだ。あまりいい説明ではないが、近代美術史はこれを網膜主義とか筆触分割とか色彩分割とか名付けてきた。

これはヘルムホルツのアソシエーショニズム（知覚連合主義）、サルトルの無意識的想像力理論、リチャード・ローティによる「認識はカメラ・オブスクラのように対象とのあいだで拡張される」という見方などとして、そのまま受け継がれる可能性があった。実際にもジョナサン・クレーリーは『観察者の系譜』（以文社）では、そうした解釈の可能性を跡付けた。

　それなら、パレットも絵筆もカンバスも捨てたデュシャンはどうしたか。カンバスにも頼らないし、網膜にも頼らない。仮に知覚連合主義くらいは踏襲したとしても、視覚的な出来事が独自の表示装置でおこるようにしたのではないかと、リオタールは見た。この表示装置はリオタールが考えるデュシャン独特の芸術的感光面だった。


　リオタールの仮説は「ロトレリーフ」や「大ガラス作品」を説明するにはまあまあ悪くなかったが、しかしクラウスは納得しきれない。デュシャンの奥に迫っていない。リオタールも満足していなさそうだ。

　それというのも二人にとってはとくに気になることがあった。デュシャンには、その表示装置を見る者の網膜でも脳内でもなく、もっとリビドーに向かって、いわば膣《ちつ》や男根や肛門にそのままはたらきかけるようにしたいと思っていたふしがあったからだ。

　こうしてクラウスは、第四章では一転してルロワ＝グーランやジョルジュ・バタイユやロジェ・カイヨワを持ち出してくる。デュシャンの試みは、バタイユの言うエテロモルフ（異質混淆性《こんこう》）に向けて発射されていて、それがルロワ＝グーランの言う「洞窟の中での輪郭の発現」のように作動し、カイヨワの言う「擬態のように変容をおこすもの」であるように思えたのである。

アートの歴史は偶然も必然も、判然も当然も追ってきた。アートはその営みの当初からして「全然アート」なのである。

光、天体、暗闇、線描、洞窟、壁、タブロー、トロンプ・ルイユ、水墨、油彩、肖像性、分身、風景、自然、地形、建物、形態、デッサン、彫塑、カメラ・オブスクラ、カンバス、地図、劇場、照明、衣裳、写真、幻灯機、絵巻、影、図形、幾何学、遠近法、オークション、展覧会、神仏、モデル、祈り、祭壇、ミソグラム（神話記号）、アニマ、イメージ、フェティッシュ、疾病、エロス……。これらはみんながみんな「全然アート」の仲間たちである。

これらの組み合わせがなんらかの美術作品になっていくとき、そこには何か別様の仕立てがはたらいてきた。何かの代理力や代用力がはたらいてきた。そこにはおそらくサブスティテューション（substitution）がおこっていたのである。代理形成がおこっているはずなのだ。キリスト像はキリストそのものではなく、ゴッホのひまわりはひまわりではなく、北斎の富士は富士山ではなく、ピカソの《ゲルニカ》は戦争ではない。それらはサブスティテューションだった。

サブスティテューション（代理形成力）こそが表象力であると思想的に気が付いたのは、最も早期にはやっぱりジョン・ラスキンであったろう。二十世紀ではルロワ＝グーランやバタイユやカイヨワで、少し遅れてロラン・バルトやジャック・デリダがその説明に腐心した。

けれども実作者なら、レオナルドもターナーも、ドラクロワもピカソもジャコメッティも、アート表現がことごとくサブスティテューションであることなんて、もちろん気が付いていた。

そうした一人としてクラウスが第四章で特筆したのがハンス・ベルメールだ。本書では一九三七年の《恩寵の状態にある女性砲手機械》を筆頭に、数々の《人形》の図版とその意図が紹介されている。ベルメールのそれらの作品はバタイユやカイヨワが代理形成力としてこだわった「写しと分身」の象徴ともいうべきもので、あらためてアートの本質としてのサブスティテューションが全容として引き込まれて組み上がっていることを訴えてくる。

クラウスは、ベルメールの作品が引き起こす「プレイ／ミスプレイ」という二重の作用が、従来のアート作品に勝る「写しと分身」を訴求していることに驚嘆する。「プレイ／ミスプレイ」とはバルトがバタイユの「足の指」思索から読み取ったダブルスイッチのことで、われわれが何をするときでもお世話になっている二重思考のことである。

この「プレイ／ミスプレイ」のダブルスイッチをもともと保有してきたのが、アートであり、そのアートが「全然アート」であったゆえんなのである。このへんの指摘と言及は本書の白眉《はくび》であった。

第五章は主にピカソと友人のエレーヌ・パルムランが扱われるが、とくに説明することはない。エルンスト～デュシャン～ベルメールのサブスティテューションがみんなごちゃまぜになってピカソ化していることが確認できる。

こうして最終第六章では、ジャクソン・ポロックの革命的なドリップアート群を通して、クラウスが最も大事にしてきたチャールズ・パースの「アブダクション」(abduction)の考え方が適用されて、視覚的無意識にはアブダクションがはたらいていて、そう見ることが、サイ・トゥオンブリーの《パノラマ》や《イタリア人》を、エヴァ・ヘスの《すぐあとに》の作品意図を、存分に納得させることになるのだと結ばれる。

本書は読みやすい本ではないが、よくよく配慮されて書かれているし、最初にも述べたように久々にリキも入っているのだが、ラスキンとエルンストとデュシャンを相手にしての大立ち回りなので、そのリキが火花のようにスパークしすぎて、次の文脈とつながらないところも多々あった。また、いまだポストモダン派の旗手としてのリクツにこだわるところも気になった。

それでも、本書はぜひとも読まれたほうがいい。とくに「近代」というものに犯されたわれわれの思想感覚やアート感覚に「皴《ひび》」を入れるにはうってつけの侠気《きょうき》が充ちていた。そう、本書はとてもお俠《キャン》なアート批評なのである。

第一七七八夜　二〇二一年七月二九日

参照千夜

五七夜：マルセル・デュシャン&ピエール・カバンヌ『デュシャンは語る』　一〇四五夜：ジョン・ラスキン『近代画家論』　一五九夜：ジャン＝フランソワ・リオタール『こどもたちに語るポストモダン』　九〇八夜：ベンヤミン『パサージュ論』　一二四六夜：エルンスト『百頭女』　八五一夜：ツァラ『ダダ宣言』　六三四夜：ブルトン『ナジャ』　一二五七夜：テオドール・アドルノ『ミニマ・モラリア』　一一二二夜：ウォーホル『ぼくの哲学』　八六〇夜：サルトル『方法の問題』　一三五〇夜：リチャード・ローティ『偶然性・アイロニー・連帯』　三八一夜：ルロワ＝グーラン『身ぶりと言葉』　一四五夜：バタイユ『マダム・エドワルダ』　八九九夜：カイヨワ『斜線』　一六五〇夜：マリ＝ロール・ベルナダック&ポール・デュ・ブーシェ『ピカソ』　七一四夜：ロラン・バルト『テクストの快楽』　二五夜：『レオナルド・ダ・ヴィンチの手記』　一二二一夜：ジャック・リンゼー『ターナー』　五〇〇夜：ジャコメッティ『エクリ』　一一八二夜：『パース著作集』

アートワールドは、どんな
デウス・エクス・マキナ（機械仕掛けの神）を用意したのか。

アーサー・C・ダントー

ありふれたものの変容

芸術の哲学

慶應義塾大学出版会　二〇一七
Arthur Coleman Danto: The Transfiguration of the Commonplace—A Philosophy of Art 1981

松岡さん、最近の現代アートってどう思いますか。この三十年ほど、一〇〇回とは言わないけれど、五〇回くらいそう訊かれてきた。うん、いつのまにかギャラリーを覗きに行かなくなったかな（九〇年代）。うーん、イマイチだね、海外の作品も似たようなもんだ（二一世紀はじめ）。写真やファッションや音楽シーンのほうがおもしろいかな（二〇一〇年代）。そのつど曖昧《あいまい》な返事しかできなかった。

日本の最近のアーティストはどうですか。そうも、よく尋問される。大竹伸朗《しんろう》も会田《あいだ》誠もおもしろいよ。山口晃なんて仕事場に飾りたい。束芋《たばいも》やチンポム（Chim↑Pom）にはもっと逸脱してほしいけどね。みんな小ぎれいになっているね。ただし、それって文学もラップも映画も同じだよ。なんだかみんながみんな対面しないといられなくなっている。孤立がはやらないんだろうね。SNSしたいだけなんじゃない？　じゃあ、松岡さんは結局、誰が好きなんですか（すぐ、こういうふうに回答をほしがる）。そうだなあ、ぼくはフランシス・ベイコンで停まっているかな。

美術館やギャラリーで見る作品はなぜ「アート」なのか。あるいは何であれ作品っぽいものが美術館やギャラリーに展示されると、それはすぐさま「アート」になりすますのか。なんとも承服しがたいものがあると訝《いぶか》った者は数知れない。

ところがアートとは何かという疑問は、意外にも容易に答えられてこなかったのである。ヨーロッパの美術史をケネス・クラークやパノフスキーやワイリー・サイファーが相手にしているうちはよかったのだが、アメリカでポップアートが爆発してから、困った。そこでジョージ・ディッキーやアーサー・ダントーがこの疑念に正面から向かい、それは「アートワールド」が社会的もしくは制度的に機能しているからだと答えた。アートは宙ぶらりんだが、アートワールドは資本主義市場のように成長してきたというのだ。その理由をまとめると、次のようなことを承認するアートワールドが「アートを支えている」ということになる。

①その作品には最低でも一つのテーマがあるらしい。②そこにはある態度とある観点を投影させたスタイルがある。③たいていレトリカルな強調と写実の省略がなされているので、鑑賞者はなんらかの欠如を補おうとする、ないしはそういうふうに促される。④その作品はおっつけ美術史のコンテクストの中に位置づけられるか、その位置づけを要求する。⑤販売価格がつく。またその価格が上昇し、まれに下降する。⑥アート作品を展示したり、売買したりする業界と制度とができあがっている。⑦美術批評という領域がある。⑧エクステリアあるいはインテリアを飾るものとみなしている。⑨大学に美術習得課程が用意されている。⑩大小多様な美術館とギャラリーがある。

これを要するに、世界中にはすでにアートワールドが環境インフラのごとくにできていて、それが大量のアート作品をめぐるさまざまなネットワークで支えられてきたというのだ。さまざまなネットワークの中には、アーティストを中心に画材屋、学校、美術館、メディアなどとともに、いわゆる3Cなどが入る。コレクター、クリティック、キュレーターだ。これらが総じてアートワールドをつくってきた。

こんな取り澄ましたような、木で鼻をくくったような、つまりは何ひとつ感動もない回答だから、さてそう言われたところで、これでアートについての疑問が解けたと思う者はあまりいない。けれどもこの理解の枠組を外そうとすると、たちまちアートの説明は崩れ落ちてしまうのだ。そのためダントーの魅力に乏しい言い分をみんなが大事にしてきた。

長らくコロンビア大学で哲学と美学を教えていたダントーが「アートの終焉《しゅうえん》」を告示したのは、レーガンが再選された一九八四年だった。いまは『アートとは何か』（人文書院）に収録されている。ヘーゲルやコジェーヴやヴィトゲンシュタインを借りながら、もはやアートはポスト・ヒストリカル（脱－歴史的）な時点に突入していて、大半が「何でもあり」（anything goes）に向かっている。それまで試みられてきたアートの意義を費《つか》い尽くしたからだろうと宣言した。

この宣言にもとづいて綴《つづ》られた『アートとは何か』では、ダントーはデュシャンの《階段を降りる裸体 No.2》と数々のレディメイド、ラウシェンバーグの《コンバイン》、ケージの《4分33秒》、ウォーホルの《ブリロ・ボックス》などを分析して、何かから何かを区別してそれをアートだと呼ぶ理由がすっかり摩滅しつつあることを証《あか》し、多くのアートが「類比」（analogy）の世界像だけで充ちていくことになったと結論づけた。

アートはいつのまに終焉したのだろうか。二〇〇四年、ターナー賞の発表に先立ってイギリスのアーティスト、キュレーター、ギャラリスト、批評家たち五〇〇人に対するアンケートがおこなわれた。「二十世紀において最も強い影響力をもった作品は何だったか」という問いだ。

第1位＝デュシャン《泉》、第2位＝ピカソ《アヴィニヨンの娘》、第3位＝ウォーホル《マリリン・ディプティック》、第4位＝ピカソ《ゲルニカ》、第5位＝マティス《赤いアトリエ》。

ほうほう、ほう。何をか言わんや。これでは「アートが終焉した」と言うのも宜《むべ》なるかな。マティスからウォーホルのあいだで、アートは大きなピリオドを打ったのだ。「大きな物語」を喪《うしな》ったのだ。

本書『ありふれたものの変容』は「アートの終焉」宣言後のダントーの思索をあらかたまとめたもので、『芸術の終焉のあと』(三元社)とともに、ダントーの主著になった。一言でいえば、アートにひそむアナロジカル・シンキングを追っている。

ほんとうはアートがアナロジー化したのではなく、古代中世からアナロジカル・シンキングの中にアートが育《はぐく》まれてきたのだが(ぼくは最初からそうみなしてきたが)、ダントーは現代アートがとりわけ「類比」に吸い込まれていったと見ている。文学や美術の批評理論を歴史的に打ち立てたいと思ってきた本格美学派のダントーがそうなるのは、まあ当然だ。とくにいちゃもんをつけたいとは思わない。こういう融通のきかないキマジメな批評があってもいい。

ぼく自身、原著が一九六五年に書かれた『物語としての歴史』（翻訳一九八九・国文社）にはいろいろ共感するところも多く、基本的には退屈なダントーの容認派なのである。だからむしろ現代アーティストがダントーのアナロジカル・シンキングにもっと親しめばいいと思ってきたが、実際にはみんな面倒くさがって東野芳明や中原佑介のあとの美術批評家たちはダントーなど読んではこなかったように想う（ダントーだけでなく、グリーンバーグもボリス・グロイスもロザリンド・クラウスも）。だからダントーの評価については、たとえば小《お》崎《ざき》哲哉の『現代アートとは何か』（河出書房新社）などを読まれるといい。小崎の本はよく書けている。

それはそれとして、なぜにまたいまさら現代アートは「類比」に飲み込まれていったのか。これについても、いろいろ質問されてきた。

松岡さん、現代アートは何に似ていると思いますか。人間とか社会ですか、戦争ですか、テロですか。

いや、商品に似ているね。へえーっ、どんな商品ですか。いろんな商品に似ているね。プラントにもコモディティにもガリガリ君にも似ているよ。工場制作されるからですか、売れるからですか。そうじゃない、欲望と喪失しか相手にしなくなったからだ。えっ、それって現代アートの基本コンセプトですよね。だから言ってるだろ、商品と同じなんだよ。現代アートは「ありふれたもの」に似ているんだよ。

芸術が現実を模倣してきたことはプラトンが指摘し、芸術が自然を模倣してきたことはアリストテレスが喝破した。それをくるりと逆転させたのは皮肉屋オスカー・ワイルドで、「自然や現実が芸術を模倣する」とみなした。

プラトンもワイルドも両方当たっているけれど、だからといって、自然と現実と芸術とが相互模倣関係にあるのではない。そんな相互関係はない。そもそも牛肉は模造豚肉ではないし、男性は模造女性ではない。地図は模写ではあっても土地の模造ではなく、国家は人民の活動の模倣ではない。模倣や模造が成立するのは、そこに先行するモデルがあって、そのイミテートされた「もの」に対する「認知」(＝知覚)と「表現」(＝技能)が介在するからだ。

なぜ認知や表現が介在すると模倣や模造が生まれるのかといえば、すなわち、なぜアナロジーが発動するのかといえば、もともと「もの」は生成消滅するはずなのに、西洋ではイデアは変化を受けないと考えられてきたので、そのかわりに「例」を見せようとしてきたからだった。

この「例」は「例示」をともなう。例示は教派によって、地域によって、民族言語によって、職業によって、時代によって、風俗によって異なった。そういう例示の行為の多様化は、模倣がもたらすメッセージをさまざまに分化させ、やがて多くのアートになっていった。イメージがしだいに変容していったのだ。

この変容を促したしくみを「ミメーシス」（mimesis）という。文学と芸術の創作技法としてのミメーシスだ。ミメーシスがアートをつくり、錯覚や錯誤や仮想性をふんだんにふやしていったのである。しかし、それは模倣を内包しているものだったので、アートはその当初においてアンビバレントな葛藤や矛盾を孕《はら》むことになったのだ。ダントーはそれを「エウリピデスのディレンマ」と名付けた。なかなかうまい言い方だった。

エウリピデスには『メディア』『アンドロマケー』『トロイアの女』『エレクトラ』『バッコスの信女』などの代表作がある。いずれも傑作で、トロイア戦争後の男と女の悲劇がドラマ化されている。

すべてが葛藤と矛盾に苛《さいな》まれる物語だ。そこには主人公たちの命にかかわるアンビバレントがある。エウリピデスはそのアンビバレントを説明するために、とっておきのターミネーターを用意した。劇中にデウス・エクス・マキナ（deus ex machina）を登場させたのだ。デウス・エクス・マキナはしばしば「機械仕掛けの神」と訳されるけれど、実際には演出技法の黒幕のことだ。ドラマの内容や進行が縺《もつ》れた糸のように進捗困難になったとき、突如としてデウス・エクス・マキナがあらわれて混乱した状況に快刀乱麻よろしくふるまうのである。これで物語が一挙に進む。

しかし、デウス・エクス・マキナの作用は観客や読者からするとアンビバレントな本体に入ってはいけないという思いにさせられる。解読がデウス・エクス・マキナ（演出力）に独占されてしまうからだ。けれどもエウリピデスはそうせざるをえなかった。ニーチェの『悲劇の誕生』はさすがにそこを指摘した。

これが「エウリピデスのディレンマ」である。このディレンマを逆手にとっていく方法もある。たとえば鈴木忠志《ただし》の早稲田小劇場やSCOTの舞台では、エウリピデスの『トロイアの女』や『バッコスの信女』（ディオニュソス）などの台詞を役者の日常行為（タクアンを食べる、電球を取り替える）で引き裂くことで、あえてディレンマの両義性を「外」に示したのである。

アートによってもその両義的な引き裂きが可能であることを示したのが、デュシャンやウォーホルだった。便器を選んだデュシャンやキャンベルの缶詰をシルクスクリーンにしたウォーホルはミメーシスの本来をかなり知っていたし（自分の気質ごと）、どうすれば「エウリピデスのディレンマ」を見る者たちの受容性に渡せるかということを、演出術のように知っていた。

こうして二人はターミネーターとしてのデウス・エクス・マキナになりえたのだが、とはいえこれを踏襲したポップ・アーティストやコンセプチュアル・アーティストの多くは、神にも快刀乱麻者にもなりそこねたのである。そこに「アートの終焉」があったと、ダントーは言いたかったのだ。

以上のような話を横浜に集まったギャラリストやアーティストにしたことがある。もう二十年以上も前のことだ。たちまち反論めいた質問が、二、三、とんできた。そうすると、松岡さんは模倣やミメーシスがアートの本質だと言うのですか。アーティストはそんなことばかりしてないですよ。

ぼくは応じた。そうかな？　アーティストだけじゃない、みんながしていることの大半がミメーシスでアナロジカル・シンキングなんだよ。そしてたいていの表現は古来メタフォリカルなんだよ。みんな表象、表象と言うけれど、表象はサブスティテューション（代理形成力）のことなんだよ。ただし、そのプロセスを隠したり、言わないようにしているだけだ。フランシス・ベイコンはそれを隠さなかったけれどね。

ベイコンだけですか。ぼくは素直に答えた。そんなことはないさ。ジャコメッティもそうしたし、そういうことを隠すべきじゃないと最初に言ったのはターナーを擁護したジョン・ラスキンや「美の本体」（美体）を求めた岸田劉生でしょう。二一世紀アートをラスキンや劉生からやりなおすっていうのは、どう？

若いキュレーターが口をとがらせた。それはアナクロですよ、ありえません。ぼくは言った。そう？　いまや最も尖端《せんたん》に立ちうるのはラディカル・アナクロニズムか、サブカル・アナキズムか、あるいはバッド・フェミニズムじゃないの？

第一七五三夜　二〇二〇年十月八日

参照千夜

一七八一夜：デイヴィッド・シルヴェスター『回想　フランシス・ベイコン』　九二八夜：パノフスキー『イコノロジー研究』　一七〇八夜：ヘーゲル『精神現象学』　八三三夜：ヴィトゲンシュタイン『論理哲学論考』　五七夜：マルセル・デュシャン＆ピエール・カバンヌ『デュシャンは語る』　一一二二夜：ウォーホル『ぼくの哲学』　一七七八夜：ロザリンド・E・クラウス『視覚的無意識』　一七八三夜：小崎哲哉『現代アートとは何か』　一六五〇夜：マリ＝ロール・ベルナダック＆ポール・デュ・ブーシェ『ピカソ』　七九九夜：プラトン『国家』　二九一夜：アリストテレス『形而上学』　四〇夜：オスカー・ワイルド『ドリアン・グレイの肖像』　一〇二三夜：ニーチェ『ツァラトストラかく語りき』　五〇〇夜：ジャコメッティ『エクリ』　一〇四五夜：ジョン・ラスキン『近代画家論』　三二〇夜：岸田劉生『美の本体』

美術史の「外」に出る？
「偶然」にゆだねるか、「概念」を変更させるだけなんだ。

トニー・ゴドフリー
コンセプチュアル・アート

木幡和枝訳　岩波書店　二〇〇一
Tony Godfrey: Conceptual Art 1998

コンセプチュアル・アートはデュシャンの《泉》ではなくて、レンブラントの《聖家族とカーテン》（一六四六）に始まっていた。のみならず、マネの《フォリー＝ベルジェールのバー》（一八八二）もマラルメの『骰子《とうし》一擲《いってき》』（一八九七）もコンセプチュアル・アートだった。いや、芸術がつねに概念《コンセプト》であるとするのなら、コンセプチュアル・アートはキリスト教美術やルネサンスの開闢《かいびゃく》とともに始まっていた。

一九六七年にソル・ルウィットが『コンセプチュアル・アートに関するパラグラフ』で、また一九六九年にジョセフ・コスースが「哲学のあとの芸術」でコンセプチュアル・アートの定義を初めてしようとしたことに従うなら、その前哨戦《ぜんしょうせん》はさかのぼってもキュビズムまでということになる。

ピカソが《籐椅子と静物》（一九一二）でプリントのオイルクロスをそのまま貼って、JOUという文字を描きこんだとき、次の四点においてコンセプチュアル・アートが萌芽したのだ。すなわち、①レディメイドの先触れとして日常のイメージや事物を導入した、②認識論つまり表象と、われわれが何を知っているかという問題に公然ととりくんだ、③見る者の期待を裏切ろうとしている、④街のなかの生活と密室的なアトリエとの融合をはかった。

あとはデュシャンの二人の兄貴がキュビズムの申し子だったことを付け加えればいいだろう。むろんデュシャンもブラックらとともにキュビズムの絵を描くことからアーティストとしての出発をした。

そのデュシャンが《階段を降りる裸体 No. 2》（一九一二）をアンデパンダン展に出品したとき、審査委員会が「裸体はけっして階段を降りたりしない」とバカなことを言ったこと、キュビストたちすら「多少見当ちがいの作品ではないか」と言ったこと、二人の兄に「せめて題名を変えるように進言してくれ」と言ったキュビストがいたことがデュシャンを呆《あき》れさせた。デュシャンは何も変更せずに作品を撤去し、二度と絵を描かなくなった。それがデュシャンに「レディメイド」を発想させた。

デュシャンが次にしたことまで話しておけば、もういいだろう。デュシャンは、便器をさかさまにして〝R・マット〟と署名した作品《泉》が展示拒否にあったとき、アルフレッド・スティーグリッツの２９１画廊にその作品を運んだのである。のちにジョージア・オキーフの旦那となった写真家のスティーグリッツが、それをマースデン・ハートリーの《戦士》というタブローを背景にパシャリと撮った。デュシャンはそれで何かを完成させたという矜持をもって美術界から去ることを決意した。

　こんなことはカジミール・マレーヴィチが一九一三年に黒の正方形をカンバスに描いたときに、みんなが気づくべきことだった。あるいはアレクサンドル・ロトチェンコが一九二一年に純粋な絵の具の色を塗っただけの三部作を発表したとき、みんなが悟るべきことだった。あとはダダが何をしたかということ、シュルレアリスムがどれほど勝手なことをしたかということを、思い出せばいい。

デュシャン《階段を降りる裸体 No.2》(1912年)

そこで本書の話は、戦後にとぶ。レトリストのイジドール・イズーや舞踊家のマース・カニングハムやジョン・ケージが「偶然性」に着目したところから再開する。

これらはダダとシュルレアリスムのアメリカ的な再現だったからだ。ただし、ひとつだけ新たな意図が加わっていた。イヴ・クラインやネオ・ダダやダニエル・スポエリやヌーヴォー・レアリストやギー・ドゥボールがしたことは、新たな反復芸術への挑戦だったのだ。ここにコンセプチュアル・アートの終生にわたる問題が噴き出た。デュシャンがレディメイドを十数点しか作らなかったのに対して、コンセプチュアル・アートの前哨戦を担った連中は「過度の反復」と、いまならさしずめユビキタスなと言いたいところだが、だれでもどこでもいつでも作れるアート活動をめざしてしまったのだ。よせばいいのにそんなことに「退屈なよろこび」と「説明できない哲学」を見いだしてしまったのだ。デュシャンは芸術にそっぽを向いたのに、新たな運動主義者たちは芸術を生み出そうとしたのだ。

こうしてあの六〇年代が始まった。R・D・レインの言い草を借りるなら「ニセ自己」のアートが怒濤《どとう》のように、そして意味でも無意味でもないものを求めて、美術界を席巻しはじめた。

その象徴はエドワード・キーンホルツの「概念タブロー」の提出（一九六三）と、アンディ・ウォーホルのフィルム《エンパイア》（一九六四）に端的である。ケネディ暗殺事件と一緒に、とおぼえておくといい。それにくらべれば、クレス・オルデンバーグの仕事など面倒くさくて、かつ他愛ない。

その面倒くささを取り除いたのが、カール・アンドレやドナルド・ジャッドのミニマル・アートだった。アメリカではしばしば「コンセプチュアル・アートはミニマル・アートから分娩《ぶんべん》された」というのだが、それはこのあたりの事情をさす。のちにダン・グレアムがこの事情を、ちょっとヨーロッパ型にひねって、ミニマル・アートは幻滅を味わった実存主義に近いと言い、ベケットやサルトルのアート化の進捗があったと指摘した。まあ、どちらでもいいだろう。もはや美術観念のマスターベーションは止まらなくなったのだ。

六〇年代後半は米ソ対立とベトナム戦争があやしくなるにつれ、世界中で同じ症状による発病が蔓延《まんえん》することになる。急性環境反応病、信頼性崩壊前兆病、発話婉曲語法《ユーフェミズム》病、言語戦争病、略号普遍化病である。アーティストは「物質から脱する」か、「自然を加工しつづける」か、それとも「観念で勝負をする」か、選択を迫られた。けれども結局は、これらをごっちゃに表現することになったのだ。

いまでもこの病気は治っていない。ただしアートだけではなく、このスタイルはどの社会の、どの世代の、どの生活にも蔓延した。

ここまで書いたことは著者のトニー・ゴドフリーが〝解説〟していることばかりではない。ぼくが勝手に付け加えている。それもぼくが思いついたことばかりではない。たとえば河原温《かわらおん》とずっと語りあったことにもとづいている。河原温は、ぼくが認めている数少ないコンセプチュアル・アーティストで、一九六六年一月四日からデイト・ペインティングを始めた。作品はそれが制作されたその日の日付で構成されていて、一日に三点を上回らず、深夜十二時までに完成されなかった作品は破棄される。

細部まで手のこんだ作品で、絵の具を四層か五層重ねているのだが、個人的表現のいっさいの痕跡が消去されている。唯一、その日の新聞の切り抜きが添えられるだけだ。一九七一年には過去一〇〇万年を一年ずつタイプアウトして一〇巻の書物を仕上げた。写真を撮られたことも、インタビューをうけたこともないアーティストである。ソーホーにずっと住んでいるが、ぼくも河原さんとは将棋をするか、哲学談義をするか、アメリカ批判しかしない。

もう一人、ぼくが語らってきたのはナム・ジュン・パイクであるが、パイクについては明日の夜に書くのでふれないでおく（→本書所収）。

ということで、ふたたびコンセプチュアル・アートの現代前史に戻ることにするけれど、ここに河原とパイクに匹敵する年長の一人のアーティストが登場した。ヨーゼフ・ボイスだ。

多くのコンセプチュアル・アートが英語圏でラッシュされたのに対して、ボイスはデュッセルドルフで講義と口論するだけでアートしつづけた。第二次世界大戦でナチスのドイツ空軍に編入されて、クリミアで追撃され、落下するという戦歴をもっている。

この追撃のあと、ボイスは負傷しただけではなく凍死しそうになり、現地の遊牧民に助けられた。そのとき動物の脂肪とフェルト布がボイスを治癒した。ボイスの彫刻に動物脂肪とフェルトがつかわれるのはこのせいである。その後、パイクらとともに「フルクサス」に参加してハプニングやオブジェ活動をするのだが、やがて鈍重で暗冥な作品を残してデュッセルドルフの美術学校の教師に徹していった。

一九七二年、その美術学校ですべての受講希望者をうけいれたため職を追われ、自由国際大学を創設、まさにシャーマン的な教示活動ばかりを展開するようになった。いっさいの美術活動に不協和音をもたらす者として、本書においてもほとんどボイスの活動は言及されない。しかし、この不気味な存在こそ、コンセプチュアル・アートが早々に切り結ぶべき相手だったと思われる。ボイスはドクメンタ7で《七〇〇〇本の樫の木》を植えている最中に、死んだ。いずれ千夜千冊することになるだろう（↓本書所収）。

コンセプチュアル・アートは、以上の前史を知ってか知らないでかはべつとして、ニューヨークの画商セス・ジーゲローブが企画した「一九六九年一月五—三一日」展をもって離陸する。ロバート・バリー、ダグラス・ヒュブラー、ジョセフ・コスース、ローレンス・ウェイナーの「観念」が展示された。この展示で一番重要だったのは、当然ながらカタログだった。

こうしてコンセプチュアル・アートは自分で自分の息の根をとめてしまったのである。離陸して、直後に墜落した。それから数年（あるいは十数年？）、コンセプチュアル・アートといまはよばれている季節があいかわらず続きはしたけれど……。

それでもぼくには気になる一連の動向があった。一九七三年にルーシー・リパードが「c.7500」という二六人の女性アーティストによる巡回展をしたときからのことだと思うのだが、アナ・メンディエタやハンナ・ウィルケやマーサ・ロスラーらの活動が、キュビズムやデュシャンやミニマリズムとはまったく別個の意思を発揮しはじめていたのである。フェミニズムとして括《くく》る気はない。何というのか、ジェンダーを含んだ起源に奇妙なフィードバックを駆けたのだ。

それは臨床性にも富んでいて、ハンナ・ウィルケのフェティッシュとの闘争、マーサ・ロスラーの擬似テレビ、アネット・メサジェの施術性の暴露をやってのけていた。とりわけエレナ・アルメイダの《住みつかれた絵》（一九七六）は婉曲《えんきょく》な儀式のようでいて、絵画の本来とのかかわりを告示した。
ちなみに本書には日本および日本人アーティストの動向は「具体」（吉原治良《じろう》、白髪《しらが》一雄らが五〇年代後半におこしたアート・ムーブメント）と久保田成子《しげこ》と草間彌生をのぞいて、まったくふれられていない。そんなこと話にもならないことだけれど、世界アート市場とはそういうものだ。千葉成夫の『現代美術逸脱史』（晶文社）や安斎重男・篠田達美の対談『現代美術トーク』（美術出版社）などで補われたい。

第一一〇二夜　二〇〇六年二月一日

参照千夜

五七夜：マルセル・デュシャン&ピエール・カバンヌ『デュシャンは語る』　一二五五夜：貴田庄『レンブラントと和紙』　九六六夜：マラルメ『骰子一擲』　一六五〇夜：マリ＝ロール・ベルナダック&ポール・デュ・ブーシェ『ピカソ』　一〇九六夜：ローリー・ライル『ジョージア・オキーフ』　四七一夜：カジミール・マレーヴィチ『無対象の世界』　二四五夜：R・D・レイン『レイン・わが半生』　一一二二夜：ウォーホル『ぼくの哲学』　一〇六七夜：ベケット『ゴドーを待ちながら』　八六〇夜：サルトル『方法の問題』　一一〇三夜：ナム・ジュン・パイク『バイ・バイ・キップリング』　一六五六夜：ハイナー・シュタッヘルハウス『評伝ヨーゼフ・ボイス』

なぜボイスはアメリカで嫌われたのか。
「生―政治」の大半をパフォーマンスしたからです。

ハイナー・シュタッヘルハウス

評伝ヨーゼフ・ボイス

山本和弘訳　美術出版社　一九九四
Heiner Stachelhaus: Joseph Beuys 1987

このところ日本の美術界でほとんどボイスのことが議論にならないようなので採り上げるのだが、この、二十世紀中盤のアート・パフォーマンスのど真ん中を帽子とベストを脱ぐことなく走り抜けた男のことは、看過しにくい。褒めすぎるのも蔑みすぎるのもどうかと思うけれど、ボイスが投げかけたものがプラマイ含めてかなり大きいので、それがほったらかしになっているのはよくない。

なぜ日本でボイスが議論にのぼらないかということについては、勝手に推測するのだが、あまり重要視しなくてもよい理由が三つほどある。

第一にアメリカにおけるボイスに対するウケとコケに従いすぎた。ウォーホルがボイスの顔を刷り続けたように、日本はそういうアメリカン・ポップカルチャーの勢いのなかでのみボイスを眺めすぎたのである（デュシャンとの読みくらべもできていなかった）。第二に一九八四年にボイスが初めて来日したとき、日本の美術批評家たちが大いに失望したのだが、その歩留まりを測りそこねた（「芸術新潮」は「嗚呼ボイス、来てしまったらタダの人」とタイトリングした）。第三にボイスが政治好きで、しかも選挙に出て落選したことをあまりにネガティブに捉えてきた（政治活動をするアーティストは日本ではとかく好まれない。黒川紀章《きしょう》は晩節を汚したと思われている）。以下にはこの三つの推察理由をあれこれの経緯をもって持ち出しておく。

（1）アメリカがボイスをコケにしたというのは、もともとアメリカの現代美術界がドイツ嫌いであることとも関係する。美術界だけではない。アラン・ブルームがそう言っていたように、アメリカは「ドイツ・コネクション」という名でカント・マルクス・ニーチェ・フロイト・ハイデガー・ウェーバーらのドイツ思想をやたらに警戒してきた国なのだ。だからドイツ嫌いは雰囲気としてはすでに蔓延《まんえん》していたのだが（ドイツの現代美術はキーファー、リヒターを含めてあまり浸水していない）、ボイスのほうもそんなアメリカに上陸するにあたっての作戦を過剰に、かつ挑発的にした。

ボイスがアメリカを訪れたのは三度である。そのうち一九七四年五月の個展があまりに意図に富みすぎた。《私はアメリカが好き、アメリカも私が好き》というタイトルも、

ヨーゼフ・ボイス
《私はアメリカが好き、アメリカも私が好き》(1974年)
©VG BILD-KUNST, Bonn & JASPAR, Tokyo, 2021 G2648　写真提供：ユニフォトプレス

この媚《こ》びと嫌味ではウケっこないだろうというものだった。

ボイスは会場になったニューヨークのレネ・ブロック画廊でコヨーテのリトル・ジョンを檻《おり》に入れ、ウォール・ストリート・ジャーナルのその日の号を、会期中毎日二五部ずつ二つの山に積み上げ、本人は茶色の手袋をして懐中電灯とステッキを持ち、やおらフェルトにくるまった。あとはコヨーテがフェルトの端を引きちぎっていくばかり。最終日、ボイスはフェルトにくるまったまま担架で救急車に運ばれて、ニューヨークを一度も見ることなく、そのままケネディ空港をあとにした。アメリカ美術界はかなりシラケた。

もっともそれから五年後の一九七九年十一月からの、グッゲンハイム美術館全館をつかいきっての大展覧会（大回顧展）は、アメリカ美術界から相応の評価を受けた。

（2）七〇年代後半、日本でのボイスの噂はかなり沸騰しつつあった。そこへいよいよ来日が決まった。二度にわたる来日延期のあとだったので、一九八四年六月のボイス日本展はかなり期待が膨らんでいた。西武美術館の「ヨーゼフ・ボイス展：芸術の原風景」は鳴り物入りで始まった。西武は樫《かし》の木五〇〇〇本を用意し（二〇〇〇万円くらい）、ボイスの「社会彫刻」が万全になることに応えようとした。森口陽《あきら》が担当した。

八日間の滞在で、和多利《わたり》志津子親子のワタリウムではオープニング前夜のレセプションが開かれ、ボイスは黒板作品九点を残した。草月ホールではナム・ジュン・パイクとの共演パフォーマンスがおこなわれ、ボイスはコヨーテの咆哮《ほうこう》を一時間にわたってアクションした。芸大では学生との対話集会が開かれ、セディック周辺の泉秀樹・石原恒和・畠山直哉らは、ペヨトル工房の今野裕一の求めに応じて八日間ぴったりビデオを回し続けた。泉君たちは当時ぼくが最も親しくしていた最新映像チームだった（「イメージの遊学」一〇回分→『花鳥風月の科学』を二台のビデオに収めたのも泉チームだった）。

ところが評判はさんざんだったのである。赤瀬川原平は「見てはいけないものを見てしまった」と、海野弘《うんのひろし》は「ボイスそのものはつまらなかったが、ボイス現象はまことに面白かった」と、中沢新一は「ボイスは日本人を高度産業社会のなかのテクノロジー人間としてしか理解していない」と詰《なじ》った。そして「芸術新潮」が「嗚呼ボイス、来てしまったらタダの人」だった。これで日本の美術界のボイス離れが始まった。ケチがついたのだ。

（3）ボイスの政治活動っぽい動向についてはあとでもふれるが、それはほとんど「国民投票による直接民主制のための組織」の設立と「創造性と学際的探求のための自由国際大学」の構想と運動に結び付いていた。

なぜボイスがこのようなことを計画し、実行に移したかったのかということが少しはわからないと、ボイスが選挙に出て落ちたことは笑えない。ボイスはカールスルーエで開かれた「緑の党」設立集会に参加して強い賛同意志を表明すると、一九七九年には欧州議会選挙に緑の党から立候補、翌年も連邦議会に立候補したのだが、いずれも落選した。こうしたことは一九六七年の「ドイツ学生党」の結成のころから始動していたことで、一九七三年に設立された自由国際大学構想の拡張とともに語られるべきものである。ボイスの活動には、いったいどこが政治だったのか、それとも政治芸術あるいは芸術政治という新たなジャンルの提案だったのか、区別がつかないところがあった。

そうであるにもかかわらず、日本ではボイスの政治的に見える芸術性は賛同をまったく得られなかった。「自由国際大学」（ＦＩＵ）の活動に賛同して、ボイス来日を機にＦＩ

U日本支部の設立に動いたのは、針生《はりう》一郎や若江《わかえ》漢字《かんじ》らのごく少数のアーティストや批評家だけだった。が、だからといってボイスの政治芸術がその後の日本のアートシーンに少量のものしか分配できなかったかというと、そんなことはない。日本現代美術の大半のポリティークや「生―政治」らしきものは、その多くがボイスの傘の中に入ったままになっている。

本書は数あるボイスについての本のなかでは、最も詳細な評伝だ。著者のハイナー・シュタッヘルハウスはできるかぎり片寄らない視点をもって（むろん美術史的好感をもって）、ボイスを浮き彫りにした。とくにとびぬけた分析があるわけではないが、毀誉《きよ》褒貶《ほうへん》が激しいボイスをめぐる評伝として、この「詳細をきわめる」というやりかたはどうしても一度は必要なことだったろう。

訳者の山本和弘は栃木県美のキュレーターだ。本書が訳されたのは一九九四年の冬だったから、いまから二十年以上も前のことで、版元の美術出版社もいまではCCC（蔦屋）の傘下に入ってしまっている。ボイスについての噂も、世の中も、ずいぶん変わってしまったのだ。

二〇〇九年十月末から三ヵ月、水戸芸術館の現代美術ギャラリーで、『ボイスがいた8日間』という展示が開かれた。高橋瑞木・門脇さや子・廣川隆史の企画によるもので、そのドキュメントは翌年『ヨーゼフ・ボイス よみがえる革命』(フィルムアート社)にまとまった。こちらは阿部謙一の構成編集で、山本も「ヨーゼフ・ボイスのユートピア思想、あるいは総合芸術としての社会」を書いた。

が、水戸芸のエキジビションもほとんど話題にならなかったようだ。これでは、二一世紀のアートシーンに向けてどのようにボイスを案内すれば効果的なのか、突破口(再評価のためのスコープ)が決めがたい。きっと小さなノズルから大きく噴き出させるのがいいだろう。そこで唐突ではあるが、ぼくはこの千夜千冊の一夜を、シュウゾウ・アヅチ・ガリバー(安土修三)に贈ることにした。ガリバーはぼくの長年の友人であるが、最初の最初から「デュシャンではないヨーゼフ・ボイス」をそうとうに意識していたし、そのさなかにドイツでの個展もくりかえしていた。

ヨーゼフ・ボイスは一九二一年五月、ドイツ北西部のクレーフェルトに生まれ、オランダ国境に近いクレーヴェで育った。ライン南畔だ。ドイツは第一次大戦の敗北と苦悩からやっと脱出しつつあったが、まだもがいていた。ギムナジウムに通いながら、生きものと白鳥伝説と英雄に興味をもった。シカやウサギやヒツジと親しみ、プレスター・ジョンばりのチンギス・ハーンに憧れ、ワーグナー主義者ルートヴィヒ二世ばりの白鳥の騎士ローエングリンとの出会いを心に描いた。

十五歳になるとヒトラー・ユーゲントに加入する。のちにボイスは「誰もが教会に行くように、みんな行ったんだ」と弁解しているが、こんなことわざわざ抗弁することではない。大いに結構なことではないか。十七歳の頃にはクレーヴェ在住の彫刻家モーアトガートのアトリエを頻繁に訪れて、ヴィルヘルム・レームブルックの彫刻カタログを見てどぎまぎした。何か根本的なものを感じたのだろう。坑夫の家に生まれたレームブルックの彫刻は、やがてボイスが標榜《ひょうぼう》する「社会彫刻」(Soziale Plastik) の原点になったとともに、その後のフェルト帽子をかぶってベストと作業服を着たがるボイスの職人っぽい姿のお手本になった。

そのうちデッサンをするようになるが、スケッチを見るかぎりへたくそだったのではないかと思う。ボイスは「描ける人」ではない。それより当時のボイスが、好んでゲーテやシラーの疾風怒濤《どとう》力、ヘルダーリンの彷徨《ほうこう》感覚、ノヴァーリスの鉱山幻想、メーテルリンクの『蜜蜂の生活』のソーシャル・リアリズムなどに惹《ひ》かれていたこと、なかでもノルウェーのクヌート・ハムスンの詩やムンクの絵にぞっこんとなって、キルケゴールの人間哲学（絶望論）とシュタイナーの人智学（希望論）に入れ込んだことが示唆的だ。音楽では、リヒャルト・シュトラウスやエリック・サティが好きだったようだ。

ようするにここまで、青少年ボイスはひたすらロマンチックきわまりないというだけなのだが（つまりはドイツ浪漫派の二十世紀的な申し子なのだが）、そう感じるボイス自身はすこぶる技師的で、坑夫的だったのだ。

一九四〇年、召集令状がきた。ポーゼンの航空通信学校に配属された。さいわい教官がおもしろかった。二十年後にはドイツの人気動物映画監督になっていたハインツ・ズィールマンである。ズィールマンの動植物についての博識とその視覚像の持ち方に目を見張った。代表作《死んだウサギに絵を説明するには》(一九六五)など、そのころのズィールマンの熱弁そのままではなかったかと思う。ズィールマンはのちにボイスをコンラート・ローレンツに引き合わせた。

ボイスはヒトラーの戦争には熱心ではなかった。急降下爆撃機の乗員訓練を受けたものの、一度不時着し、負傷して野戦病院におくられたのをきっかけに、ずるずるとした戦争体験をしただけだ。ただ、この一度の不時着がボイスに決定的な芸術的装備をもたらした。その芸術的装備というのはボイスの生涯のトレードマークとなった「フェルト」と「脂肪」だった。

四三年の冬、クリミア半島上空でソ連軍の戦闘機に出会ってこれを逃れるうちに墜落し、体の各所を骨折して意識を失った。髪の毛は毛根まで焦げて(以来、ボイスの毛髪は限界状況然となる↓それで帽子を愛用したのかもしれない)、頭蓋骨にもヒビが入った。そこへタタール人がさしかかり、ボイスを近くのテントに運び込むと、傷口に動物性の脂肪を塗りたくり、フェルトに包んで介抱した。この体験がその後のボイスのインスタレーションに大量のフェルトや脂肪をリプレゼントさせることになった。それとともに、このこと（回復と蘇生）をもたらしたのがクリミアのタタール人だったという記憶を植え付けた。ボイスに遊牧民幻想が植え付けられたのだ（シュタッヘルハウスによるとタタール人が助けたという記録は見つからないそうで、これはボイスが作り上げた神話ではないかという）。

ナチス・ドイツは敗戦した。ボイスには痛みがなかったのか、のっけからそっぽを向いていたのか、そこはわからないが、東西ドイツに分かれた戦後はさっさとデュッセルドルフ芸術アカデミーに通い始めた。アカデミーは彫刻家のエーヴァルト・マタレーが仕切っていた。マタレーはボイスが器具や部品をいじる手作業に長《た》けていることを見抜いたようで、ケルン・ドームの門扉制作などを手伝わせた。ボイスはボイスでこの頃は十字架をいろいろ作っている。シュタッヘルハウスはライン下流のカトリシズムの象徴性に関心があったせいではないかと推理する。

デュッセルドルフの芸術アカデミーに学んでいたのは四七年から五一年までのことなのだが、この時期、ボイスはシュタイナーに傾倒している。すでにシュタイナーは死んでいたが、一九一九年にシュトゥットガルトで最初のヴァルドルフ学園を立ち上げたのを皮切りに、神学・教育学のゼミナールと音響オイリュトミーと治療オイリュトミーの連続講座を開催し、キリスト教共同体や人智学教会が作動して、「精神科学のための自由大学」の設立にまで至っていた。のちにボイスが創立をめざした「自由国際大学」はシュタイナーの自由大学とそっくりである。

五〇年代に入ると、ボイスの関心は神秘主義めくとともに、物語の多重性や言語の多音節性に向かっていった。ジェイムズ・ジョイスの読書会に通って、『フィネガンズ・ウェイク』や『ユリシーズ』に没頭したり、薔薇十字の運動に感染したりして秘密結社の可能性を思い描いている。

ジョイスについては、『ユリシーズ』を二章ぶん追加するための言語的彫刻を志してドローイングを試みた。薔薇十字については、イヴ・クラインに対するオマージュが奇っ怪だ。クラインはカリフォルニア薔薇十字会のサンノゼ支部の連絡会員でもあったのだが、ボイスは三四歳で夭折《ようせつ》したそのクラインに、「イヴ・クラインの臨終のデモンストレーション」(一九六二)という大きなドローイングを献上した。

シュタイナー、ジョイス、薔薇十字、秘密結社、イヴ・クライン。いったいこの連鎖によって何を仕出かそうとしていたのか。グノーシス主義に溺れたかったようにも思われる。いずれにしてもこの神秘主義傾倒は、これから始まるボイスのアートワークがいかに超常的で大衆理解から遠いものであるかを、とはいえその行為は心の病いを浄化したいという深刻な思いにもとづいているであろうことを、そのくせそのように徹することが神智も人知をも驚かせたいものでもあったということを、予告していた。

ボイスの心を奪っていたものに、もうひとつ、動物たちがいた。なかでもウサギ、シカ、大鹿、ヒツジ、蜜蜂、白鳥は、ボイスのトーテムになっていく。ミュンヘンのボイス研究者であるアルミン・ツヴァイテのお見立てでは、シカはタナトス(死)の象徴だったようで、ボイスは作品にも「血まみれの鹿」「傷ついた鹿」「死せる鹿と月」「鹿の骨の上の死せる人」「死せる大鹿」といったタイトルを好んで付けた。

ウサギはなぜだかボイス自身のことらしい。ぼくにはその気分がさっぱりわからないが、ボイスは「私は人間などではない。ウサギなのだ」「私は好色なウサギである」を口癖にしていた。ウサギは神話図像学的には受肉のシンボルであるが、そのこととも関係があるのだろうか。早くに《ウサギの墓》(一九六四〜七九)という作品をつくっていた。車好きのボイスが乗り回していたベントレーのマスコットもウサギだった。

蜜蜂についてはいろいろ書いている。こちらは、よくわかる。メーテルリンクの影響が大きかったのだろうけれど、シュタイナーが蜜蜂を神聖視していたことや、蜜蜂と花の関係にひそむ「静かな熱性」のようなものがはたらいていたのだと思う。《作業場の蜂蜜ポンプ》(一九七七)などを見ると、ボイスにとっての蜜蜂は「芸術的に拡張すべき社会彫刻」そのものだ。

一九六一年、デュッセルドルフ芸術アカデミーの彫刻科の教授になった。かつてのボスのマタレーはボイスのその後の言動に当惑していた。ことあるごとに「あの男を決して教授にしてはいけない」と言っていた。なのに満票で推挙された。意外な展開だったものの、ボイスは大いに張り切って学内でさまざまなパフォーマンスを試すとともに、人間教育が芸術によってこそなされるべきだということに、異常なほどの情熱を注いだ。「芸術を拡張する」と「社会を彫刻する」という信念があった。

ボイスが選んだ芸術にふさわしいもの、それは例のクリミア体験にもとづく脂肪とフェルトだった。脂肪は熱によって加工しやすく、完全に溶解させることができる。なにより脂肪は「存在」の構成する流動体そのものだ。一九六三年にケルンでアラン・カプローが講演したとき（カプローはハプニングアートの代表的メッセンジャー）、ボイスは「脂肪は分散されたカオスをつくり、エネルギーをも拡散した形態から別のフォルムへと至らせる道をとる」という主旨をかためた。こうして、かの最も有名な作品《脂肪の椅子》（一九六四）がつくられた。

フェルトは脂肪としての人間存在を直立二足歩行このかた包んできて、その柔らかくて皮膜力をもつ形態自体が存在の代行物だった。世界はフェルトによって守られ、フェルトによって世界を隔絶できた。

ボイスの拡張芸術や社会彫刻のアイディアが、そのころまだ存命中で、いったいどんなことを最後に発表するのかという謎の沈黙のうちにいたマルセル・デュシャンの作品行動に、それなりのインスピレーションを得たであろうことは、ずっと噂されていたことだった（デュシャンは八一歳で一九六八年に亡くなった）。そのくせ、ボイスはつねに対抗デュシャンであろうとした。

六四年十一月のデュッセルドルフのスタジオで、ボイスは《マルセル・デュシャンの沈黙は過大評価されている》というタイトルのアクションを見せた。フェルトと脂肪をつかって、自分の眼の動きを変化させていくという引き算めいたパフォーマンスだ。その後もボイスは「デュシャンはアタマで考えているにすぎない」と言っていた。

ボイスはボイス自身の表象範疇《はんちゅう》を追い込んでしまったのである。対抗デュシャンとしての自信過剰など、わざわざ見せる必要がなかったのかもしれず、そのほうがラクだったはずだが、しかしこれによってボイス自身は起爆した。そして、何もかもが停まらなくなった。誰もが呆《あき》れるほどの、あるいは度肝を抜かれるほどのアートワークを、このあと嵐のように連打していく。

ボイスが「フルクサス」に接近した理由は、ナム・ジュン・パイクとの接触が始まっていた一九六二年の《大地のピアノ》のコンセプトに示されていた。

フルクサス(Fluxus)はパイクの柔らかくてラディカルきわまりない八面六臂《ろっぴ》を縫い糸に、ヴォルフ・フォステル、エメット・ウィリアムズ、ディック・ヒギンズ、ダニエル・スペーリ、ジョージ・マチューナス、ロバート・ワッツらがくんずほぐれつ、すこぶる多感多様なパフォーマンス集団として世間を騒がせていた。ジョン・ケージやラ・モンテ・ヤングはその渦中を何度も出入りした。草間彌生やオノ・ヨーコもその飛沫《ひまつ》を浴びていた。

フルクサスについては書きたいこともあるが、今夜はガリバーに向けているから、遠慮する。遊牧的定住を実践しつづけたパイクが図抜けていたこと、早くからドローン(持続低音)ミュージックに徹したラ・モンテ・ヤングが、フィリップ・グラスやスティーブ・ライヒやテリー・ライリーを先駆していた天才だったことだけ告げておく。

ボイスがフルクサスのメンバーをデュッセルドルフの芸術アカデミーに招いてコンサートを開いたのは六三年の二月初旬のことだ。ここでボイスは初めて死んだウサギを登場させた。「シベリア交響曲」の第一楽章を即興演奏し、黒板にウサギを吊《つ》るし、小さな粘土のかたまりをピアノの弦につっこみ、小枝をそこに突き刺すと、ピアノからのびた一本の導線でウサギを括って、その心臓を抉《えぐ》り出したのだ。残酷でグロテスクだった。

美術史上、こんなことをした男はいなかった。

翌年七月には、アーヘン工科大学の新芸術フェスティバルで《アクション／アジテーション／ポップ／デコラージュ／ハプニング／イベント／反芸術／反対主義／総合芸術／再フルクサス》と銘打った空間で、《脂肪の角《コーナー》》《茶色の十字架》《アコペー・ナイン》といった作品をデモンストレーションすると、ピアノの蓋を持ち上げて石鹼《せっけん》を中にふりかけ、鍵盤をかき鳴らし、さまざまなゴミをピアノに詰め込んでみせた。

十二月のベルリンのレネ・ブロック画廊ではロバート・モリスと組んで「ボス・フルクサスの歌」を披露した。ボイスはマーガリンでできた細長い脂肪の錐《きり》がおかれた部屋でフェルトにくるまって、不規則なマイクとアンプから喉声・呼吸音・溜息《ためいき》・口笛を放出した（レネ・ブロックがその後のボイス作品の代表的コレクターになった）。

連打はとまらない。六五年六月にはヴッパタールのパルナス画廊に、パイク、エカート・ラーン、トーマス・シュミット、ヴォルフ・フォステル、シャルロッテ・ムアマンらが集まって、めいめい勝手なことをして見せた。フォステルは古い洗濯機をガタガタ回しながら有刺鉄線を張りめぐらし、パイクは廃棄物でできたロボットを操縦し（これがダントツだった）、ラーンはコントラバスを弾きながら拡声器で怒鳴り、ムアマンはポリ袋の中でチェロを弾き（のちに小杉武久が同様の演奏をしたとき、ぼくは一緒に袋の中に招き入れられた）、ボイスはほぼ一日中、蜜柑《みかん》箱の上に座って脂肪彫刻を見回した。

こうしたあげく、ボイスは「現代の最も偉大な作曲家はサリドマイド児だ」というような言わずもがなの暴言を放つことになる。フルクサスとボイスの傍若無人な席巻で、各国の美術界はひそひそ話をするようになった。しかし、いくらひそひそ話をしても埒《らち》はあかない。芸術が放埒《ほうらつ》きわまりないものになりつつあるのか、道化とギャングは美術会場で同義語になるのか、何か致し方ないことがおこっているのか、デュシャン解釈の取り違えがおこっているのか、誰もわからなかったからだ。


ダルムシュタットの画廊での《脂肪空間》（一九六七）は十時間に及んだ。マーガリン塁をめぐらしたギャラリーで、クリスチャンセンが四つのテープレコーダーで音と言葉の断片操作をすると、ボイスは脂肪のかたまりに嚙《か》みついてはそれを体に押し付けたり、床に並べたりしていった。ウィーンの画廊でのシリーズのひとつ《ユーラシアの杖》（一九六七）では、クリスチャンセンがオルガンを弾いているなか、重さ五〇キロ近い三メートル半ほどの長い銅の杖をつかって脂肪をゆっくり操作し、ついでフェルトを空間の隙間に押し込んでいくと、床に「イメージの頭脳、運動の頭脳、運動する絶縁体」と書き込んだ。

メンヒェングラートバッハ市立美術館でのタイトルは《……あるいは私たちはそれを

変革すべきだろうか？》（一九六九）というものだ。ボイスが咳止《せき》めシロップと点鼻薬を投じながらピアノを、クリスチャンセンがパイプを吸いながらヴァイオリンを弾いた。「音響は彫刻であり、彫刻は聴くことができる」とボイスは嘯《うそぶ》いて憚《はばか》らなかった。

フランクフルトの舞台芸術アカデミーの《エクスペリメンタ3》（一九六九）では、舞台に一頭の白馬がつながれて干し草をむしゃむしゃ食べていた。毛皮のロングコートを着たボイスは、馬の前でマイク・砂糖・マーガリン・鉄のかけら・シンバルでアクションをして、ゲーテの戯曲『タウリスのイフィゲーニエ』を引用した。

ボイスが何をしたかったのかと問うのはかなり野暮である。観客が見た通りのことをしただけだ。風変わりで落ち着かない構成で、誰もが息が詰まるような、耐えられないようなことしかしていない。

ボイスのアクションやパフォーマンスをいくら文章で説明したって、きっと何も伝わらない。それこそ野暮だ。一九七〇年のエディンバラ芸術大学での《ケルティック・スコットランド交響曲》と翌年のバーゼルでの《ケルティック十〜〜〜》はざっと以下のようなものだった。

カセットレコーダー、テープデッキ、フィルム、映写機、ピアノ、マイク、槍《やり》、ステッキ、銀の盆、黒板、梯子《はしご》、ゼラチンが散乱している。ピアノの音は録音機から出力され、槍の先端からは血液じみた赤い糸が垂れている。ボイスは黒板に神話っぽいダイヤグラムを描き、その黒板をステッキで押し回した。そこへ、かつての《ユーラシアの杖》のフィルムやアルトゥール・ケプケが音楽を担当した映画の《ラノック湿原》がプロジェクトされて、時間や空間が互いに歪《ゆが》みながら交錯する。そうするとボイスは梯子をのぼり、壁を引っ掻《か》き、ゼラチンが山になっていく。

客たちの七人の足は洗われるべきであった。洗足式だ。儀式はボイスのアートなのだ。それで何かがおこれば、何かが「反対イメージ」(Gegenbild)に転化されるべきだった。アクションはことごとくアンチ・アクションを喚起した。エリアーデではないが、ボイスは「反対の一致」こそが芸術的象徴力を強化すると読んでいた。

ともかくも、こういうアクションやパフォーマンスが連打され、観客を呆れさせ、批評界を分断させてきたのである。そんなことを連打しつづけたボイスにはなんら戸惑いがなく、そのすべてはドイツ魂の理想に燃えているのだと確信していた。

七〇年代に入ると、ボイスの活動は少しずつユートピックになっていく。政治性を帯び、社会モデルの実験に奔走し、そのうえ義憤を抑えきれず、過激になりつつあるようにも見えた。そうなっていったのには、きっかけがあった。一九六七年六月にイラン国王（シャー）のドイツ訪問に抗議したベルリンの学生の一人が射殺されたとき、ドイツ学生党を結成していたのだ。
　ドイツ学生党の活動はボイスが教授をするデュッセルドルフ芸術アカデミーでこそ開花すべきものだったが、多くの抵抗にあってうまく進捗しなかった。それでもボイスは人後に落ちない根気強さをもって、大学の中に自治の拠点をつくる目標に向かって情熱をたぎらせ、この実現に邁進《まいしん》していった。
　一九七一年七月、次の冬期ゼメスターに志願した入学希望者のうちの半数以上が落とされるという事態がおこった。ボイスはただちにこの志願者たちを自分のクラスで受け入れると宣言する。アカデミー側はこれを違法とみなし、ボイスの信任取り消しに動いた。十月、ボイスが志願者の一七人とともに事務局を占拠したところ、教授会は一七人の追加入学を決議した。この動向に苦虫を噛みつぶしたドイツ学術研究省の大臣は、ボイスがさらにこのようなことを続けるならば断固たる処置をするという書簡をボイスに送り付けた、
　ボイスが怯《ひる》むはずはない。翌年十月、またまた志願者が落とされたとき、五四人の志願生と数人の学生とともに、再びアカデミー事務局を占拠した。すったもんだのすえ、今度は占拠中のボイスに解雇通知が下された。翌朝に警察官が導入され、このときの三〇人の警官に挟まれアカデミーを出ていくボイスの写真は、ボイス手書きの「民主主義は愉快だ」の書き込みとともにマルティプル作品として出回った。飛ぶように売れた。

係争中の「国家とは戦わざるをえない怪物なのです。私はこの国家という怪物を叩きつぶす使命を負っているのです」というボイスの言葉も、世界を駆けめぐった。

その直後である。多くのアーティストからボイス解雇に反対する抗議声明が出された。ハインリッヒ・ベル、ペーター・ハントケ、ジム・ダイン、リチャード・ハミルトン、ゲルハルト・リヒターといった連中が署名した公開書簡が発表され、ヘンリー・ムーアは本気で怒りを表明した。ギャラリストであるルチオ・アメリオは「私たちはヨーゼフ・ボイスの解雇通知を全ヨーロッパのアヴァンギャルドの解雇と考えている」という泣かせる声明を出した。この抗争はけっこう長引いたが、七八年四月にカッセルの連邦労働裁判所によって違法判決が出て、無罪となったボイスは断乎《だんこ》とした意志でさらに次の活動に転出していった。


ボイスはどこから政治的に、いや政治芸術的になっていったのか。一九六七年の「ドイツ学生党」の結成や、一九七〇年三月二日に二〇〇人の参加者を集めて「非有権者と自由国民投票組織の情報センター」をデュッセルドルフの古い店舗の中に設立したあたりだろうか。

どうであれ、七〇年六月のノルトライン＝ウェストファーレン州議会選挙に投票拒否を呼びかけ、七一年にデュッセルドルフで「国民投票による直接民主制のための組織（自由市民運動)」を立ち上げたときは、もうのっぴきならなくなっていた。ボイスは出撃しつづける。本書はこの時期、ボイスが再びシュタイナーの「精神の自由／権利の平等／経済の博愛」にどっぷり浸かっていたことを報告している。

だとすると、ボイスは政党活動などする気はなかったのである。「政治という芸術」や「自由意志という社会彫刻」の制作に乗り出したのだ。

こうして七九年、「緑の党」の候補者となり、落選し、それを繰り返す。緑の党のルーカス・ベックマンはやや控えめながら「ボイスは議会政治に向いていない」と言った。かくて一転して「自由国際大学」(FIU)の設立に向かって舵を切っていく。

FIUはボイスの人間教育に向けた頑固で真摯な理念に裏付けられていた。ゲーテやシュタイナーにも支えられ、ボイスはどこでもFIUが発動しうることを説いた。それが芸術行為と憎々しいほどに重なっていったことには共感はないけれど、感心させられる。たとえばカッセルのドクメンタ6で発表された《作業場の蜂蜜ポンプ》(一九七七)はFIU活動の代弁になっていた。

ボイスの芸術経済学についても、一言加えておく。芸術経済学はジョン・ラスキンの提案以降、ずうっと埃《ほこり》をかぶっていたものだ。ボイスはコレクターのカール・シュトレーアとともにこの埃を振り払い、ボイスの作品群を「ブロック・ボイス」というしくみに分割統治する方法を思いつき、いまでは「協定書」として有名になったマスタープログラムをつくった。

この卓抜なアイディアに、こんなに早くに着手したことには舌を巻く。おそらくボイスは貨幣経済と芸術取引とがこのまま美術市場のなかで塗《まみ》れていくことを潔しとしなかったのである。カール・ポランニーの経済人類学とまではいかないが、またとくに知的な構想で理論化されているふしも見えないのだけれど、ボイスはへっちゃらに芸術経済学を実施していったのだ。シュトレーアもよくそれに応えた。きっとシルビオ・ゲゼルの自由地・自由貨幣・自然的経済秩序の提案やミヒャエル・エンデの通貨改革案などがヒントになっていたのだろうと思う。

ヨーゼフ・ボイス。いまなお徹底言及が避けられてきた男だ。あまりに現代美術の多様な入口を開き、そしてふさいでしまったからだ。ピアノをすっかりフェルトで包んだ《グランドピアノのための等質浸透》（一九六六）など、二十世紀後半美術の多くをあきらかに先駆した。ともかくも、いくつもの現代アートの入口を仕掛けた。出口は用意しなかった。

ただ、発言はひどくありきたりだった。社会彫刻とはいえ、どう見てもフィヒテやシュタイナーを一歩も出なかった。そのせいか、ボイスをめぐる本にはめぼしいものがない。本書のほかには洋書を除くと、エンデと対談をしている『芸術と政治をめぐる対話』（岩波書店）、菅原教夫の『ボイスから始まる』（五柳書院）、若江漢字と酒井忠康の『ヨーゼフ・ボイスの足型』（みすず書房）、水戸芸術館現代美術センターの『ヨーゼフ・ボイスよみがえる革命』（フィルムアート社）、三本松倫代らが共著した『ヨーゼフ・ボイス ハイパーテクストとしての芸術』（慶應義塾大学アート・センター）くらいのものだ。ボイス自身の著作はない。おそらく書けなかった男だったのだろうと思う。

なかで菅原のものは「ボイスという難問」を料理した力作だ。日本人の著作としては唯一傑出する。若江のものは若江自身が実際にボイスの足型をドイツのアトリエに出掛けて鋳込みにいった経過とともに、ボイス賛歌を綴《つづ》ったものである。水戸芸のドキュメント本についてはすでに紹介したが、仲正昌樹《なかまさ》、レネ・ブロック、椿昇、坂本龍一、若江、山本、オイゲン・ブルーメ、高橋瑞木、泉秀樹らの声がオマージュふうに寄せられている。

第一六五六夜　二〇一七年十一月二七日

参照千夜

五七夜：マルセル・デュシャン&ピエール・カバンヌ『デュシャンは語る』　一一二二夜：ウォーホル

『ぼくの哲学』一〇四七夜：アラン・ブルーム『アメリカン・マインドの終焉』一一〇三夜：ナム・ジュン・パイク『バイ・バイ・キップリング』九七九夜：中沢新一『対称性人類学』七八一夜：ジャン・デ・カール『狂王ルートヴィヒ』九七〇夜：ゲーテ『ヴィルヘルム・マイスター』一二〇〇夜：『ヘルダーリン全集』一三二夜：ノヴァーリス『青い花』六八夜：メーテルリンク『青い鳥』三三夜：シュタイナー『遺された黒板絵』一七二夜：ローレンツ『鏡の背面』一七四四夜：ジョイス『ダブリンの人びと』一五〇五夜：ホドロフスキー『リアリティのダンス』一〇〇二夜：エリアーデ『聖なる空間と時間』一〇四五夜：ジョン・ラスキン『近代画家論』一五一一夜：ポランニー『経済の文明史』一三七九夜：シルビオ・ゲゼル『自由地と自由貨幣による自然的経済秩序』一三七七夜：ミヒャエル・エンデ『モモ』三九〇夜：フィヒテ『ドイツ国民に告ぐ』一〇三七夜：菅原教夫『日本の現代美術』一三七五夜：仲正昌樹『貨幣空間』

アートを通してリトリーヴァルするものを探す。
それが遊牧的定住者《ステーショナリー・ノマド》になる唯一の方法だ。

バイ・バイ・キップリング

ナム・ジュン・パイク
高島平吾ほか訳　リクルート出版部　一九八六
Nam June Paik: Bye-Bye Kipling 1986

五日前、ナム・ジュン・パイクがマイアミのアパートで亡くなった（二〇〇六）。一言でいえばステーショナリー・ノマド（遊牧的定住者）の人だった。七三歳だ。アンディ・ウォーホルより四つ年下になる。もうそんな歳になっていたのかと思い知らされたが、考えてみればぼくの一まわり上だったのだから、そうなのだ。今夜はそのパイクさんのことを綴りたい。ただしたんなる思い出話にしたくはないので、もう一人、登場してもらうことにした。相撲取りである。ブルガリア出身の琴欧洲だ。なぜ琴欧洲が出てくるかは最後まで伏せておく。

しかしここは「千夜千冊」のウェブサイトなのだから一冊の本をとりあげなければな

らないのだが、手元で探したら、パイク本はこの一冊しかなかった。大判で、とても軽くてカラフルな本である。同名のテレビ中継番組の企画を記念して、ワタリウム美術館で開催された企画を交えて出版された一冊で、とてもよくできている。パイクの文章と和多利志津子おばちゃんのインタビューと、ヨーゼフ・ボイス、磯崎新《あらた》、浅田彰《あきら》、坂本龍一、粉川《こがわ》哲夫との対話が収録されているのだが、なんといってもパイク自身が話しているところがいい。発想がたのしい。だから、今夜はそれだけを紹介したい。バイバイ白南準《ペクナムジュン》にきっとふさわしいだろう。

その前にいくつか説明をしておく。

パイクが計画した「バイ・バイ・キップリング」とは、ラドヤード・キップリングが“East is East, and West is West, and never the twain shall meet.”という有名なメッセージを吐いたことにバイバイしようという意図によっている。西と東の文化には埋められない断絶があるというメッセージをこのさい反故《ほご》にしようというのだ。このタイトルによって、パイクは一九八四年の衛星中継番組「グッドモーニング、ミスター・オーウエル」の続編を計画した。

インドのボンベイに生まれたキップリングは『ジャングル・ブック』で知られているが、中国・日本・アメリカ・アフリカ・オーストラリアなどを旅して、『七つの海』『勇ましい船長』『高原平話』などの作品で、イギリス人としてノーベル賞を受賞した。その後、エドワード・サイードらによるオリエンタリズム批判も加わって、その作品や思想には植民地主義にもとづく反動思想が隠れていたという批判が加えられ、名声を落としてしまった。むろんパイクはそれを百も承知のうえで、「バイバイ・キップリングさん」と呼びかけたのだ。

パイクについても少しだけ説明しておく。できるだけ年譜的にしておこう。ただし年譜の前半だけを紹介する。故郷はソウルである。白南準と綴る。一九三二年に工場経営者の子として生まれた。

十七歳のころに香港に移住して、翌年に韓国に戻ったのだが、折からの朝鮮戦争を避けて釜山《プサン》から神戸に渡り、鎌倉に住んだ。東大の教養学部文Ⅱに入学、美学美術史学に進んだ。美学を竹内敏雄に、音楽美学を野村良雄に、作曲を諸井三郎に、ピアノを宮原敦子と属《さつか》澄江に学んだ。ドビュッシーについての論文がある。ぼくはソーホーの一夜(パイクさんは長らくソーホーに住んでいた)、ショパンの小曲をしっとり聞いたことがある。

一九五六年、ミュンヘン大学で音楽学を本格的に研究、一方でゲオルギアデスに音楽学を、ゼードルマイヤーに美術史を学んだ。シェーンベルクを研究した。その後、フライブルク高等音楽院でフォルトナーに師事して作曲を始め、ダルムシュタット国際現代音楽夏期講習でジョン・ケージと出会った。そのときパイクさんは、すでにテープ編集による作曲を手がけていた。世界で西ドイツがいちばん輝いていた時期だ。西ドイツは電子とメディアとアートをつなげたのである。

一九五九年、デュッセルドルフのギャラリー22で最初のパフォーマンスをした。《ジョン・ケージに捧げる》というもので、二台のピアノ、三台のテープレコーダー、卵、玩具を用い、最後にはピアノを破壊した。そんなことをしたピアニストもアーティストもいなかった。パイクは最初からやる気まんまんだ。翌年はケルンでもパフォーマンスをした。今度はその場にいるジョン・ケージのワイシャツをちょん切り、ケージの髪をシャンプーした。ケージはふおっふおっと笑ったが、みんな度肝を抜かれた。

一九六一年からはジョージ・マチューナスとの出会いを通して「フルクサス」のメンバーとなり、さまざまな実験活動を展開する。とくに一九六三年三月に西ドイツ・ヴッパタールのパルナス画廊で開いた《エレクトロニック・テレビジョン》は、ヨーゼフ・ボイスが斧でピアノを壊す一方で、一三台のテレビ画像を磁石で操作して、世界初のビデオアート作品を誕生させた。翌年にはカーネギーホールで「フルクサス・コンサート」を、さらにシャーロット・ムアマンとの初の共演で《ロボット・オペラ》を初演した。以降、ムアマンとのコラボレーションが続く。

このあとの一九八二年のホイットニー美術館での大規模な「ナム・ジュン・パイク展」までの約二十年の出来事は、もはや紹介するのが繁雑になるほどの活動の連打だ。アーティストの久保田成子さんと結婚した。

以下、ナム・ジュン・パイクのインタビューと文章から拾いたい。まずは故郷の韓国の文化についての発言から。この内容はぼくが対話をしたときのものに近い（工作舎発行の『遊学の話』を見ていただきたい）。

パイクさんは、韓国の本質は漢が支配した紀元前後よりずっと以前から見ないとわからないと言う。おそらくノアの洪水前後に、韓国の祖先の民は放浪する遊牧民として、シベリアあたりで狩りをしていたのではないか。このころは日本人と祖先が同じだったかもしれない。やがてシベリアが寒冷の度を増したので、南下した。この記憶が今日の韓国文化のどこかに残っているはずである。

今日の韓国に歴史文化として残っているものはほとんど官製文化ばかりなので、そのような原記憶を伝えるものはない。しかし韓国文化のおもしろみはそういうものにはなく、民衆のマイナーなものとして残響しているものの中にある。たとえば韓国民衆の音楽のリズムはシン

「ナム・ジュン・パイク展」（1982年）
photo by Jean-Claude FRANCOLON/Gamma-Rapho /Getty Images

コペーションのある三拍子で、主として三・五・七という奇数を重視する。ここにはモンゴルからハンガリーにおよぶリズムの共有があるはずだ。パイクさんはこのリズムでバイバイ・キップリング（西洋からおさらば）をする。

そのように考えると、韓国の原文化を体現するには、アジアとともに体現したほうがいいということになる。それもモンゴルとシベリアを包むあたりに注目する必要がある。チンギス・ハーンのモンゴルによってユーラシアが蹂躙《じゅうりん》されたと見るよりは、そのモンゴルによって大きな過去のリズムや食物嗜好《しこう》やシャーマニックな文化体質が守られてきたとみなしたほうがいいわけだ。たとえばロシアがダンスが上手なのは（ロシアバレエから体操、シンクロナイズド・スイミングやフィギュアスケートまで）、そういう遊牧民の記憶が生きているからなのである。だからロシアがこれからめざめるのは、あの領土のなかのモンゴル的なるものが覚醒したときだろう。

同様に韓国や日本も、そのような大いなる遊牧民の記憶をアジア全域でよびさますようにならなければいけない。そもそもルネサンスだって、アジアの文化やイスラムの文化がヨーロッパに移入されておこったものなのだ。

そこでパイクさんは、自分がなぜビデオアートに夢中になったかを説明する。遊牧民というのは本来は記録を残さないオーディオ・ヴィジュアルな民族のことである。なぜなら遊牧民は牧草を求めて移動する。その土地での風土や生活など記録の対象にはなりにくい。それに記録をしたとしてもそんな記録物や映像機器を背負っては動けない。重すぎて移動できない。ノーマッドはその場で話し、その場で感じることがすべてなのである。

そこで思うのは、自分が韓国に生まれてビデオアートをやっているというのは、こういうことと関係があるのではないか。韓国や日本にのこるノーマッドを刺戟《しげき》するには、あえてそう、パイクさんは言うのだ。

現代はアートとコミュニケーションが交じってしまった現実のなかにある。そこでは何もかもが「情報化」ということをおこしてしまっている。パイクさんはそのことについても考える。

かつて記憶だけが文化であったころは、プラスの情報とは記録することで、マイナスの情報とは忘却するか破棄や焚書《ふんしょ》することだった。しかし、電子時代になってみると、すべてがビデオ化され、すべてが記録できるようになっていた。そうなると新たに考えるべきは記録ではなく、文化や情報をリトリーヴァル（検索）するとは何かということになる。プラスとマイナスもときどき入れ替える必要がある。

いまやリトリーヴァルが重視されないメディアほどつまらないものはない。最もすばらしいリトリーヴァルなメディアは書物であろう。永遠に他の追随を許さない。ただし、ボリュームが重すぎる。一方、一番つまらないものになりつつあるのはテレビだ。テレビは独りよがりで番組をつくるだけのメディアになってしまった。ビデオテープもその次につまらない。なぜならこれらは時間軸の情報体であるからだ。とくにテレビは独自の空間をもちえない。

では、こんなふうになったビデオの本質をどのように捉えなおしたらいいのか。パイクさんは、意外なことを言う。ビデオを本格的に研究するには馬から始めなければならないだろうと言う。一八七六年に電話が発明されるまで、軌道が決まっている一部の鉄道を除いて、コミュニケーションの手段として馬が一番速かったからである。

約三〇〇〇万年前、サルは森を離れ、太陽とともに活動するようになり、ヒトザルとなった。それから一八七六年まで（電話の発明のことをさす）、最も速いコミュニケーション・メディアが最も速い輸送メディアより速いということは一度もなかった。言い方を換えれば、テレックスとコンコルドは同じ速さだったのであり、馬がテレックスとコンコルドの機能をひとつに併せていたのだ。

この事実はいかに強調しても強調しすぎることはない。しかしいままでは、輸送の速度とコミュニケーションの速度ははっきり分断されたのだ。それは大西洋横断ケーブルができて、大陸間の情報伝達時間が六ヵ月から二秒になったときから始まった。

そうなると、問題はどのように情報を輸送するかではなくて、どのように必要な情報をリトリーヴァルするかということが重要になる。ところが情報の伝達速度をどんどん上げていく技術には、それを検索する技術が伴っていなかった。そのため、どんな情報も記録され、デリートしないかぎりはどこかで貯まっていくだけになった。どこへでも高速に届く情報は、こうしてリトリーヴァルなき貯蔵庫をゴミ溜めのように肥やすだけになったのだ。これでは、まずい。いったい何をひっくりかえせばいいのだろうか。パイクさんは、そこを問う。

一つの例を持ち出したい。かつてレコードがなかったころ、村の外まで知られていた音楽はベートーヴェンとかシューベルトのクラシック音楽だけだった。村にはもちろん民謡という音楽はあったけれど、それは地域をこえては共有されていなかった。そこへレコードが登場して、この関係を逆転させた。一部の歌が全国に知られるようになったのだ。

これは「複製」のおそろしさを物語る。実際にもスコット・ジョプリンは作曲の段階からそれが複製されることを計算に入れた。その曲がレコードやテープになったときの音色を狙ったのだ。グレン・グールドも録音された音のためにピアノをスタジオ演奏するようになった。音楽はこの逆転をとりいれた。

これと同様のことを、情報を扱う職能が考えればいいだろうとパイクさんは言う。情報をリトリーヴァル・メディアの仕組みと入れ子にするべきなのである。なるほど、なるほどだ。しかし、このことの意味はまだ十分に理解されているとはいいがたい。たとえば、美術家はそれが写真になり電子化されることを計算して制作をしているだろうか。それが情報の貯蔵庫の奥にしまわれて、取り出しにくくなっていることを計算に入れているだろうか。

まだ大半の美術家はそこまでのことを考えてはいない。われわれは馬の失墜とともにアートを情報の海から救えなくしてしまったのだ。

こうして、新たに「遊牧的定住者《ステーショナリー・ノマド》」という発想が必要になってくる。われわれは電子情報ネットワークの前で定住しながらも、遊牧しなければならなくなったのだ。アートとコミュニケーションをリトリーヴァルされるメディアのなかに位置づけ、リバース・エンジニアリングする方法によって生み出さなければならなくなったのだ。いいかえれば、もう一度、極小の馬に乗って、そのネットワークの中を駆けめぐれるようにしなければならなくなったのだ。

これからは最も可能性のある地域の遊牧的定住者が二一世紀の救世主になるはずである。それはひとつには、電子情報ネットワークのリトリーヴァル・システムを構築した者だろう。パイクさんはその可能性をもったアーティストにもっと呼びかけたいと言う。

もうひとつは、なんといってもブルガリアであるはずだとパイクさんは断言する。ブルガリアこそ二二世紀の超大国になるはずだという。なぜならブルガリアこそは、その人口比率からいって最多のロマが定住している地域であるからだ。こうしてパイクさんはメッセージを終える、「ああ、ブルガリアのクリスト！」というふうに。そこでぼくも、こう言うことにした、「ああ、ブルガリアの琴欧洲！」。

パイクさん、痛快無比の人生だったでしょうか。何事も恐れてはおられませんでしたね。また、何人《なんぴと》にも優しく接しておられましたね。いろいろのことを思い出しますが、やっぱりソーホーで弾いてもらったショパンが懐かしかったです。でも、五分くらいでした。そのときパイクさんは「まぁ、このへんまでがぼくのショパンね」と言って笑われました。バイバイ白南準、バイバイ、ナム・ジュン・パイク！

第一一〇三夜　二〇〇六年二月三日

参照千夜

一一二二夜：ウォーホル『ぼくの哲学』　一六五六夜：ハイナー・シュタッヘルハウス『評伝ヨーゼフ・ボイス』　八九八夜：磯崎新『建築における「日本的なもの」』　九〇二夜：エドワード・サイード『戦争とプロパガンダ』　九九夜：『シュトックハウゼン音楽論集』　九八〇夜：『グレン・グールド著作集』

日本の現代アートはうっかり始まったのか。
その俳諧味を定着していったのは誰だったのか。

日本の現代美術

菅原教夫

丸善ブックス　一九九五

二四人のアーティストがとりあげられている。読売新聞文化部で美術を担当していた菅原教夫が一九九三年から二年ほど「美術手帖」に連載した「持続する現在」をもとにしたもので、連載中に展覧会や個展をしたアーティストを毎月一人ずつ取材した。菅原らしい当時のリアルサイズの状況と個性が手際よくレポートされている。

今夜はその二四人の顔ぶれを失礼ながら二、三行ずつだけ紹介したいと思うのだが、その前に、本書には書きおろし部分が前半についていて、いささか興味深いことが指摘されているので、そのことを先に書いておく。

ベトナム戦争が過激になりつつあった一九六五年から二年にわたって「日本の新しい絵画と彫刻」という展覧会が全米を巡回した。菅井汲《くみ》・猪熊弦一郎・山口長男《たけお》・斎藤義《よし》

重《しげ》・吉原治良・富岡惣一郎・元永定正《もとながさだまさ》・白髪一雄・岡本信治郎・田中敦子・平賀敬《けい》・菊畑茂久馬《もくま》・宇佐美圭司・山口勝弘・中西夏之・三木富雄・流《ながれ》政之・荒川修作・八木一夫・篠田守男ら、合計四六人の作品が一堂に会した。

抽象派、抽象表現主義、ポップアート、具体、もの派、ハイレッド・センター、反芸術主義、廃品芸術、ハプナー、前衛陶芸……等々、戦後の日本を代表する現代美術のアーティストがおおむね顔を揃えた。この人選は異論をはさむ余地はあるものの、とくに偏見があるとは思えない。現代美術史を知る者が見ても、そこそこ妥当なものになっている。企画はMoMAの版画部長だったウィリアム・リーバーマンである。おそらく多くのアーティストや批評家からアドバイスを受けたのであろう。

ところがこの展覧会をニューヨーク・タイムズがこっぴどく酷評した。「いますぐにでもできることは、この意味のない展覧会を解散させることだ。そのときに、日本人はいつも模倣性が強すぎるという注意書きをつけてやることだ」。名うての前衛嫌いであるジョン・キャナディの記事だから気にすることはないのだが、そこには外国人が見る日本の現代美術に対する典型的な賛否両論があらわれていた。

リーバーマンは図録に次のようなことを書いていた。「日本の最もすぐれた絵画は伝統的なスタイルとその用材においてあらわれる。その特徴はヨーロッパの影響によって汚染されないものをもっているということにある。これらの絵画は何世紀にもわたる修練によって作りだされた表現様式である。自然に対する直観的な観察とデザインの装飾的な均衡、および細部の省略がうまく統合されている」。

褒めているようでいて、日本の現代美術の特徴にはまったくふれてはいない。のみならず、どう見ても現代美術にすら日本画の特徴を見いだそうとしている。こういう見方には無理がある。オリエンタリズムでしかないとも言える。これではキャナディが噛みついてもしかたない。たとえそうでなくとも、ぼくのように現状の日本画にも現代美術にもいささか疑問と不満をもっている者から見ても、リーバーマンのように言われて納得できることは、かなり少ない。

なぜアメリカ人の中で現代美術と日本画的なものがくっついてしまったのか、そのことと海外の目が日本の現代美術をどう見るかということは、どのように裏表の関係になったのか、菅原は昭和三十年代初期までに定着した前衛書道の影響が大きいのではないかと書いている。

ここで前衛書道といっているのは、森田子龍《しりゅう》や井上有一らの墨人会《ぼくじんかい》の活動のことで、主要には漢字を一字大書する手法が脚光を浴びたことをさす。かれらのカリグラフィック・アートは当時のアンフォルメルやアクションペインティングにけっこうな影響を与えた。そのことはよく知られているのだが、著者はそのときのちょっとしたエピソードに注目した。

第二二三夜の『日々の絶筆』にも書いておいたように、久松真一に鼓舞されて森田や井上が墨人会を旗揚げしたのは一九五二年である。その三年後の一九五五年、ベルギーの画家ピエール・アレシンスキーがかれらの書のパフォーマンスを記録映画にするために来日した。被写体に墨人会の周辺にいた江口草玄《そうげん》も選ばれた。

そのときのエピソードである。江口はカメラが回りはじめたとき、咄嗟《とっさ》に漢字を書いたのだ。フィルムを見てみると、江口は京都の筆屋での物色の場面のあとで、自室で制作に臨む。煙草をゆっくりふかして熟考したのち、やおら筆をとって漢字二字で「刻野」と書いた。

この場面について江口はこう言った。「外国人に書を見せてやるんだと思ったときに、自然に漢字を書いてしまった。それまでぼくは非文字の制作をしていたが、これが漢字に帰るきっかけになった」。あきらかに海外の目が漢字を書かせたというのだ。

似たようなことは「具体」の創設者でもある吉原治良が、西宮の海清寺の襖《ふすま》に書かれていた南天棒《なんてんぼう》の書を見て、「この墨の飛沫《ひまつ》につつまれた雄大な書にあっと驚き、しめたという気になったのです。一つの造形、一つの絵画として我々が求めているもの、非常に苦しんで求めているものが、そこにあった。アクションペインティングの原型がそこにあった」と言ったことにもつながっている。南天棒とは中原南天棒（鄧州《とうしゅう》）のことで、明治大正期に「直心即道場《じきしん》」を唱導した臨済僧として鳴らした。仙厓《せんがい》ばりの戯画や戯書を遊んだ痛快僧だった。

日本にはいまなお、和食と洋食、和風旅館とホテル、映画における邦画と洋画、和室と洋室といった奇妙な区別が歴然と進行していることは疑うべくもない。和装と洋装、和式トイレと洋式トイレ、和船と洋船、和菓子と洋菓子、そして日本画と洋画……。

これらの言い方に「日本的なるもの」がこめられていることも否定できない。和魂洋才という言葉がまだ生きているとさえ思わせもする。しかし、この和洋の区別の感覚が現代美術にも浸透していて、それを嗅ぎ分けることが日本美術の理解のカギだというふうになってくると、いささかおかしくなってくる。たしかに日本画は顔料から筆にいたるまで、用具用材が油絵とは異なっている。では彫刻はどうか。木工や金工はどうか。その技法は東も西も変わらない。インスタレーションはどうか。メディアアートはどうか。そこにもなお和洋を峻別《しゅんべつ》できるのか。

もっと端的には他のアジア諸国のアートをどう見るかということを考えてみればいい。その国の現代美術に民族的な芸術性ばかりを見ていくのなら、どうやってベトナムや韓国やシンガポールの現代アートを理解できるというのか、わからなくなろう。

それでもどうしてもこうした此彼の問題をちゃんと議論したいというなら、それこそ岡倉天心がなぜ「日本画」という領域の確立に壮絶な闘いを挑んだのかというところまで戻って考える必要がある。フェノロサと天心が列強に伍して日本の美術が〝需要〟をもつことを計画したその理由に、立ち戻る必要がある。それをしないのなら、現代美術に日本画の特質や前衛書道の影響をいつまでも追わないほうがよい。また逆に、そうした日本画や前衛書道に見るべきものがいちじるしく少なくなっていることをこそ指摘するべきだった。

いったい日本の現代美術に何を見ればいいのか。このことはいっこうに確立していない議論のようであるが、ぼくが知るかぎりはそんな全貌を括れるような特徴はないように思われる。それでもあえてどういうところに今日の特徴があるかというと、そのあまりの即自的な多様性と残念なほどの単調な表現力には、しばしば気が滅入ることがあるのだが、ときに冴えわたった作品に出会ってその静かな主張力に共通して感じるのは、たいていは「反芸術性」というものである。

この言葉は一九六〇年の読売アンデパンダン展に出品された工藤哲巳《てつみ》の作品に対して東野芳明が与えた言葉であるが、工藤にこそふさわしかった「反芸術性」が、なぜかその後のすぐれた日本現代美術におおむね共通してきた特色になっていった。日本人は、デュシャンやポップアートやコンセプチュアル・アートに反応して、どうも「反芸術」

の姿勢をとりたがる。いったいどうしてこのようになったのか。こういう見方には問題があると菅原は考えた。まとめていうと、二つある。

　ひとつは、マルセル・デュシャンが便器をさかさまにして《泉》と名付け、ロバート・ラウシェンバーグが絵画の歴史を否定するために白い絵を提示して「反芸術」を標榜したときは、ヨーロッパやアメリカに流れてきた「芸術」の滔々《とうとう》たる歴史的実質というものに対して反逆する意味があった。その反逆の様子だけを日本のアーティストが踏襲しても、はたしてそれで反芸術なのかという問題だ。もともと日本は江戸末期まででずら「ひとつの芸術の歴史」をもってきたわけではなかったのである。いや「芸術」という観念の持続すらなかったといったほうがいい。

　もうひとつは、仮に「反芸術」があっても、では「反哲学」はあったのかどうかということだ。管見するかぎりでは、日本の現代美術家たちがカジミール・マレーヴィチやエミール・シオランの「反哲学」に匹敵する思想を世に問うてきたようには思えない。ニーチェや清沢満之《きよざわまんし》を徹底して反映した芸術に挑んできたとは思えない。むしろ多くのアーティストたちは今日の社会問題、たとえば商品洪水や環境汚染や自我喪失に反応して表現しているほうが圧倒的に多い。

　だいたい「反芸術」あるいは「反哲学」というのなら、西欧の歴史芸術哲学にクサビを打ちこむか、さもなくば日本の思想芸術史と正面きって対決していかなければならないのだろうが、そういう姿勢がはなはだ希薄なのだ。心敬《しんけい》や長次郎や宣長や梅園と対決した現代アートにはとんとお目にかからない。だから、わが現代アートはそういう「反芸術・反哲学」のよそおいだけはもっているものの、それよりずっと関心を向けているのは「社会における現代芸術一般のありかた」や「身体にひそむ社会的な腐食の提示」のようなものなのではないかと見える。

むろん例外はいる。たとえば菅木志雄《すがきしお》や李禹煥《リ・ウーファン》や黒田アキはその一人であろう。けれども、そのような例外はあまり多くない。多くはその発言も文章も（日本のアーティストはめったに文章を書かないけれど）、思想のレベルでみればたいしたことはメッセージしていない。どちらかというと、日本のアーティストは「生きる」とか「実感する」とか、あるいは「社会とのかかわり」とか「矛盾」とか「自然との対話」といった、とくにアーティストでなくとも感じていることを重視する。

一九六五年の全米展から三十年たった一九九四年から翌年にかけて、「戦後日本の前衛美術」展がグッゲンハイム美術館でひらかれた。このときもやはりニューヨーク・タイムズが展覧会評を書いた。

今度の書き手はホランド・コッターである。一読、三十年前とはずいぶんちがっているように読める。たとえば、「抽象表現主義やミニマリズムといった動向に対する日本の適応は、高度な選択眼によってなされているばかりではない。モデルとなったものに新しい意味を与えている」というふうに。日本が欧米の美術と似たような作品を制作しているように見えても、そこには独自のフィルターやリプレゼンテーションがあるということを指摘した。

一方、「日本の現代美術を純粋に西洋の概念で読みとることはよくない。よく言われてきたように、かりに日本の美術が同化の美術だとしても、それはあきらかにそれ自身の哲学的な立場にもとづく変容をおこしている」という文章からは、リーバーマンが言うような日本画的な自己主張ではない自己主張が戦後の日本でそれなりにおこってきたことを指摘していると読みとれる。

コッターの指摘はたいしたものではないけれど、日本の現代アートにそれなりの独自性を見いだすべきだと言っていることくらいは伝わってくる。そこに「哲学」があるとも指摘した(反哲学ではなくて)。しかしよく読めばわかるように、これは日本が欧米の美術とほとんど同じ土俵にいることをはからずも〝解説〟してもいるわけで、日本がグローバリズムにいながら、よくぞ日本人として頑張っているとしか言っていないようにも読めるのだ。

このような解釈は、日本経済についての欧米の評価の仕方と変わらない。ということは、問題は日本にあるのではなく、問題はむしろ欧米の現代アートそのものがおもしろいのか、何を歴史的にはたそうとしているのか、いまどこに立って物言いをしているのかということであって、それを問わないで日本美術を問題にしてもしかたがないということなのである。

ざっと以上のようなことを著者は前半で話題にしてみせていた。ぼくの見解も多少まじえたが、それほどの食いちがいはない。ちがいがあるとしたら、著者には日本の現代アートに対する連綿たる愛情があって、ぼくにはそれがかなり希薄になっているということだろう。

では、今夜の趣旨に戻って、本書がその一九九四年前後の美術展や個展で出会ったアーティストたちにどんな見方をしたのか、ごく少々ながら紹介しておきたい。

最初にも書いておいたように二四人いる。当時、展覧会がひらかれた作家だけになっていることも最初に書いたとおりだ。以下、あえて著者の言葉を少なめにカットアップするだけにとどめた。掲載順である。作品名は当時の展示作品のみにする。九〇年代半ばの展示ではあるが、これが日本の現代美術の現状の一端なのである――。

倉重光則「白光のリアリティ」――蛍光灯をよく使う。あるとき新聞紙の上に蛍光灯を置いたときに管のそばの文字が光のなかに消えることから思いついた。ダン・フレイヴィンも蛍光管作品がある。《不確定性正方形》。

小清水漸《すすむ》「彫刻のエッセンス」――机・櫃《ひつ》・笈《おい》・長持《ながもち》といった家具が作品によくあらわれる。《水の長持》では味のある長持に水の入ったバケツが一杯。

原口典之「測定されるディスタンス」――一九七〇年にリチャード・セラの制作を手伝ってミニマリズムにめざめ、七七年のドクメンタ6で鏡面のように油を満杯にした油槽を展示して話題をとった。その後、欧米の旅で感じた虚脱感を脱出する努力が続いたが、脱却した。アキライケダギャラリーが応援しつづけている。《Water Disk》。

山田正亮《まさあき》「充塡《じゅうてん》されるモダニズム」――藤枝晃雄が売り出した。グリッドやクロスを多用したミニマル・ペインティングを発表してきたが、《白の場合》ではその有機的組織性を自身で凌駕《りょうが》しようとしている。

村岡三郎「質への視点」――鉄をバーナーで切ることを《熔断》と名付けている。鉄と進退の「あいだ」を表現する。その「あいだ」をたとえば空洞と見たり、意識と見たり、文明と見たり。

李禹煥「出会いを求めて」――点と線を描いていた当初から「碁を打つように描く」と言っていた。そういう雰囲気はその後も一貫しているし、東洋を主張して憚らないことも一貫している。《照応》シリーズではそこに他者との出会いが想定されている。

片瀬和夫「東西を超える祈り」――一九七六年以来ドイツに在住している。ヤン・フートが注目した。個展「なげるかげ」では三メートルの立体構造物が二個提示され、一方を覗くと電球の光が落とす円形の影が黒と黄のパウダーでしるされる。「仏教はキリスト教社会のなかでこそ際立つ」と言う。

遠藤利克「カオスへの衝動」――『エピタフ』（五柳書院）という著作がある。《Two Walls》では炭化した二つの壁が向きあって、人間が歩んだ文化以前の時間を出現させている。美術の前にすでにカオスがあったというのである。

辰野登恵子《たつのとえこ》「絵画の豊かさについて」――ティントレットやルーベンスが好きな辰野はずっとペインタリーな触感にこだわってきた。そのタブローはしだいに地と図の境目を際立たせている。《Work 89-P-13》はそういう揺れをつくっている。マーク・フェルドスタインの写真も好きだと言っている。

舟越桂《かつら》「一番遠い自分」――自己主張には禁欲的でありたいという舟越の彫刻は、しかし眼差しを発射する。上半身像が多いなか、《長い休止符》は全身像。

堀浩哉《こうさい》「絵画の上部構造」――典型的なミニマル・ペインティングだが、線を多用するようになってからは、そこに東洋性を指摘する批評が多かった。作家自身は「日本回帰する日本などない」と言い切る。「よるべなさ」のほうが重要だという。《水脈》。

長澤英俊「イデアの発現」――一年半の自転車によるユーラシア旅行が作家の起源になっている。一九九三年の水戸芸術館での回顧展が話題だった。《オフィールの金》《牧人の杖》《ヤーヴェ》《李白の家》など、タイトルが羅針盤を強く動かす。
黒田アキ「言語の交差」――この作家はリテラシーに富んでいる。《世界7》ではパスカル・キニャールの詩句が対角線で分割された画面に重なる。パリで創刊した雑誌「NOISE」にはヴィム・ヴェンダースやジャック・デリダが寄稿した。
戸谷成雄《とやしげお》「構造としての森」――愛媛の久万《くま》美術館で個展をひらいた。「私は森である」とまで言い切りたい作品で埋めた。個展会場はそのメッセージにふさわしい。その方法は表面性や反復性といったセリアル・モードによるモダニズムの自信によっている。
榎倉康二《えのくら》「物質と身体」――芸大で山口薫《かおる》に学び、一九七〇年の「人間と物質」展で「もの」を表現してこのかた、榎倉は「名称をはぎとられた世界」をひたすら提示してきた。妙に現代思想との鏡像関係を感じさせる。《干渉》。
河口龍夫「関係の創造」――金槌《かなづち》や爪切を封じた作品で遮蔽や隠蔽がおこす出来事を表現した。《関係》では作家の夫人が子供のころから弾いてきたアップライトのピアノの鍵盤の一部を鉛で覆い、そこに植物のコスモスの種子を埋めた。
彦坂尚嘉《なおよし》「形の生まれ出るところ」――菅原はこの作家を「戦略家＝リアリスト」と呼ぶ。その戦略はミニマルアートの零度から逆に原初をめくることにある。《絵画都市》にはその原初の図形のようなものがあらわれた。
黒川弘毅《ひろたけ》「彫刻の触覚性」――カーヴィング（彫る）とキャスティング（鋳る）の紐帯《ちゅうたい》を

どのように自由にさせるか。そこには「痛み」すらともなう。《スパルトイ》シリーズがそれを実現する。

鷲見和紀郎《すみわきろう》「関係と自立と」――三木富雄や李禹煥のアシスタント時代からすでに「手」を知っていた。問題はその「手」の痕跡による作品を空間とどういう関係にするかである。《ヴェール》連作ではあえて壁を意識した。

菅木志雄《すがきしお》「芸術のプラティック」――黒磯板室温泉《くろいそいたむろ》のホテル大黒屋に《天の点景》《間の相景》を設置した。インド思想が好きな菅らしく、「空《くう》」めいたあっけらかんがある。

中西夏之「絵画の起源へ」――一九八九年に西武美術館で絵画回顧展を開いてから、中西はまた新しい。だから再制作も厭《いと》わない。《洗濯バサミは攪拌行動を主張する》はそのひとつ。プラトンの「洞窟の比喩」が好きらしい。

中村功《いさお》「絵画が絵画である理由」――絵描きは絵の具のマチエールから離れにくい。中村はその確執を紙のちぎり貼りをして超えようとする。絵の具の「滴《したた》り」がちぎり紙と交じり、たとえば《地勢》のように、抑制される。

土谷武《つちたにたけし》「形なき世界へ」――京都のやきもの屋に生まれたが、薄い鉄板を使うことが多い。道元ではないが、山のような巨きな存在に向き合うパワーに打たれてきた。労働することに惹かれつづけるアーティストである。《緑の滝》。

川俣正「風景への同化」――九〇年代から土木建築用の工業規格のパーツを使うよう

になった。東京都現代美術館の《キャットウォーク》では庭にS字状の回廊が展開した。まるで美術館がまだ工事を終えていない眺めに遡及《そきゅう》をおこしたかのようなのである。かつてアメリカの批評家は「そこには不況へのおびえ」が表現されているとした。

第一〇三七夜　二〇〇五年五月十八日

参照千夜

二二三夜：井上有一『日々の絶筆』　一〇四一夜：久松真一『東洋的無』　七五夜：岡倉天心『茶の本』　五七夜：マルセル・デュシャン&ピエール・カバンヌ『デュシャンは語る』　四七一夜：マレーヴィチ『無対象の世界』　二三夜：エミール・シオラン『崩壊概論』　一〇二三夜：ニーチェ『ツァラトストラかく語りき』　一〇二五夜：藤田正勝・安冨信哉『清沢満之』　一二一九夜：心敬『ささめごと・ひとりごと』　九九三夜：三浦梅園『玄語』　七九九夜：プラトン『国家』　九八八夜：道元『正法眼蔵』

コンピュータとアルゴリズムは、どのようにアートを拡張していったのか。

坂根厳夫

拡張された次元

NTT出版　二〇〇三

杉浦さんが、彼は松岡君といってね、「遊」って雑誌で科学もアートもつなげて見てる青年なんだよと言った。次に「この人、朝日の科学部の坂根さん、いま一番の目利きだね」と会話の躙口《にじりぐち》をつくってくれた。三日にあげず渋谷並木橋の杉浦アトリエにお邪魔していたころだ。坂根さんもよく来ていたようで、何度か会った。あるとき坂根さんは巨大な洋書を掲げて、「これね、『ゲーデル、エッシャー、バッハ』っていってね、いまいちばんおもしろい本なんだ」とホフスタッターの快著を紹介してくれた。その本が翻訳されたのはそれから十年くらいのちだった。

そのころ坂根さんが杉浦アトリエにしょっちゅう来ていたのは、『美の座標』（みすず書房）のためだった。ピンホールカメラからフラー・ドームまで、紙ヒコーキからホログラムまでを斬新にとりあげた。なるほど目利きの本だった。その後、坂根さんは『かたち曼陀羅』（河出書房新社）、『遊びの博物誌』（朝日文庫）、『境界線の旅』（朝日新聞社）、『科学と芸術の間』（朝日選書）、『イメージの回廊』（朝日新聞社）というふうに、一貫してアート＆テクノロジーの分野に対してクリーンな切り口を提供する書籍を上梓《じょうし》しつづけ、そのどこかで慶應大学ＳＦＣの先生になったんだなと思っているうちに、今度は岐阜のＩＡＭＡＳ《イアマス》の学長さんになっていた。ぼくもいつしか岐阜県の仕事をするようになっていたので、最近は頻繁に会う。

本書はその坂根さんがメディアアートの世界にどっぷり浸かる直前の報告書だ。だから取り扱った作品も、朝日新聞で連載していた文章も十七年前のものなのだが、すべてのパソコンの前のユーザーがほぼ等しくアート＆テクノロジーの可能性と対峙《たいじ》できるようになる前に、前世代のアート＆テクノロジーの担い手たちが何を考え、何をあらわしていたかを知るのは、なんだか妙に「おととい」が「あさって」であるようなエキサイトをもっていた。坂根さんはあいかわらずすべての事情の起爆と展示をカームダウンさせて書いているけれど、それゆえなのかどうか、本書はＩＴ世代にこそ読まれてよい一冊になっている。

一九八六年のヴェネツィア・ビエンナーレは「芸術と科学」をテーマにしながらも、そのサブテーマのひとつで中世錬金術などを貪欲に食べていた。本書の坂根さんの観察記はここから始まる。

同じ時期、ヴェネツィアでは未来派展が開かれ、アビニョンでは「センチメンタル・マシーン」と銘打たれたロボット展が開かれていた。これら三つの展覧会は決して齟齬《そご》をきたさない。それらは、パラケルススやロバート・フラッドの両界宇宙がエティエンヌ＝ジュール・マレーのリヴォルヴァー・カメラによって連射され、そこからジャコモ・バッラのダックスフンドが豆ロボットのように走りだして、小竹信節《のぶたか》のオブジェ《ボクは昨日まで時計だったんだ》と出会って挨拶をしているというような先駆的な親和性をもっていた。

さらにはそこに、ニコラ・シェフールのキネティックアートからトム・シャノンの紡《ぼう》錘《すい》アルミの《愛の羅針盤》までがくるくる回って揃って降りてくるようなところがあって、坂根さんには、それらの親和的相互作用がことごとく相対論化され量子化されたアート&テクノロジーでの切り取りだったと言われても、けっしておかしくないというような共鳴関係が見えたようである。

この出だしの三つの展示には、佳《よ》き日のアート&サイエンスをめぐる午後の白昼夢のようなところがあって、それぞれが個別の芸術定数を告示しながらも渾然《こんぜん》一体となることを望んでいる感じがする。

そこで次に見極めるべきは、そのような人工や機械がひとつの森として融和しようとしている光景のなかに、自然や生命のナマの亀裂がもちこまれたときのことだ。たとえば遺伝子組み換えの進行、たとえば産業廃棄物の増加、たとえばオゾンホールの出現、たとえばアレルギーやアトピーなどの適応不全、たとえばコンピュータ・ウイルスや薬害エイズ……。こうしたものがアート&テクノロジーの表現に掬《すく》われたとき、さあ、どうなるか。

実際にも、多くの現代アートでは、これらの問題を直截《ちょくせつ》にも過激にも個人的にも扱った作品は少なくない。それらはときに、展示室で寡黙になってしまったり、オンブズマンの告発のようになったりするときもあるし、またクリストのごとくそれらを包みあげることによってその内示作用を告示して「隠蔽が暴露である」と思わせもするし、いまはニューヨークにいる蔡國強《さいこっきょう》の作品がそうであるのだが、それらの問題のすべてを引き取って自爆させる方向こそが、人々に何かを忽然《こつぜん》と悟らせる方法であることを提示するものもある。

しかし本書で坂根さんが発見するのは、自然や生命が発揮するリズムや振動が、ときにこのようなナマの亀裂の介入を和らげ、それらを静かに融和の光景に連続させていくのではないかという可能性だった。

第二章で扱われているハンス・ジェニングスやスーザン・ダージェスの振動科学芸術ともいうべきに代表された作品例は、背後に寺田寅彦の割れ目の科学やロジャー・ペンローズの対称性を秘めながら、そもそも自然や生命は科学によって切り刻まれたのだから、そこに見え隠れする現象をこそいったん芸術の現象としても取り出してみようというものになっている。これらはかつて中村雄二郎も注目していたリズム振動子によるアート&テクノロジーでもあった。

こうして坂根さんの十七年前の旅は、次に環境芸術の一端をざっと覗きつつ、第四、五章の「コンピュータ文化への胎動」「新しいリアリティと時空」に向かっていく。

これらは今日のいっさいのパソコン=ケータイ社会の起源となった先駆的試みの紹介にあたる章で、いまなお重要なショーイングとして知られるオーストリアの「アルス・エレクトロニカ」展と、どちらかといえば陽気な電子技術を優先するアメリカの「シーグラフ」展の観察が中心になっている。

坂根さんはまず「アルス・エレクトロニカ」のシンポジウムに注目し、すでにこのとき「いったいコンピュータが表現するものは、これまでの人類文化史の何に当たっているのか」という問題が大きく据《す》えられていたことを指摘する。とくに浅田彰がそのときの講演で、エレクトロニックマザー症候群ともいうべき「すべてを電子の母体に住まわせて安住する傾向」に警告を発し、もしコンピュータがなにもかもを呑みこむというなら、そこではもう一度、宗教から戦争までもの試練が必要になるといったメッセージを放っていたことに、耳を傾けた。

もうひとつ議論になるべきはCGの問題である。いったい、あのやたらに克明で極彩色なイメージを作り出すCG（コンピュータ・グラフィックス）とは何なのか。さすがに十七年前と今日のCGには格段の差があるものの、ヴァーチャル・リアリティやテレプレゼンスの意味するところと絡んでいえば、これはそもそも人間が外部に「リアリティの内部化」を図ろうとしてきたのは何の作業だったのかという、長い長い歴史的な問題を引きずっているはずである。

ぼく自身は、フェルメールの油彩画にさえ顕微鏡的視像が関与したのだから、その後どんなメディア技術に何があらわれようと驚くに足りないという見方をとるのだが、はたしてこの見方をとりきれる社会がどれほど忍耐強いのかというと、いささか心もとなくなってくる。

いまやどんな情報も、高速大容量でネットワーク上を疾駆することができる時代になっている。しかもそれらはユビキタスに電子タグ化された交換性をもちうるようになっている。思想と表現とアートは「情報」に呑み込まれているとも見える。これはどうやら「グーテンベルクの銀河系」とも「ベンヤミンの複製系」とも異なるような、新たな暴力的共生系の出動なのである。

当然のことに、社会はこれらを善玉と悪玉に選り分けたり、フーコーのパノプティコン（全展望監視システム）ではないが、監視や罰則や規制をかけたりしてくるだろう。アーティストにとっては耐えられないだろうが、そこからは「あんたのやってることは芸術なのか技術なのか」という、くだらない攻撃だって仕掛けてくるはずだ。答えてやりなさい。もとよりアート（art）はアルス（ars）なのである。

もっと厄介な問題もある。それらの攻撃を破って表現される情報技術や情報芸術が出現したばあい、はたしてかつての猥褻《わいせつ》罪や騒乱罪などで対応できるものかどうか、わからないということだ。すでにコンピュータ・ウイルスさえ、いっさいの法的体系をも逸脱してしまっている現状なのである。こうしたことが、はやくも十七年前にすでに各所で暗示されていた課題だったのだ。

当時の坂根さんはどう見たかというと、コンピュータが「生成のアルゴリズム」をもつことが今後どのような意味を発揮するかということと、および「メタファー」によるシミュレーション」がいつまでメタファーでいられるかということに、主要な関心を絞ったようだ。

これは穏やかな観察ではあるが、ここからは多くの新しい課題も引き出せる。たとえばわれわれの社会は今後、いったい何を「生成物」と見て、何を「比喩物」とみなし、何を「廃棄物」と認識するのかということに、実は自信を失っているともいえるからである。実際にも最近の現代アートは、この生成物と比喩物と廃棄物のオンパレードと、その混成なのである。

かくて、本書はゆっくり閉じられる。拡張された次元に何があらわれたのかということを観察記録として残し、その次元が必ずしも科学と芸術だけで所有できるものではなくなりつつあることを、例示して。

第七九〇夜　二〇〇三年六月六日

参照千夜

九八一夜：杉浦康平『かたち誕生』　六六〇夜：寺田寅彦『俳句と地球物理』　四夜：ロジャー・ペンローズ『皇帝の新しい心』　七九二夜：中村雄二郎『共通感覚論』　一〇九四夜：アンソニー・ベイリー『フェルメール』　七〇夜：マクルーハン『グーテンベルクの銀河系』　九〇八夜：ベンヤミン『パサージュ論』　五四五夜：フーコー『知の考古学』

デュシャンをカメラにして、象徴・苔・天皇を結界にしてみせる。

杉本博司『苔のむすまで』

新潮社　二〇〇五

さすが杉本博司だった。あとがきに「この歳になるまで文章を書くとは露ほども思っていなかった」と書いていたが、どうしてどうして、文体・文意・文飾、いずれもすばらしい。大いに読ませた。「和樂」の当時の編集長だった花塚久美子に唆《そそのか》されて毎月一〇ページの連載をしたのをきっかけに文筆のおもしろさにめざめたようで、それで杉本ワールドが本書のような言葉によっても辿れるようになったのだから、杉本ファンにとってはまことに悦ばしいことだったろう。

今夜は『苔のむすまで』を採り上げたが、このあとも何冊か書いた。『現《うつつ》な像』(新潮社)、『空間感』(マガジンハウス)、『アートの起源』(新潮社)、『趣味と芸術』(講談社)などなどだ。もっとも最初の二冊から先は、だんだんフツーの本になっている。

『苔のむすまで』(time exposed) は気分のいい本だ。装幀やレイアウトを含めて尻が締まっているし、目が澄んでいる。数週間前に新元号が「令和」に決まって、本書のタイトルが「君が代は‥さざれ石の‥巌となりて‥苔のむすまで」に連調していたことも、本書を今夜の千夜千冊にとどめるには、なんだかふさわしい。

ちなみに「令和」は、万葉集の大宰府での梅花の宴の序文から採字したのまではよいけれど(やっぱり中西進さんの提言だった)、どこか未《いま》だしのネーミングだった。令月・令人・令息・令嬢の「令」を使うというなら、たとえば「令元」とか「令望」とかもよかったのではないか。昭和の「和」にお出まし願ったところが、もったいない。そろそろ「おおもと」を令《よ》きものと見る時代が来てもよかったのである。それかあらぬか本書の帯には次の杉本の言葉が端的に示されている。「私の中では／最も古いものが／最も新しいものに／変わるのだ」。

日本の雑誌に杉本博司の写真を最初に掲載したのはぼくだった。「遊」(一九七九年一〇〇八号)に《劇場》(Theaters) を一六ページ一挙掲載した。エディターとしてニューヨークの杉本に会いにいったのも、ぼくが初めてだったと思うのだが、このとき杉本が独自に工夫した暗室と引伸し機を見せてもらうとともに、すでに杉本の言葉がただならないものを暗示していたのを感じた。そのとき杉本は「ぼくは結界《けっかい》を撮りたい」と言ったのであ

杉本博司《劇場》（1978年）©Hiroshi Sugimoto

る。「結界を撮りたい」だなんて、よくぞそういう狙いに向かっていたものだ。

たしかそのころは東松照明《とうまつしょうめい》が「波照間《はてるま》」を撮っていたはずだが、これも聖域に挑んだものではあったけれど、ではあの写真群が「結界」を相手にしたかといえば、そうではなかった。むしろ禁断の民俗的聖域と闘ったというべきものだった。東松ならずとも、そういう写真は少なくはない。内藤正敏はそれをずっと撮ってきた。一方、杉本はこの言葉通り、その後ずっと「結界」に挑んだ。たんに結界を撮ったというより、写像による結界をつくっていったのだ。

というように、杉本には若い頃から虎視《こし》眈々《たんたん》たるコンセプチュアルな狙いが宿っていたのだが、それなのに「遊」掲載のときは、しまった、ぼくは文章を頼まなかった。まあ、そのへんのことはともかくとして、今夜は杉本の写真について書いておく。そのあとで考え方にふれたい。写真について書いていれば考え方にふれることにもなる。

杉本の写真は一言でいえばすこぶる戦略的な写真だ。最初の最初から「アートなシリーズ」をめざしている。アートではなく「アートなシリーズ」である。そんなことができるのはコンセプトが明確だということなのだが、コンセプトがあるというだけなら多くの写真家がそうなので、そう言うだけでは当たらない。

杉本のコンセプトの特色は、第一に「秘するもの」に依っている。あからさまではなく、探査的ではない。第二に「類に及ぶもの」を大事にしている。いろいろ「類」はあるけれど、杉本の場合はずばり人類史か写像史だ。第三に「日本とは何か」に響く。ここには神や仏や傀儡《くぐつ》がいる。これらが重畳して杉本のヴィジュアル・コンセプトをかたちづくっている。たいへん好もしい。

シリーズ性が強いから、それなら組写真なのかというと、なるほどまさに組写真に近いのだけれど、さまざまな写真が組まれているのではない。絞り切った同一テーマをめざしたストイックなシリーズなのだ。

同一テーマによる組写真をつくってきた写真家はもちろんたくさんいる。多くはそれぞれのアングルが異なっていて、それらが組み合わさっている。ぼくはアンセル・アダ

杉本博司《ジオラマ》(1976年)©Hiroshi Sugimoto

ムスのヨセミテの連作写真、ロバート・フランクの『アメリカ人』、川田喜久治《かわだきくじ》の『地図』、エティエンヌ＝ジュール・マレーの連続写真、ラルティーグの写真集などに影響されて写真にめざめたのだけれど、これらは組写真といえば組写真だが、いずれもショット・アングルは異なっている。しかし、杉本は初期の《ジオラマ》もその後の《劇場》も《海景》も、絞り切った同一アングルでシリーズ撮りをすることにこだわった。

もっとも、この程度の話では杉本の写真にはまだまだ接地できない。限定した同一アングルで写真を撮ることなど、いくらでもあるからだ。ぼくが好きで、互いに話しあってもきたリチャード・アベドンは『ナッシング・パーソナル』で、さまざまな人物を白いホリゾントに立たせて、ほぼ同じアングルで撮り続けたものだ。これを踏襲したのが「アエラ」の表紙を長らく担当した坂田栄一郎だ。こういう定点撮影という方法も、けっこう多くの写真家が試みてきた。もともとは科学写真が採用してきた観察のための方法だ。では杉本の写真は何を試みたのかというと、定点によって定点では見えない「もの・かたり」を現出した。

写真を撮るという行為は、一言でいえば「光をフィルムにうたた寝させる」という行為である。最初は銀塩フィルムではなくて、室内や屋外の実像をピンホールを通してカンバスに投影して、現像・焼付をするかわりにそこに油彩などで絵を描いた。このときカメラ・オブスクラが実像とカンバスのあいだにあった。十五世紀以降にダ・ヴィンチ、レンブラント、フェルメールらが使った。

杉本の写真はこのカメラ・オブスクラを今日(現在)まで引っ張ってきている。カメラは光学レンズの精度が増し、さらにインスタントカメラを嚆矢《こうし》に高度な電子化もされるようになったけれど、杉本はフェルメール時代のカメラ・オブスクラを時空間ごと引っ張っているのだから、杉本カメラにはそのフェルメールから今日までの空間量も時間量も引っ張れている。

似たようなことをやった者たちはいた。バロックの建築家、浮世絵師、覗きからくりの制作者たち、そしてマルセル・デュシャンだ。デュシャンの遺作《①落ちる水、②照明用ガス、が与えられたとせよ》は作品全部がカメラ・オブスクラという部屋になっていた。この作品はフィラデルフィア美術館の一室になっている。杉本は見田宗介《みたむねすけ》とここを訪れて驚嘆した。ぼくもこの一室を覗いて官能の極みに達した。

なぜ杉本がこういう考え方や見方をするようになったのかといえば、察するに世界が、模像であることを早くから見抜いていたからである。ここには二つの大きな仕掛けの理解がひそむ。

ひとつは、われわれの視覚像は眼球と脳神経系によるものなのだから、何かが「見えているということ」そのものがすでにして模像だということがある。印象として模造っぽくなるというのではない。知覚がそうなっている。このことはすでにマッハの知覚認識論、ケーラーやレヴィンやコフカのゲシュタルト心理学、数々の脳科学、メルロ＝ポンティに始まる「間主観」による知覚哲学、デヴィッド・マーの『ヴィジョン』、最近の人工知能論までもがあきらかにしている。

もうひとつには、絵画も建築も衣裳も写真も（つまりは大半のアートは）、型と型とを抜きあって成立してきたということがある。「抜き合わせ」だ。風景を描くことも仏像を彫ることも、住居を建てることも衣服をつくることも（着ることも）、何かと何かの「抜き合わせ」なのである。多くは「地」と「図」の抜き合わせだ。

このことについてもプラトンからジャコメッティまで、フォン・ユクスキュルからフランシス・ベイコンまで、文晁・北斎からベンヤミンまで、三浦梅園から中井正一まで、ナム・ジュン・パイクから森村泰昌まで、とっくにわかっていたことなのだが、多くのアーティスト、とりわけ写真家はこのことをちょっと失念しすぎていた。

世界はもともと「もどき」(擬き)なのである。だから世界の表象は断乎《だんこ》たる「もどき」としてあらわされてよく、より鋭くこのことを突いた作品こそが文学であり、アートであり、写真であってよかったのである。

杉本は最初からこのことを見抜いたようだった。「もどき」はシミュレーショニズムではない。本物と見まごうばかりの抜きつ抜かれつの接戦を通過しなければならない。そのうえで、見まごうばかりの「ばかり」に向かう。しかしそのように「もどき」に抜けていけるには、やはり「本物」を目利きできていなければならない。

杉本は古美術品のコレクターであって、骨董《こっとう》屋でもある。そうなったのは杉本の前夫人の絹枝さんのせいだった。

話が前後するけれど、杉本は立教大学の経済学部で学んでいるうちに写真をやりたくなって(中高大ともに立教ボーイだ)、ロスアンジェルスのアートスクール(アートセンター・カレッジ・オブ・デザイン)に入った。一九七〇年のことだ。途中シベリア鉄道でヨーロッパをまわったりしているが（このシベリア鉄道経由のヨーロッパ覗きは、五木寛之や安藤忠雄がしているが、なかなかのイニシエーションなのである）、そのロスの四年間で西海岸特有のカウンターカルチャーの波濤《はとう》を浴び、そのなかで東洋や日本が注目されているのを知る。

ケルアックやギンズバーグによるビートニック世代がタオイズムや禅に依拠していた風土が、まだカリフォルニアのそこかしこに熱を発していた時期だ。ぼくもバークレーの本屋が軒並み「東洋」で埋まっているのに驚いた。ところが、そのころの杉本はせいぜい鈴木大拙《だいせつ》を読む程度のことで、東洋宗教も日本美術も見えてはいない。

そのうち七四年にニューヨークに移り住んだ。ここで写真のアート化に挑戦するために腰を下ろし、初期の傑作《ジオラマ》《劇場》《海景》などのシリーズを撮った。杉本は州政府やグッゲンハイムの奨学金やNEAのグラントをもらっていた。無収入でも凝った写真にとりくめたのは、この軍資金のおかげだった。

このころ画家の絹枝さんと結婚した。絹枝さんは資生堂の宣伝部にいた人で、広告の仕事に満足できずニューヨークで画家を始めていたのだが、杉本の収入がなく、仕事も途絶えそうなので心配をして自分で小さな店を始めた。いろいろ買い付けをしてソーホーのビルの二階を借りた。「MINGEI」だ。一九七八年のこと、ぼくが杉本を訪ねたのはこのときだった。

話によると、銀行には二〇〇ドルしか残っていなかったらしいが、初日にはイサム・

ノグチもやってきて、一ヵ月後にはニューヨーク・タイムズが家庭欄で大きく採り上げたため、在庫はすべて売り切れた。絹枝さんは一歳の子の育児が忙しい。そこで杉本が買い付けに赴くことになった。「伊万里と鍋島の違いも知らないような、ズブの素人がそば猪口《ちょこ》や印判の皿、久留米絣や筒描、はたまた廃仏毀釈で川に流されたとおぼしいズルズルになった仏像など、変なものを含めて買い集めた」と、杉本は書いている。

そんななか、円空仏に出会った。ギョッとしたようだ。杉本はそれからというもの、年に四度は日本に戻って神社仏閣をめぐり、東寺の弘法市に出入りし、骨董業者と顔なじみになり、目利きの腕を磨いた。「本物」と「もどき」の行き来にだんだん自信がついたはずである。そして、何が「ごつん」するかを追い求めていった。

写真制作のほうも、もちろん当初から「もどき」に向かった。《ジオラマ》はニューヨークの自然史博物館の古生物や原始人の展示ジオラマをスーパーリアルに撮ったもので、かつて十文字美信《じゅうもんじびしん》が剝製《はくせい》を撮りたくて剝製制作所に通っていたことを思わせるが、杉本のものはジオラマだけあってスペーシブだ。一目見たジョン・シャーカフスキーがすぐにMoMAのパーマネント・コレクションに入れた。

ぼくが瞠目《どうもく》した《劇場》は、アメリカの古い映画館のスクリーンまわりを撮ったものだが、名作映画が上映されている時間ぶんきっかりを撮影しつづけることによって、当時の映画館の装飾を刻印させるとともに、カメラが開けっ放しになることで真っ白になったスクリーンを告示してみせた。こちらはクロニクルなのである。映像のもつ「はかなさ」も感じさせた。

《ジオラマ》も《劇場》も、いずれも杉本流の調整と工夫を施した古めかしい大型カメラによる撮影だ。カメラ・オブスクラの杉本ヴァージョンである。《海景》もそういう大型カメラを世界各地の海岸に運び、同一画角、同一アングル、同一露光、同一深度で撮った。そのため大ボケ写真が少なくない。それなのにじっとしている。これまた見る者を唖然《あぜん》とさせた。

どんなカメラであれ、それで撮った写真は「写真としてのリアル」を示す。しかし、カメラ・レンズの向こうの被写体も、博物館であれ海であれレストランの料理であれ、やはりリアルだ。けれども、その博物館や海や料理も、もとはといえば目や耳や口で知覚された、いわば「知覚のリアル」なのである。

いったい「向こうのリアル」と「写真としてのリアル」と「知覚のリアル」は何がどう、ちがっているのか。メディエートされるフィルターが異なっている。これが一番のちがいだ。けれども見えているものは「同じ」に感じる。なぜ「同じ」に感じるのか。それらは「もどき」として貫かれたものなのであるからだ。杉本の《ジオラマ》《劇場》

《海景》はその「貫かれたもどき」を空間と時間を切り取ったり跨《また》いだりして、面倒を厭わぬ絶妙な方法で表象してみせた。みごとな凱歌《がいか》だ。

これ以降の写真制作やその他の仕事も、「もどき」の集約であり拡張であり、その転移や組み合わせだった。今夜はそのいちいちを採り上げないけれど、展覧会や作品集で見てもらうのが一番いい。ついでに、杉本の言葉も噛《か》みしめるといい。ウェブにも杉本博司通信「言葉」が上がっている。木村俊介のインタビュー『物語論』で答えているのもおもしろい。そういうなか、ぼくが強調しておきたいのは、それらが「何か」ですべてつながっているということだ。

一人のアーティストの作品が相互につながった作品群になっているということは、とくに驚くことではない。むしろほぼみんなそうなっていくほうが多い。運慶であれセザンヌであれ草間彌生であれ、歌麿であれウォーホルであれ、サティであれ桑田佳祐であれ、マレーヴィチであれメシアンであれ、そうなる。それを個性があらわれているとか表現のマチエールが継続しているとかと見るのは、当たり前すぎてつまらない。

そんな流れに抗するかのように、一人のアーティストの仕事とはにわかにわからない仕事が連打されることもある。デュシャンがそれをあえて示したのだが、ウィリアム・ターナーの絵やル・コルビュジエの建築や早坂文雄の作曲や河井寛次郎の陶芸も、そういうものだった。しかし、それらは見た目（アピアランス）ですぐに一人の作品とわからずとも、奥で「ごつんと落としたもの」の多様な再現であったのだから、それが感じられさえすれば、やはり見分けがつく。では、一見ちがうものに見えるのは何かというと、それはたいてい当初の「ごつん」で摑《つか》まえた「何か」の「分景」（ディマーケーション）や「転景」（トランスヴィスタ）なのである。

杉本がめざしてきた作品や仕事も、そのすべてが「当初のごつん」の分景や転景の徹頭徹尾にある。メディエーションなのである。それは写真だけではなく、直島《なおしま》の凹みながら立ち上がる神社設計、位相と意匠を変えた『曾根崎心中』の文楽上演、地と建物に自然の運行をも採りこんだ小田原の江之浦《えのうら》測候所などにまで、及んだ。このあたりは新しくパートナーとなったギャラリー小柳の小柳敦子さんとの時代の成果だ。

こういう杉本の作品と仕事は、今後も次々に分景と転景を試みて、また綜合《そうごう》や編集や組み合わせを通過して、「ごつん」と「とことん」をめざしていくのだろうと思う。そこに資金やマネジメントがぴったり交差して、美術プロジェクトや文化プロジェクトとして稀《まれ》にみる成就性に達しているということも特筆できる。イメージはマネージされなければならない。杉本はイメージメントとマネージメントを切り離さない。

それでは、杉本がこれらを通して抱いているのは「何か」といえば、やはりのこと「結界」なのだろうと思う。結界には定義はないが、何かが囲われることによって、そこに「おとづれ」が生じるところのことを言う。古代中世の結界には依代《よりしろ》や物実《ものざね》のようなエージェントがあったけれど、利休の「かこい」も結界なのである。

もう少し広げていえば、ロジェ・カイヨワの言う「ル・サクレ」（神聖な畏敬力＝動物から人までが抱く侵しがたいこと）であって、またミルチャ・エリアーデの言う「エピファニー」（自律する顕現性＝見えなかったことが現れること）がおこるところというものだろう。何某《なにがし》かが来て、何事かが生じる。それなのにあらためて確認しようとすると、もう何かが了《おわ》っている。そういうところ、あるいはそういう仕掛け、それが結界だ。

ぼくはそのような結界には、おそらく世阿弥が重視した「却来《きゃくらい》」がきっと作用するのだと思っている。却来とは是風《ぜふう》が非風を凌駕することをいう。気持ちをこめた結界を表現できれば、そういう却来が作用するはずなのだ。

さて本書は、最終章にヘンリー・ヒュースケンの『日本日記』（岩波文庫）が紹介されていて、杉本がときどき散歩の途中に麻布光林寺のヒュースケンの墓を詣でていることにふれている。章扉には「苔のむすまで」とあって、昭和天皇の蠟人形を撮ったモノクローム写真が掲げられ、「神の視点をお持ちです」というキャプションが添えられる。

畏《かしこ》まる雰囲気がある。本の中にこういう雰囲気をつくりだすのはけっこう難しい。みんなすぐに豪華本にしたり桐箱に入れたりするのだが、ページそのものが凜《りん》とするのは、そういうことではない。様式についての思想がなければならず、「しつらい・もてなし・ふるまい」についての抑制がおこるべきであり、出入りする言葉の選定が必要なのだ。「ありがたい」「かしこまる」とはそういうものからしか出てこない。できればそこに「稜《い》威《つ》」が見え隠れしてほしい。「触れるなかれ、なお近寄れ」だ。

戦後、日本の天皇は象徴天皇になった。誰もがそう思っているし、憲法の規定ではもちろんそうなるのだが、天皇が象徴になったとはどういうことだったのだろうか。杉本は後鳥羽院のときから日本の天皇はずっと象徴でありつづけてきたとみなしている。ぼくは崇神《すじん》・応神《おうじん》にも、雄略・天武天皇にも象徴を感じる。さまざまな事績や歌や伝承に稜威を感じるからだ。それはともかくとして、われわれはいま、日本の天皇に去来する「象徴」をどうあらわすかということを、よほどに熟慮したほうがいい時代を直截《ちょくせつ》に迎えている。

上皇となられる今上天皇（現上皇）は、即位このかたずっと「象徴天皇とは何か」を考えられてきた。昭和天皇の場合は、在位途中から「象徴天皇」だと定められ、時の半分や体の半分を「象徴」にした。では、われわれは何をもって象徴を感じていると言えるのか。また、われわれ自身は何をもって象徴をあらわせると思っているのか。かなり曖《あい》昧《まい》なままのようだ。

杉本博司はずうっと「象徴とは何か」を探求してきためずらしいアーティストだ。特別なことをしてきたのだろうか。必ずしも、そうではない。かつては藤原隆信もラファエロも象徴をどのように描くかということを考えたのである。それだけでなく、キリスト教美術をはじめとする宗教美術の多くが象徴芸術だったのだ。とくにバロックはそこに両界宇宙をも加えた。けれども、われわれはこうした歴史を過去のものにしてきてしまった。時間を止めた。ウォーホルが毛沢東やマリリン・モンローをシンボルやイコンにしてシルクスクリーンにしたあたりをもって、歴史と断絶もした。

象徴をたんなるシンボルやイコンと捉えるなら、今日における象徴表現を歴史的現在として組み上げられるのは困難である。杉本とともにぼくもそう思うのだが、どこかで「苔のむすまで」とも思っていなければならないとも思う。今夜はこのことを平成最後の四月のメッセージに残したくて、あえて杉本博司に肖《あやか》ってみた。

第一七〇四夜　二〇一九年四月十五日

参照千夜

五二二夜：中西進『キリストと大国主』　二五夜：『レオナルド・ダ・ヴィンチの手記』　一〇九四夜：ア

ンソニー・ベイリー『フェルメール』一二五五夜：貴田庄『レンブラントと和紙』一五七夜：マッハ『マッハ力学』五七夜：マルセル・デュシャン&ピエール・カバンヌ『デュシャンは語る』一二七三夜：コフカ『ゲシュタルト心理学の原理』一二三夜：メルロ＝ポンティ『知覚の現象学』七九九夜：プラトン『国家』五〇〇夜：ジャコメッティ『エクリ』七三五夜：フォン・ユクスキュル『生物から見た世界』一七八一夜：デイヴィッド・シルヴェスター『回想 フランシス・ベイコン』九〇八夜：ベンヤミン『パサージュ論』九九三夜：三浦梅園『玄語』一〇六八夜：中井正一『美学入門』一一〇三夜：ナム・ジュン・パイク『バイ・バイ・キップリング』八九〇夜：森村泰昌『芸術家Mのできるまで』八〇一夜：五木寛之『風の王国』三四〇夜：『ギンズバーグ詩集』八八七夜：鈴木大拙『禅と日本文化』七八六夜：田中一光構成『素顔のイサム・ノグチ』一一〇九夜：十文字美信『澄み透った闇』一一二二夜：ウォーホル『ぼくの哲学』四七一夜：マレーヴィチ『無対象の世界』一〇三〇夜：ル・コルビュジエ『伽藍が白かったとき』一〇九五夜：早坂文雄『黒澤明と早坂文雄』五夜：河井寛次郎『火の誓い』八九九夜：ロジェ・カイヨワ『斜線』一〇〇二夜：エリアーデ『聖なる空間と時間』一一八夜：世阿弥『風姿花伝』

セイゴオさん、やっぱりわれわれが「見本」を見せなくちゃいけませんよ。

芸術家Mのできるまで

森村泰昌

筑摩書房　一九九八

一九九四年四月のある日の午後、東京大学駒場の九〇〇番教室にマリリン・モンローが突然に出現した。Mこと森村泰昌が《七年目の浮気》のモンローと化して出現したのだった。MMになったMの白昼夢のようなパフォーマンスは、約三十分にわたって机上に繰り広げられた。小林康夫教授の授業のなかでのこと、入学したての一年生が呆気《あっけ》にとられているなかでの出来事である。MMのMである彼女はスカートを翻し、叫び、あげくはパンティを脱いで、これを高々と放り投げた。

このパフォーマンスについては「三島由紀夫あるいは、駒場のマリリン」という文章がある。これは、数多くの森村の文章のなかでもぼくが格別に気にいっている文章で、そこには、こう綴《つづ》ってあった。

その「こう綴ってあった」を紹介する前に、この九〇〇番教室こそはかつて「三島由紀夫vs全共闘」として話題になった〝対決〟がおこなわれた講堂型教室だったことを言っておかなくてはならない。

森村泰昌によるマリリン・モンローのパフォーマンス
（1994年、東京大学駒場900番教室）©Yasumasa Morimura

あれは一九六九年のこと、三島はその翌年、自衛隊市ケ谷駐屯地で檄《げき》を飛ばした直後に、自害した。Mはそのことを重々知ってのうえで、いやこのMは森村泰昌で、三島のMではないのだが、Mはその九〇〇番教室にMMとして降臨すべきことを思いついたのである。ちなみに、あのとき三島に一歩も譲らず挑発しつづけた芥《あくた》正彦は、ぼくもその後に何度か出会っていた演出家で、あれからは土方巽《ひじかたたつみ》にすら注文をつける論客になり、その後は静かな日々を送っているという。

では、その「こう綴ってあった」の内容だが、なかなかもって不羈《ふき》不抜の内容なのである。要約する。

Mは、三島由紀夫を見ているとふいに明治天皇の逸話を思い出すという。その逸話というのは、明治天皇は幼少期にオンナとして育てられていたという話で、皇太子は幼少のころから女性の服を身につけ、女性の嗜《たしな》む歌詠みを習い、幕府の脅威にならないような教育をうけていたというものだ。

しかし皇太子が明治天皇となり、その明治天皇が維新後に人々の前に「御影《みえい》」として現れたときは、天皇は軍服姿で髭《ひげ》をはやしていた。きっと新たな明治の時代の人々の権威となり脅威とならなければならなかったからなのだろう。

ということは、明治天皇はオトコからオンナに、そしてふたたびオトコへの性の転換をくりかえしたということなのではあるまいか。

そこでMは続けて、こう考える。これは君主として「日本」の理想の性転換をはかったということではあるまいか。もしそうだとしたらあの「御影」というものは、日本という国が「受け身の弱々しいオンナの国」からえいっとばかりに「強く能動的なオトコの国」に性転換した象徴だったということなのではあるまいか。きっとそうだったにちがいない。こうして日本のオトコの感性は、サムライが軍服を着るという様式にどんどん向かっていったわけである。

次は三島由紀夫のことになるのだが、このかつてのサムライが新たに軍服を着るというロジックは、かつてはオンナであったろう三島由紀夫においては、ボディビルをへて洋館の中でふんどしに日本刀をもつという姿に変わったのだというふうに見ることができるにちがいない。おそらく、そう解釈しなければならないだろう。ただしかし、もしそうであるのなら、次のようにも考えるべきではなかっただろうかと、Mは問う。もし三島がオンナからオトコになった結果が「死」であったとすれば、日本をオンナからオトコにしてしまうのもひょっとすると「死」を招きかねないことだったのである、というふうに。そして、Mはこう分析してみせた。

三島よ、あなたはオトコであってはならず、オンナに偽装するべきだったのだ。それなのに、オトコを選んでしまったから、あなたは日本というオンナの国に殺されたのである。一方、マリリン・モンローよ、あなたはオンナであってはならなかったのではないか。それなのにあなたはオンナを通しきったので、アメリカというオトコの国に殺されたのではないか。

以上を読み切ったMは、オトコ三島に化粧をさせてオンナMMとなり、ここに戦後史というのだろうか、明治このかたのオトコとオンナの民族芸術史というのだろうか、そいつを九〇〇番教室において転倒してみせたのである。

なんとも華麗なロジックではないか。ぼくはこの文意に感心した。ヴィジュアル・リテラシーに感心した。こんなロジックは、変装美術思想を貫き芸術変換装置と化した森村泰昌以外ではとうてい発想できない。

以上が千夜千冊の昨夜の八八九夜「ニセモノの父の時代の終焉」（日本のパターナリズムについて）にそのまま続く話になっている。戦後日本で崩壊したのは、ニセモノの父だったのか、それとも母の成熟だったのかという話だ。もっとも今夜の千夜千冊では、森村もM、三島もM、マリリン・モンローはMMで、いったいどのMがMMで、どのMが何のMかがややこしくなりすぎているところがあって、そこがまた一番の味わい深いところなのである。

というわけで、つまり問題はMなのである。M的であるとはどういうことかということなのだ。問題のすべてがMであることは、もう一人のMであるぼくにはとくによくわかる。

ぼくは自分のサインをするときは、わりに丁寧に「松岡正剛」と書くか、「Seigow」

とちょっと斜めに綴るか、俳号の「玄月」を書くのだが、ふだんは「M」と書いてこれをさらりと○で囲んでいる。仕事場でスタッフに「これ、見ました」のサインをするときも、M印ばかりにする。帝塚山《てづかやま》の大学に行くと事務室には出席簿のようなものがあって、ほぼ全員の教員が三文判を捺《お》しているなか、ぼくだけは決まって「M」記号をボールペンで書きこんでいる。

だからぼくにとっては「M」はたいそう自己象徴的なエンブレムなのであって、ダンテ『神曲』の天国篇にM文字が空中に浮かび、そこに世界の光が次々に参集してくる場面など、こういう事情からしても、最高なのである。イタリアでサンドロ・ボッティチェリがこの場面をスケッチしている大判の画集が刊行されたときは、あまりに感動してその高価な限定本を買ってしまったほどだった。

こうしてぼくは、はやくから世の中のすべてのMやM的なものに過敏なほどに弱くなっていた。たとえば少年犯罪がM少年になっていてもとても気になるし、昭和史に有名なM資金の話題もそれを読むたびにドキドキしていたものだった。もっとも最近は宇宙理論の最新仮説として浮上している「M理論」に熱中して、その十一次元時空モデルにとっくんでいる。このMはエドワード・ウィッテンによって名付けられたもので、とくに意味はない（マトリクスなどのイメージはあるらしい）。意味はないのにMなのだ。

そういうM的絶対視が進むなか、このところぼくが最も格別のM感をおぼえているのが芸術家M兼女優家Mこと、森村泰昌である。どれもおもしろかった数ある森村著作のなかで、今夜、迷わず本書を選んだのも、書名のMに飛んで火に入る虫として感応してしまったからだった。これはぼくのイニシャルに因《ちな》んでいえばSMの、そのMっぽい感応そのものだった。

ということで、本書ははっきりいって「人生の編集の方法」を提示してみせたM秘策のなかの秘策の、とりわけ超M的な一書であったといえる。とくにマリリン・モンローと三島由紀夫の国家論的転換の分析が圧巻だったことはいまのべた通りで、これはかつて稲垣足穂が「口のマルクス、尻のフロイト」をAO円筒にひっくりかえし、「肛門のマルクスから口腔のフロイトに、何かが逆噴射するといい」と言ってのけたことに匹敵するメッセージであった。

ここでM的であるとは、なんであれそこにまだ転倒できるのに転倒がおこっていないものがあるのなら、それがオトコとオンナであれ、男神と女神であれ、骨格動物と軟体動物、裸子と被子、老人と幼児、オジサンとオバサン、紳士服と婦人服、サディズムとマゾヒズム、川上と川下、色悪《いろあく》と遊女、ロケットと爪楊枝《つまようじ》、MとW、とりあえずはひっくりかえしてみるということにほかならない。

この転倒的M感は、森村Mから見ても松岡Mから見ても、いよいよ時代に溢《あふ》れ出すべき「編集アート的互換性の哲学」というもので、いみじくも著者Mが本書の最初に「編集のときの取捨選択の操作次第で、極端にいえばどんな人間像だって作り出せる」と書いているように、編集ミミクリーあるいは編集ミメーシスによる価値転倒のための、また価値創出のための方法哲学でもあって、人生を愉快にし、かつ正確にするにはどうしても欠かせないものなのである。

　従来の価値を転倒したいなどというのではない。境界侵犯したいとか、越境こそアートだなんていうのでもない。そういうのは古すぎる。そうではなくて、両端に開きすぎる価値をその両端のみの変換をもって入れ替えるということなのだ。AをZにするのではなく、MがWになること、WがMになることなのだ。

　こういうことができたのはピカソではなくマグリットであり、岡本一平ではなく今和《こんわ》次郎《じろう》であり、柳亭痴楽《りゅうていちらく》ではなく柳家金語楼《やなぎやきんごろう》であり、アンディ・ウォーホルではなくシンディ・シャーマンである。つまり差異の哲学などではなく近似の芸術が、改革の社会論などではなく変格の世間体がわかっていないと、できないことなのだ。いいかえれば、物干し竿《ざお》の両側にかかっているアリモノを取り替えて、いつのまにかすべてをナマモノに見せていくということなのである。またナツモノならナベモノに、ナライモノならナダイモノに変えてみせるということなのだ。

　そのことを著者Mは本書を「フィクショナル・ノンフィクション」と名付けることに

よっても、淡々と宣言してみせた。

さて、今年（二〇〇三）の九月二十日、岐阜県は大垣市《おおがきし》において森村泰昌は第四回織部《おりべ》賞を受賞した。グランプリでもよかったが、織部賞のグランプリはエットーレ・ソットサス、中川幸夫《ゆきお》、大野一雄というふうに、なぜか三回ともが「八十歳以上」に授与されてきたので、今回も敬意を表して鈴木清順《せいじゅん》になった。選考委員長は磯崎新である。M森村への授賞は全員一致で決まった。ステファン・サグマイスターや村上隆《たかし》やそのほか何人ものアーティストの名前も挙がったが、森村泰昌が圧倒した。

その森村さんに受賞のお知らせをする役はぼくの担当になった。電話をすると、お父さんが出てきて、ヤスマサ！　と叫んだ。するとヤスマサ君が「あっ、セイゴオさん」と応えて出て、ぼくは事情を話して「おめでとうございます」と言った。森村さんは「へえーっ」と言って照れていた。いろいろやりとりがあったのち、二人は思わず遠い電話口の両端で微笑みあって、「それで、そのう、当日なんですけどね」とぼくが言うと、森村さんは「ええ、そのことなんですが…、何かやるというか…」と言い、「ええ、受賞者に何かやらせるというのも前代未聞なんですが」とぼくが口ごもると、「はあ、リハーサルがある授賞式だってすでに前代未聞ですから…」と謙虚ではあるけれど、織部賞の本質をずばり指摘した。

炎のピアニストとなった森村泰昌
（2003年、第4回織部賞授賞式　大垣市ソピアホール）
©Yasumasa Morimura

それにしても、授賞式に〝出番〟があることをこれほど迅速に察知した受賞者もめずらしかった。まるで〝出番〟がないならお断りしたいという気勢なのだ。ともかくもぼくは嬉しくなって、最後には二人のあいだには、互いにその日まで明かしあわない密約のようなものができあがったのである。

　こうしてあとは密約が明かされる当日を待つだけになったのだが、さすがにぼくは多少の編集情報が必要となり、一週間前に電話を入れた。森村さんは「ふっふっふ、大丈夫です、私には炎のピアニストというキャラクターがありますから…」と笑ったので、そこで電話を切ってはまずかったのだが、ぼくは「…ええ、ええ、…それを待っていたんです」と言ってしまっていた。

こうして当日、森村さんは芸術家Mとなって、真ッ黒いタキシードに身を包み、真ッ赤なヘアスタイルを逆立てて、大きなサングラスで顔を締め、決然たる炎のピアニストを演じたのである。満場、割れるような拍手に包まれていた。ぼくは舞台袖で涙をこらえるのがたいへんだった。

それから二ヵ月がたった先日、われわれはある仕掛けの準備のために大阪でこっそり落ち合った。そのときである。食事をしながら、ぼくには信じがたいことが少しずつおこっていた。目の前の森村さんを見ていると、これまでM森村が変身してきたすべての名画の顔や女優の顔に次々に変化しつづけるのが、ストロボ・フラッシュのように見えたのである。Mの芸術とMの編集はごっちゃになったのだ。

ぼくはしだいに陶然となっていた。そして、森村泰昌とは素顔そのものが芸術なんだとさえ思い始めていた。そして……いや、ここから先のことは伏せておく。ぼくの内Mにおける外Mへの微妙な変化などを、ここで綴るほどぼくにも羞恥心がないわけではない。ぼくはなんとか気を取り直し、これから二人が仕掛ける〝あること〟の最終チェックに入っていった。

そのときである、最後に森村さんがこう言ったのだ。「セイゴオさん、やっぱりわれわれが見本を見せなくちゃいけないんじゃないですか」。えっ、み、み、見本って、まさか、MとMが、そ、それになるだなんて…。ふと見ると、Mは自信に満ちた顔でぼくにとても優しいモナリザMの微笑を送っていた。以上。

付け加えなければいけないことは、いっぱいある。Mは「肖像」を演じることによって、プロフィールとフィギュアの歴史をひっくりかえしたということだ。Mはいくつもの美術史の再読を通して、タブローの見方を画家の制作プロセスの方から転倒してきたということだ。Mは自分がかかわる制作物とその周辺だけでアートワールドをつくれることを証明したということだ。いずれも森村泰昌だけがなしえたことである。

第八九〇夜　二〇〇三年十一月十四日

参照千夜

一九夜：アンソニー・サマーズ『マリリン・モンローの真実』　一〇二二夜：三島由紀夫『絹と明察』　九七六夜：土方巽『病める舞姫』　九一三夜：ダンテ『神曲』　八七九夜：稲垣足穂『一千一秒物語』　一六五〇夜：マリ＝ロール・ベルナダック＆ポール・デュ・ブーシェ『ピカソ』　八六三夜：今和次郎『考現学入門』　一一二二夜：ウォーホル『ぼくの哲学』　一〇一四夜：ジャン・バーニー『エットーレ・ソットサス』　八九八夜：磯崎新『建築における「日本的なもの」』

この一冊が鮮やかに、かつ辛口に、
二一世紀アートの今日性を解読してくれる。

小崎哲哉

現代アートとは何か

河出書房新社　二〇一八　編集／吉住唯　協力／江坂健・村上隆・中山暁　装幀／水戸部功

ヴェネツィアで見て、バーゼルで買う。

これが現代アート業界の合言葉だ。ヴェネツィア・ビエンナーレで品定めをし（隔年開催）、アート・バーゼルでめぼしい作品を手に入れる（毎年開催）。二つのフェアの開催地と開催期が近いこともあって、いつのまにかここにアートビジネスのグローバルな日付変更線だか変動相場制だかが、賑やかに、曰くありげに、生き馬の目を抜くようにできあがっていた。

ヴェネツィア・ビエンナーレは国単位で出展され、各国のパビリオンには毎年コミッショナーやディレクターが選ばれてコンセプトやテーマを設定し、それにふさわしいアーティストたちが制作にあたる。アート・バーゼルには世界中の三〇〇近いトップギャラリーが参加するが、招待状がなければ入れない（いまはアート・バーゼル香港、アート・バーゼルマイアミ・ビーチもある）。

どちらも画商とお金だけが動くのではない。アーティストも批評家も、コレクターもキュレーターもオークショニアも、かなりその気になる。本気を出す。パリコレやF1のようなものと思うかもしれないけれど、それはちがう。衣服やクルマは一般消費者のほとんどが手を出すが、アートはそういうものではない。美術は日常的なコモディティにならないようにしてきた。何かを競いあい見せあうのだからオリンピックや万国博のようでもあるけれど、それともちがう。スポーツ界や産業技術界は別の交換市場や見本市をいくらでももっている。

それらにくらべて「ヴェネツィアで見て、バーゼルで買う」ことになったアートワールドには、かなり特別な仕掛けが作動してきた。現代アートという特別な仕掛けだ。まことに特別で、面妖で、たいへんトリッキーなのである。

現代アートはデュシャンが男子用便器をさかさまにしてR・マットと署名したときに始まり、ウォーホルがキャンベルスープの缶を並べてシルクスクリーンに刷ったときに事故現場のように確立した。コモディティにならないようにしてきたのが美術の歴史のはずだったのに、現代アートは日用品から始まったのである。この日用品アートは当初はレディメイドと呼ばれた。

たとえばリチャード・ハミルトンは雑誌広告のページをコラージュして展示し、リキテンスタインはコミックの一場面を印刷の網点ごと拡大した。これは広告やマンガ雑誌からアートが生まれたようなものだった。瓢簞から駒だ。ジョセフ・コスースは椅子と椅子の写真と辞書の「椅子」の項目の解説コピーとを並べて飾り、高松次郎は四脚の椅子とテーブルがそれぞれ直角に見えるように錯覚するような仕掛けを見せた。家具屋からアートが生まれたようなものだ。

中原浩大《こうだい》はレゴでフィギュア彫刻をつくり、村上隆はフィギュアの美少女を巨きく再生した。フェリックス・ゴンザレス＝トレスは色とりどりのチョークあるいはキャンディをギャラリーの片隅に山積みした。

いずれも世の中で知られている日用品をなんらかの方法で「変換」して、アートにした。すでに消費されたものがアートに生まれ変わっていったのだ。消費されたものが対象になるのだから、すぐさまゴミや廃棄物《はいきぶつ》もアートになった。スージー・ガンシュはプラスティック食器やコーヒーの蓋を素材にし、イギリスのティム・ノーブルとスー・ウェブスターの二人組は家庭ゴミや金属スクラップを組み合わせてシルエットを見せた。最近では長坂真護《まご》がガーナの不法投棄された電子製品のアート化をはかって話題になっている。

生理的排泄物もアートになってきた。テレンス・コーは自分の排泄物を金メッキしたオブジェを出品した。二〇〇七年のアート・バーゼルでのことだ。もっと以前、平川典俊は一九九八年に女性の排泄物が本人とともに展示されるという仕掛けを発表した。平川は女性たちの排泄物を写真にもしていて、ぼくのニューヨークのガールフレンドも「まんまと撮られました」と笑っていた。

さまざまな「変換」がアートを生み出した。こういう現代アート作品は「なんでも鑑定団」には出てこない。「なんでも鑑定団」は手持ちの美術作品に相場の値段をつける番組だけれど、現代アートは「変換」という概念制作の行為とその成果物に値段がついた。ウォーホルの作品には一〇〇億円以上の値がついている。まことに特別で、面妖で、トリッキーだというのは、そこなのである。それでは、なぜそんな「変換」に価値がつくのか。

本書は、そのような仕掛けをつくりだした今日のアートワールドの現状を丹念に炙り出したもので、①マーケット、②ミュージアム、③クリティック、④キュレーター、⑤アーティスト、⑥オーディエンスに分けて、それぞれの特徴を鮮やかに案内しながら、その問題点を少し辛口で掘り下げた。加えて現代アートが確立させてきた美術史的な意味をまとめ、絵画と写真に迫っている危機がどんなものかもレポートしていた。

よくできた一冊で、最近は現代アートについての入門書や解説書はかなりあるし、ときに雑誌でも特集されるようになっているようだが、ぼくはこの一冊をぜひとも勧めたい。芯がある。

著者の小崎哲哉は世界中の現代アートの実情に詳しいだけではなく、なかなか渋いジャーナリスティックな慧眼《けいがん》の持ち主で、ずいぶん前から現代の状況を「狂気の時代」と捉えてきた。この狂気は二十世紀がつくってきたものなので（また訂正ができず、その上塗りをしてきたので）、二〇〇二年に『百年の愚行』（Think the Earth）を、二〇一四年にその続編を構成刊行した。二〇二〇年には美術展示と政治介入をめぐる『現代アートを殺さないために』（河出書房新社）を上梓《じょうし》した。「ソフトな恐怖政治と表現の自由」というサブタイトルがついている。

本書はウェブマガジン「ニューズウィーク日本版」に二〇一五年秋から不定期連載した「現代アートのプレイヤーたち」がもとになったもので、現代アートに関するゴシップとセオリーとを綯《な》いまぜにしている。以下、メモ書きのようになってしまうけれど、視点と論点と登場人物を紹介したい。

【富豪のマーケット】

大きなアートフェスティバルにはだいたいコラテラル・イベント（同時開催イベント）が付

く。二〇〇九年にヴェネツィア・ビエンナーレに付随して開館したプンタ・デラ・ドガーナは鳴り物入りだった。スーパーコレクター、フランソワ・ピノーのとびきりのコレクションを展示するためのもので、かつての税関の建物を二七億円で改装した（安藤忠雄が設計）。ピノーは、グッチ、サンローラン、バレンシアガ、プーマなどのブランドを統合するファッション・コングロマリット「ケリング」の元会長である（資産一兆七〇〇〇億円）。コレクションにはジェフ・クーンズ、工藤哲巳、ダミアン・ハースト、リチャード・セラ、ヤン・ヴォー、村上隆、ソフィ・カルなどがずらりと揃う。ピノーは一九九八年にオークションハウスのクリスティーズも九七〇〇億円で買収した。

ピノーに現代アートの精髄を揃えさせる手引きをしたのは（たとえばゲオルク・バゼリッツやジグマー・ポルケの新作すべての落札）、パリのギャラリストのエマニュエル・ペロタンだと言われている。

ケリングだけでなく、カルティエ、ルイ・ヴィトン、プラダ、エルメスも、それぞれアートコレクションをしてきた。なかでもベルナール・アルノーを総帥とするルイ・ヴィトンは、セリーヌ、ジバンシィ、フェンディ、ダナ・キャラン、香水のゲラン、宝飾のブルガリ、百貨店のボン・マルシェなどを傘下にLVMHグループを築いて、またたくまに巨大軍団となった。

二〇一四年、アルノーはブローニュの森にルイ・ヴィトン美術館を開館させた（フランク・ゲーリー設計)。ウォーホル、ゲルハルト・リヒター、クリスチャン・ボルタンスキー、ピエール・ユイグ、ドミニク・ゴンザレス＝フォルステルなどが並んだ。シュザンヌ・パジェのディレクションだった。

【ギャラリー／ディーラー】

現代アートは大富豪によってコレクションされるけれど、そのマーケット・フィールドを用意してきたのがギャラリストやアートディーラーである。現代アート業界では、ギャラリーはアーティストの代理人として新作を売るプライマリー・ギャラリーと、これらを受けて作品を売買するセカンダリー・ギャラリーでできている。オークションハウスはセカンダリーになる。

この領域も生き馬の目を抜く闘いが連続していて、大きな成果をあげるには実力がものを言う。ぼくがニューヨークでナム・ジュン・パイクや河原温と話しこんでいたころまでは、レオ・カステリがディーラーの帝王だった。ポロック、デ・クーニング、ラウシェンバーグ、ジャスパー・ジョーンズ、フランク・ステラ、ブルース・ナウマン、ジュリアン・シュナーベルの名を世に広めたのは、ほとんどカステリだ。

二一世紀になるとラリー・ガゴシアンが帝王になった。世界に一五のギャラリーを有して、「アートのスタバ」と言われている。二〇〇七年に村上隆がマリアン・ボエスキーからガゴシアンに移籍した。

セカンダリーを構成するのはオークションハウスだけではなく、町のギャラリーから地方自治体のミュージアムまで、さまざまなアートフェスティバルの主催者まで、いろいろ混在する。だからアートシーンの評判は、新聞の美術欄の記者、アートマガジンのエディター、批評家、大学の美術研究者、ミュージアムのキュレーター（学芸員）、ウェブのコラムニストまでの混成力なのである。

これらがまとめて「アートワールド」と呼ばれる。アーサー・ダントーが名付けた（本書所収）。この見方については、ジョージ・ディッキー（イリノイ大学哲学教授）が「芸術制度論」をぶつけた。アート作品は知性をそなえたアーティストが特定の社会制度に寄与したもので、その行為によってアートワールドができあがると説明した。ダントーはそれではアートワールドが騎士道の集団になると一笑に付したのだが、アート業界の不正や人種差別問題や政治と芸術の関係を見ていると、この議論はまだ決着がついていないと言わざるをえない。

【迷走するミュージアム】

どうみても美術とミュージアムは切っても切れないように感じるだろうが、実際には本来のミュージアム（ムセイオン）は神との交歓の場であると同時に博物館や図書館であって、また研究施設や資料保管施設でもあったので、また近代美術館がはたした役割には教育や学習機能もふくまれていたので、美術作品を展示していればそれですむというわけにはいかない。

本書では、二〇一五年の香港のM＋（エムプラス）美術館館長ラーシュ・ニットヴェ（テート・モダン初代館長など歴任）の突然の辞任事件、それにまつわるアイ・ウェイウェイ（艾未未）の天安門撮影写真の騒動のこと、二〇一五年のバロセロナ現代美術館のバルトメウ・マリ館長による開幕前日の展覧会中止発表の経緯、同じく二〇一五年のMOT（東京都現代美術館）でおこった会田誠と会田家の作品撤去問題、そしてMoMA（ニューヨーク近代美術館）とテートモダン美術館の迷走ぶりなど、さまざまな難産とボタンの掛けちがいを報告している。

最近はクリス・デルコン（元テート・モダン館長）が「ミュージアム3・0」と言ったように、作品を展示して集客を得るだけのミュージアムではあきたらず、人権や表現の自由や地域貢献を配慮するミュージアムが要請される。ひょっとしてミュージアムをつくりすぎたのではあるまいか。

【お呼びでないクリティック】

アメリカでは一九六二年創刊の「アートフォーラム」と一九七六年創刊の「オクトー

バー」というアートマガジンが競いあってきた。「アートフォーラム」は初期はクレメント・グリーンバーグがモダニズム論を展開して、展覧会批評も独占気味だったのだが、これに飽き足らないエディターが離れて「オクトーバー」をポストモダン風に編集構成するようになった。

社会学者のサラ・ソーントンは『現代アートの舞台裏』で、「アートフォーラム」を「ヴォーグ」や「ローリングストーン」誌に比肩して、コネやカネでは作品を掲載しない方針をもっていたと評した。実はぼくもエイズが問題になったころ、四回ほど原稿を書いた。しかし、その後この雑誌はジョン・シードから専門用語だらけでつまらないと、ハル・フォスターからは美術批評家は絶滅危惧種だと揶揄《やゆ》された。「アートフォーラム」だけではなく、アート・クリティックが期待されなくなったのである。ジェリー・ソルツは「今日ほどアート批評がマーケットに影響を及ぼさなくなったのは、この半世紀で初めてのことだ」と書いた。

こうして美術批評が危機を迎えた。もっとも今に始まったことではない。ニューヨーク・タイムズのベテラン美術記者が「アートがミニマルになればなるほど、説明がマキシマムになる」と書いたのは六〇年代後半のことだった。

実はアート・ムーブメントを示す用語も払底している。バロック、ロココ、印象派、キュビズム、未来派、表現主義、アンフォルメル、コンセプチュアル・アート、シミュレーショニズム……といった呼び名（様式についての呼称）がずうっと提唱されないままなのである。なんたらイズムという呼称がいいわけではないものの、あまりにもネーミングがなくなった。

　ぼくは村上隆の「スーパーフラット」などおもしろいと思ったけれど、残念ながら継承されていない。小崎は「ソーシャリー・エンゲイジド・アート」、ボリス・グロイスの「セカンダリー共闘作戦」、ニコラ・ブリオーが言い出した「リレーショナル・アート」なども紹介していたが、いまいちだ。ブリオーの『関係性の美学』（「藝文攷」で翻訳）を走り読みしたかぎりでは、あまり充実していない。だいたいブリュノ・ラトゥールの「モノ論」や「人新世」の思想から派生した創造性論の多くが貧弱なのである。一七六六夜（ブリュノ・ラトゥール『近代の〈物神事実〉崇拝について』）など読んでいただきたい。ぼくはこれらの美術議論にはフェティッシュが決定的に欠けていると思う。アートはフェチを取り戻さないとまずい。

【キュレーターの力】

　一九八六年にベルギーで開かれた「シャンブル・ダミ」展（ゲストルーム展）は大いに話題になった。ジョセフ・コスース、ボルタンスキー、ダン・グレアム、ブルース・ナウマン、ジャン＝リュック・ヴィルムートなど、それにぼくが当時贔屓《ひいき》にしていたパナマレンコらが集められた。ヤン・フートのキュレーションである。五〇をこえる個人住宅を会場にして、いわゆるサイトスペシフィック・アートの先駆けともなった。そのフートがドクメンタⅨを手掛けたところ、何かに右顧左眄《うこさべん》していていまいちだった。ぼくはあまり感心しなかった。

しかしその後のフートは「オープン・マインド」展から亡くなる直前の「ミドル・ゲート・ヘール」展にいたるまで、気を緩めなかった。フートの幅広くてキツツキのような資質がどこからきたのかわからないが、ヨーゼフ・ボイスとの交流が大きかったのではないかと息子が言っている。

一九八九年、パリで「大地の魔術師」展が開かれた。ポンピドゥーセンターの館長ジャン＝ユベール・マルタンの指揮によるキュレーションだ。欧米のアーティスト五〇人、非欧米のアーティスト五〇人が招集された。アジアからはホアン・ヨンピン、河原温、ナム・ジュン・パイク、シェリ・サンバらに声がかかった。アウトサイダー・アートが注目された。ただしこのとき、マルタンは欧米のアウトサイダー・アートを組み込まなかった。

マルタンはインディペンデント・キュレーターに人文科学系を積極的に採り入れることを推奨し、レヴィ＝ストロース、マルク・オジェ、ジェームズ・クリフォード、ボードリヤール、フーコーらの名をあげた。マルタンはその後も「アルテンポ」展（二〇〇七）、

「世界劇場」展（二〇一二〜一四）にとりくんで、気を吐いた。

ヴェネツィアで開かれた「アルテンポ」展では、民族人類学的な仮面や石像や木彫品のあいだにジャコメッティの彫像がひっそりと立ち、ハンス・ベルメールの人形、白髪一雄のフットペインティング、ヤン・ファーブルの髑髏《どくろ》、蔡國強の火薬絵画が並んだ。「世界劇場」展はタスマニアのホバートのミュージアムMONAで開かれ、パリのラ・メゾン・ルージュにも巡回したもので、エロスとタナトスに徹したコンセプトが通されていた。ぼくはのちにマリーナ・アブラモヴィッチと再会したとき、「世界劇場」で流されたマリーナとウーライが唇を重ねる映像を見せてもらい、その場で涙ぐんでしまった。マリーナは「マルタンは世界をよく見ているわね」と言っていた。

キュレーターには資質も必要だが、おそらく誰と話しこんだのか、どんな現場を通過してきたのかが問われるのだと思う。

【アーティストの咆哮《ほうこう》】

本書の五章「アーティスト」で言及されているのは会田誠、村上隆、アイ・ウェイウェイ、アブラモヴィッチ、ヴォルフガング・ティルマンス、ジェフ・クーンズ、ヒト・シュタイエル、ハンス・ハーケ、アルフレッド・ジャー、ゲルハルト・リヒターたちである。いずれも苦悩し決断し、抗《あらが》い、投企した。いちいち紹介しないけれど、小崎はアーティストの肉声もアートになりうること、現代アートがますます政治や社会から切り離せなくなっていることを強調し、一九八九年に亡くなったベケットの『ゴドーを待ちながら』をボスニア・ヘルツェゴビナの戦火の中のサラエヴォで上演したスーザン・ソンタグの話で結んでいる。

9・11と3・11によって、われわれはディストピアめく現実感覚をどのように表現したらいいのか、いまなお問われている。そうしたなか、小崎は現代アートを構成するものは「インパクト」「コンセプト」「レイヤー」ではないかと提示する。これは杉本博司が「視覚的にある強いものが存在し、その中に思考的な要素が重層的に入っているということが、現代アートの二大要素だ」と語ったことを、少し分解したものだ。とくにレイヤーが入っているのがいい。

ぼくは実は山本耀司《ようじ》には現代アートの戦略が充実しているとも見てきたのだが、そのヨウジに躍如しているのが「レイヤード」だった。ただしヨウジには、それに加えて「場面」と「怒り」も秘められている。だったら小崎の「インパクト」「コンセプト」「レイヤー」に、新たに「シーノグラフィック」(場面的)と「アングリー」を加えてもいいのではないかと思う。どちらにせよ、アーティストの咆哮はとうてい鳴りやまないものであってほしいと思う。

【現代アートが抱えもつ動機】

現代アートの作家たちは、どんな動機と問題意識で作品をつくるのか。この問いに回答を見せることは、なかなか厄介なことだと思うのだが、小崎は思い切りよく七つのフラッグを提示した。すなわち、(1) 新しい視覚と感覚の追求、(2) メディウム(媒体)と知覚の探求、(3) 制度への言及と異議、(4) アクチュアリティと政治、(5) 思想・哲学・科学・世界認識、(6) 私と世界・記憶・歴史・共同体、(7) エロス・タナトス・聖性、である。

驚くほど、よく配慮されている。説明の仕方にはよるだろうが、そうとうにカバーできている。あえていえば伝統との刺し違え、電子ネットワークとプロトコルのこととハッキングについて、憂鬱と疾病の問題、サル学のこと、ジェンダーのめぐりかた、そして衝動と欲望の問題がどこかに入ってきてもいいのかもしれない。

例示されたアーティストを紹介して一口メモを加えておく。

(1) 新しい視覚と感覚の追求は、インパクトをどうするかということだ。巨大でハイパーリアルな人体をつくるロン・ミュエク、複数の乳房をもつ気球を彫刻するパトリシア・ピッチニーニ、極端に小さな作品をつくる須田悦弘《よしひろ》やハム・ジン。ここにはヴィクトル・ヴァザルリやブリジット・ライリーらのオプティカルなインパクトや、かつてのルイジ・ルッソロなどのノイズによるインパクトも入ってくるだろう。

（2）メディウムと知覚の探求は、いわゆるメディアアートともかぶってくるが、スキャナーを通したり、見る角度をマスキングして視野の変換を見せたりするアートとともに、ストッキングなどの伸縮性のある素材に重しを入れたエルネスト・ネト、味覚もとりこむミラルダやシェ・リン（謝琳）、数々のＶＲやＡＲによる仮想現実アートが例示できる。

（3）制度への言及と異議は、美術館や展覧会そのものへの挑戦から、社会経済制度への挑戦までが入る。

（4）アクチュアリティと政治には、きわどい動機が動く。サンティアゴ・シエラは報酬を与えて失業者に刺青を入れさせたり、移民たち一三三人を金髪に染めるようなことをした。シアスター・ゲイツはシカゴの貧民地区サウスサイドで廃屋をリノベーションして、コミュニティハウスをつくった。戦争、テロ、貧困、人種差別、いじめ、環境問題につらなるアートは今後もあとを断たない。

（5）思想・哲学・科学・世界認識は、きわめて重大な動機になりうるが、かんたんではないように思う。トーマス・ヒルシュホーンが、スピノザ、ドゥルーズ、バタイユ、グラムシに捧げた作品など、とうてい思想力があるとは思えなかった。ここはやっぱり荒川修作だろう。

(6) 私と世界・記憶・歴史・共同体は、文学やマンガならいくらでも例がある。荒木経惟、ナン・ゴールディン、ソフィ・カル、自分が育った家をテーマにしているス・ドホ、母親が集めていた瓶・箱・食器・薬などを展示したソン・ドン（宋冬）などがエントリーする。収容所の記憶をアート化したボルタンスキー、ダニ・カラヴァン、アンゼルム・キーファー、アルトゥル・ジミェフスキなどもこの動機だ。しかし、最も雄弁なのは草間彌生とルイーズ・ブルジョワだろう。

(7) エロス・タナトス・聖性は、永遠の動機である。フランシス・ベイコンやロバート・メイプルソープが圧倒的だが、ぼくも何度かコラボしたビル・ヴィオラ、「私は死にます」と話す世界中の男女を撮影したヤン・ジェンジョン（楊振中）、自分自身の死の姿を何度も展示したヤン・ファーブルの例もある。小崎はブランクーシの「無限柱」シリーズをあげ、さらに内藤礼と西沢立衛《りゅうえ》の《母型》（豊島美術館）が嗚咽《おえつ》を誘うほど強烈だったと感想を述べていた。

だいたい以上が本書が伝えようとしていたことのメモである。最後に、現代アートの現状はこんなふうになっているという感想が箇条書きになっている。

①アートワールドは矛盾に満ちている。②アートマーケットは過熱するばかりだ。③美術館とアーティストは圧力にさらされている。④作品の特権的な私有化や囲い込みが

進んでいる。⑤巨大美術館はポピュリズムに陥っている。⑥批評と理論は影響力を失っている。⑦自治体は不勉強で不見識だ。⑧今後のアートはインスタレーションを志向する。⑨アーティストは「方外」であっていい。

アーティストにとっては③と⑨が、業界にとっては②と④が、文化にとっては⑤と⑦が問題だ。ぼくはひたすら⑨に期待する。ただし、「方外」とともに「数寄」と「作事」にもっと堪能してもらいたい。

第一七八五夜　二〇二一年十月十五日

参照千夜

五七夜：マルセル・デュシャン&ピエール・カバンヌ『デュシャンは語る』　一一二二夜：ウォーホル『ぼくの哲学』　一〇四五夜：ジョン・ラスキン『近代画家論』　一一〇三夜：ナム・ジュン・パイク『バイ・バイ・キップリング』　三一七夜：レヴィ＝ストロース『悲しき熱帯』　六三九夜：ボードリヤール『消費社会の神話と構造』　五四五夜：フーコー『知の考古学』　五〇〇夜：ジャコメッティ『エクリ』　一〇六七夜：サミュエル・ベケット『ゴドーを待ちながら』　六九五夜：スーザン・ソンタグ『半解釈』　一七〇四夜：杉本博司『苔のむすまで』　一一〇五夜：荒木経惟『写真ノ話』　一七八一夜：デイヴィッド・シルヴェスター『回想 フランシス・ベイコン』　三一八夜：パトリシア・モリズロー『メイプルソープ』

第四章 静かに、過激に

富岡鉄斎『鐵齋大成』

近藤啓太郎『大観伝』

堀正三『朝倉文夫の青春』

フランク・ウィットフォード『エゴン・シーレ』

岸田劉生『美の本体』

棟方志功『板極道』

ローリー・ライル『ジョージア・オキーフ』

デボラ・ソロモン『ジョゼフ・コーネル』

田中一光構成『素顔のイサム・ノグチ』

クロード・ロワ『バルテュス』

デイヴィッド・シルヴェスター『回想　フランシス・ベイコン』

隠逸のために画筆を執って、
どうしても読み込みたい画題にばかり耽っていく。

富岡鉄斎
鐵齋大成
全四巻・続一巻　講談社　一九七六～一九七七、一九八二

二〇一六年四月十七日・日曜日
兵庫県立美術館「鉄斎」展記念講演「鉄斎と山水」

ようこそ鉄斎展へ。松岡正剛です（拍手）。昨日の予報をくつがえして今日の神戸は晴れました。さきほどポートピアホテルから来たのですが、海も風もとてもきれいだった。そのぶん、やはり震災のことを思い出していました。

神戸はやや久しぶりですが、それにしても三十年ぶりの大きな鉄斎展ですね。一昨年《おととし》だったかな、大和文華館の「富岡鉄斎と近代日本の中国趣味」（二〇一四）があって、その前が出光《いでみつ》の没後九〇年の「鉄斎 TESSAI」（二〇一四）でしたかね。出光のときは扇面《せんめん》

が意外におもしろかった。今回は清荒神《きよしこうじん》（清澄寺鉄斎美術館《せいちょうじ》）さんから名品がずらっと届いて、かなり充実した作品群が出揃った。さっきぼくもたっぷり堪能してきました。

清荒神はとてもありがたいところです。鉄斎の作品が集まっているのはもちろんですが、あの境内や土産物《みやげもの》屋の坂がいい。ぼくはあそこへ行くとホッとします。正式には真言三宝宗《しんごんさんぽう》の清澄寺という大日如来《だいにちにょらい》を主尊とするお寺さんですが、荒神《こうじん》さんとして親しまれてきた。アラミタマが影向《ようごう》してくる気配があります。佃煮《つくだに》の「さん志ょう屋」とか「小やきや」とか、参道のお店がまたよくて、ついつい買ってしまう（笑）。

それはともかく、蓑（豊）《みの》館長とも昼食をいただきながら雑談していたのですが、この鉄斎展は時代を画するものになるでしょうね。いまこそ鉄斎が知られるべき時代です。先だってこの展覧会を見てきた明治大学の田母神《たもがみ》顕二郎君が、「松岡さんが何かにつけて鉄斎と言っていたので、帰省がてらに見てきましたが、いやあ凄いですねえ。図版で見てきたくらいではわからないですよ」と言ってました。今度の展覧会は構成もユニークです。

ぼく自身は今日は、墨猪墨豚《ぼくちょぼくとん》と言われながらもあえて溌墨を黒勝ちに駆使した鉄斎の墨の使い方、老いてますます闊達《かったつ》でべらぼうな筆の速さ、ちょいちょいとした軽妙な老人たちの描き方、それから鉄斎が一貫して「胸中の山水」として抱いてきたであろう補《ふ》陀落《だらく》のイメージなどを、猛スピードで感嘆してきました。

あの《教祖渡海図》とか十八羅漢《らかん》の《囲碁図》なんてたまらないですね。渡海図は万《ばん》里《り》集九《しゅうく》の『梅花無尽蔵』を読んで思いついた絵でしょう。集九は五山僧で梅好きで、漢詩の名人です。舟の下の淡墨の渦といい、上から天水のようにちらりと流れ落ちる滝の塗り残しの具合といい、平然とした釈迦・観音・孔子・老子の涼しい顔と対照的で、なんとも陶然とさせられる。あの舳先《へさき》で舟の艪《ろ》をこいでいるのは誰だかわかりますか。達《だる》磨《ま》さんですよ。いいよねえ。

《巌栖《がんせい》十八羅漢囲碁図》の羅漢さんたちも、みんな愉快です。あの絵は八九歳の筆だから、もう死ぬ間際です。けれども賛に「俗世と仏法は碁の黒い石と白い石のようなもので、でもそんなものは盤上で引っくり返れば白も黒もない」と書いてあって、余裕綽々《しゃくしゃく》。そんなふうに言って死にたいもんです（笑）。

それから久々に《三老吸酢図》を見ました。蘇東坡《そとうば》と仏印《ぶついん》禅師と黄山谷《こうさんこく》（黄庭堅《こうていけん》）の三人が酢をちょび嘗《な》めて感想を言いあっているんですね。この画題は友松も大雅も仙厓《せんがい》も描いていますが、もともとは儒教と仏教と道教が三教一致を求めてお互いに同じ酢のテイストに反応しているという故事にもとづいているもので、三人が三様に顔をしかめたり、びっくりしたり、平静を装っているというふうな面白みを描く。釈迦、老子、孔子が酢を嘗めている絵もあります。ミツカンに奨めたいよね（笑）。鉄斎はこれを王陽明の文章に依拠して、愉快に仕上げている。

それからやっぱり、なんといっても墨画《ぼくが》が凄い。王維《おうい》の詩から着想を得た四十代の《空翠湿衣図《くうすいしついず》》も久しぶりに見て、あらためて感じ入りましたし、あとは《花桜人武士《はなはさくらひとはぶし》図》も近くで見ると迫力があった。あの桜の大樹が真ん中でゆっくり分岐して右の幹が夜に向かって月を抱えているあたり、たまりません(笑)。

でもね、ぼく自身は実のところ「鉄斎を語る」というのは、ちょっと困るんです。畏《かしこ》まりたくなる。いままでずいぶん鉄斎を見たり感じたりしてきましたが、あのぞくぞく感は絵を前にしたときの臨場感にまみれた状態にあるので、さっきの会場での堪能もそうだったんだけれど、できればその臨場感を秘めたままにしてあまり語りたくないんです。その理由はあとで言います。

ただし、とはいえ、今日はぼくにとってもちょっとシンボリックな一日なんです。実は今朝のＮＨＫの日曜美術館はミケランジェロ・カラヴァッジョの特集なんですが、ぼくはその中でゲストとして一言、《法悦のマグダラのマリア》の前で喋っています。どうしてもその前で喋りたかったので、スタジオではなくて上野の美術館にカメラを入れてそうさせてもらったのですが、ぼくにとって決定的なそのカラヴァッジョと、やはり安易にはその凄さと愉快を語りたくない鉄斎のことを、オンエアとリアルとはいえ今日という同じ日に喋ることになったというのは、なんともメモリアルでした。

　カラヴァッジョは十六世紀末から十七世紀にかけての画家ですね。ルネサンスとバロックを結ぶマニエリスムを体現しています。マニエリスムというのはマニエラ主義ということですから、すなわち「方法《マニエラ》」を意識する表現様式のことで、カラヴァッジョはその先頭を切った画家でした。日本でいえば三阿弥《さんあみ》や雪舟のあとの等伯や雪村《せっそん》のような、あるいは江戸風俗画に入っての岩佐又兵衛のような役割です。でも、鈴木春信にはまだ到っていない。つまりレンブラントやフェルメールにはなっていない。そして、その又兵衛はもう桃山にはいないのです。同様にカラヴァッジョもルネサンスにはもういない。鉄斎も江戸の山水にはいない。

　カラヴァッジョは前時代に完成しつつあったディゼーニョ（素描）とコロリート（彩色）とキアロスクーロ（明暗法）を引っ提げて、そこにちょっと魔術的ともいえるマニエリスティックな手法を投入して、まったく新しい旋風をおこしました。人物と構成がルネサンスとはまったく異なって、そこが目を見張らせる。描いた人物は、もちろんまだイエスやマリアやヨハネやマタイといったキリスト教画の人物たちなのだけれど、カラヴァッジョの同時代に実在したであろう人物が存分に投写されていて、アクチュアリティに満ちています。

　画面構成や姿態もきわめて斬新。なかでも《法悦のマグダラのマリア》は、めちゃくちゃすばらしい。あれはどう見ても「もうひとつのモナリザ」ですよ。カラヴァッジョは一人で時代を変える絵に挑んだんです。ぼくは日曜美術館ではそこを強調しておきました。

ところで、もう三十年ほど前のことになるのですが、あるとき横尾忠則さんが電話をかけてきて「ねえ、これから行ってもいい?」と言って、ぼくの仕事場にひょっこりやってきたことがありました。何だろうなと思っていたら、意外なことに「ぼく、実はデザイナーをやめることにした」と言うんですね。「ええーっ、ほんとに!」と茫然《ぼうぜん》としていたら、「画家になることにした」と言う。すぐに、なるほど横尾さんならそれはありうるなと思ったんだけれど、その理由が「カラヴァッジョのような絵を描きたいんだよね」というものなんですね。これには痺《しび》れました。

鉄斎もカラヴァッジョと同様、画題は水墨山水の伝統を継承したまま、独自な描きっぷりに徹していったのです。

では、あれこれ勝手な感想を言う前に、鉄斎がどういう「変化の時代」を生きたのかということを、最初に言っておきます。

鉄斎の生まれは天保七年です。これはけっこう重大な暗合をもっている。天保七年は一八三六年です。アヘン戦争の四年前。列強が眠りこけたアジアを食いものにすると決めたあたり。香港がイギリスの手に落ちたのはこのときですね。

天保時代というのは大飢饉がおこり、全国で一揆が勃発していた時代です。大坂では与力の大塩平八郎が義憤に駆られて決起して、すぐに潰された。陽明学に奉じたんですね。大御所の徳川家斉《いえなり》が死ぬと、老中首座の水野（忠邦）が天保の改革を断行した。大江戸社会文化の晩期ですが、天保の改革というのはどう見ても、金利を下げたり問屋仲間を解散させたり、株仲間の禁止などをしたりして、失政が目立った改革です。

そんな混乱した日本に、案の定、黒船がやってきた。案の定というのは、アヘン戦争の警鐘に続いてという意味です。けれども幕閣たちはまったくうまく対処できません。渡辺崋山や高野長英《ちょうえい》や橋本左内《さない》は「これでは日本はダメになる」と警告するのですが、そういう発想は危険思想とみなされてみんな断罪された。安政の大獄で多くのエリート文人が若くして消えていくわけです。梅田雲浜《うんぴん》や吉田松陰たちが立ち上がっても、次々に叩かれていく。鉄斎は、あとで説明するように、こうした皇国の士たちの動向と心情がぴったり重なっていく青年期をおくっているんですね。

鉄斎はそういう天保期の京都に生まれ育ちます。お父さんは富岡維叙《これのぶ》という法衣屋さんで、三条室町の衣棚《ころものたな》で十一屋伝兵衛という店を営んでいた。各宗派の法衣を調達してあげるという家業で、京都ではいまでも法衣屋さんはめずらしくありませんが、鉄斎の家はけっこう由緒があったようです。

十一屋は代々、石田梅岩《ばいがん》の石門心学をモットーにしているんですが、これも京都の町衆や商家ではめずらしくはありません。石門心学は京セラの稲盛《いなもり》さんがいまでも奉じている町人と商人のための哲学ですね。もっとも一家は、鉄斎が幼かったときに衣棚から夷川《えびすがわ》に引っ越したようで、それからは羽振りも落ちた。でも鉄斎は幼少の頃から本が大好きで、山本榛園《ばいえん》の塾で読み書きそろばんを習い、読本《よみほん》の『忠臣蔵』に惹《ひ》かれ、サムライ・ニッポンのなにがしかに共感しています。

そういう鉄斎がどんな美術史的な位置を占めているかというと、一言でいえば、「破格」です。本格に対する破格。何にもあてはまらない。ほんとうは、こういう人の芸術は「破格」というより「逸格」というべきなんですが、ところが、日本ではこの「逸格の美学」があまりに理解されていない。そこが、ぼくは気にいらない。

中国では伝統的な絵画についてのエヴァリュエーション(評価)の基準がきっちり決まっています。その基本は「神品《しんぴん》」「妙品」「能品」という三段階です。神・妙・能。この順番に褒める。

けれども長きにわたった五代十国の混乱期をこえて宋代に入ってくると、この三段階にまして秀れた作品が次々に出てきた。董源《とうげん》とか巨然《きよねん》とか馬遠《ばえん》とか夏珪《かけい》とかがすばらしい。かれらの画技は「神・妙・能」から逸脱しているのだけれど、ハッとさせられたり、うーんと唸《うな》らされたりするものがある。そこで新たに「逸品」という評価が生まれてきたんです。それが表現者の人物の独特な格調ももっているというので「逸格」というふうにも言われます。鉄斎は破格というより、この逸格というべきです。

というのも、鉄斎は勝手な絵を描いているんじゃない。水墨山水の基本的な伝統思想にもとづき、宋元時代の水墨画や明の花鳥や山水や、仏画や禅画や道釈画の基本にもとづいている。ただ描きっぷりが奔放です。それはカラヴァッジョがキリスト教絵画の伝統にもとづいていることとまったく同じでしょう。

グレン・グールドは、最初のカーネギーホールでの演奏会でバッハの《ゴルトベルク変奏曲》を弾きましたね。「世界で一番退屈なピアノ曲」と言われていたのに、お父さんがつくった低い椅子に坐り、独特の飛び付くようなスタイルで演奏をして、音楽界を瞠《どう》目《もく》させた。グールドは好きな曲を弾いたのではありません。バッハという「古典」を弾いた。しかしにもかかわらず、まったく自在に弾いたんです。

わかりやすくいえば、鉄斎の絵の対象はすべてこのバッハなんですよ。バッハのような「古典」を描き続けているんです。それにもかかわらず、実に自由闊達に筆をさばいてそれらを描き、ポーズもリズムも好きに入れ、おまけにその絵のほとんどに「賛」を書き込みました。そこには音楽のクラシックにすべてルールがあるように、いろいろの水墨山水としての〝通則〟があるのですが、鉄斎はそれをマスターしたうえで、好き勝手に筆で演奏してみせたのです。いいですか、鉄斎の絵はね、ことごとくバッハなんですよ。プレイ・バッハ。今日、ぼくが言いたかったことは、これに尽きてますね(笑)。

ま、これだけでは話が締まらないので多少のことを申し上げると、水墨山水の基本というのはいろいろあるのですが、最も有名なのは謝赫《しゃかく》が『古画品録』に示した「画の六法」です。一に気韻生動、二に骨法用筆、三に応物象形、四に随類賦彩、五に経営位置、六に伝移模写、ですね。どこかで聞いたことがあると思います。ぼくが衛藤駿《しゅん》さんや長廣敏雄さんに東洋美術を叩きこまれたときは、この六法をさんざん学びました。

画の六法は水墨画についての六法ですが、もうちょっと広く書道と画道の両方にあてはまる〝通則〟もあって、これは荊浩《けいこう》の『筆法記』に有名です。荊浩は「気《き》・韻《いん》・思《し》・景《けい》・筆《ひつ》・墨《ぼく》」を六要とした。また、そのニュアンスとしては「神《しん》・妙《みょう》・奇《き》・巧《こう》」を、それから筆の使い方や勢いについては「筋・肉・骨・気」をあげた。鉄斎はこういうことはちゃんと守っているんです。なぜ鉄斎はそういう骨法を守ったのか。バッハを描くという時代に育ったからです。

かんたんな符牒《ふちょう》を言っておくと、当時の画人では河鍋暁斎が鉄斎の五歳年上、狩野芳崖が鉄斎の八歳年上なんです。大雅は六十年前に、蕪村は五三年前に、応挙は四一年前に死んでいます。これでわかるように、鉄斎はいわば徳川の水墨山水がいったん絶頂を迎えたあとに、そのバッハの技法の中から出てきたちょっとジャジーなプレイ・バッハの画人なんです。だから本格を知っていたし、破格もわかっていて、それゆえにこそ逸格になりえたわけです。

ちなみに東西の画人の齢《とし》合わせをしておくと、マネが鉄斎の五歳年上で、ドガは三歳年上、セザンヌが鉄斎の二歳年下、ルノワールが四歳年下ですね。みんな同時代だった。鉄斎はヨーロッパなら印象派の中にすっぽり入ってしまいます。

というわけで、鉄斎の絵を云々するには、あたかもグールドのピアノを議論するときのように、鉄斎の思想を云々する必要があります。それは鉄斎が「本」や「読書」を最高の体験においているということと深い関係がある。

鉄斎は生涯を通して万巻の書を読むことを理想としました。それを死ぬまで貫いた書画人であり、卓越した文人でした。鉄斎が描いた画題はすべて儒学や仏法のテキストに倣《なら》っているし、神仙思想や幾多の故事来歴にもとづいているのです。クラシック音楽の楽譜のようにね。つまり鉄斎は仏道・儒道・神道・神仙道に忠実なのですよ。けれども鉄斎は行動者というより表現者です。おそらく陽明学を外に向けないで、内に込めたんだと思います。座して天下を知るほうです。

だから鉄斎の思想は「読書思想」であって、そして鉄斎の芸術は「読書芸術」なんです。リーディング・アート、あるいはアート・エクリチュール。こういうアーティストはいまではたいへんめずらしい。

鉄斎は「本」に入って「本」に出て、「本」に遊んで「本」をこそ書画にしていったのです。オリジナリティなんてこれっぽっちも大事にしていない。だいたい鉄斎は、自分の絵は「盗み絵」だとさえ言っている。でもね、この「盗み絵」という白状がいいんです。かつてジャン・コクトーが「ぼくが一番嫌いなのはオリジナリティという用語だ」と言っていましたが、それですよ。アーティストたるもの、こうじゃなきゃいけない。ぼくはそう思います。

それからもうひとつ、アイデンティティということも鉄斎にはあてはまらない。ぼくは鉄斎の署名に感心してきたのですが、ひとつとして同じ自署がない。よく見てください。みんなちがっている。その時々の絵の具合やその場の感興に応じているんですね。このバラエティが鉄斎です。そうそう、北斎もそうでしたね。

鉄斎は自由奔放に描いているようで、必ずしもそれだけじゃありません。その、それだけじゃない力量を身につけておくためには、若い日々からかなり学問にも打ちこんできました。幼少期からいろいろ学んでいますが、国学者の大国隆正《おおくにたかまさ》の塾では『古事記』

『日本書紀』『祝詞《のりと》』をアタマに入れています。大国は津和野《つわの》の出身ですから、ということは平田篤胤《あつたね》の門人になるというわけですが、京都に来て報本学舎という私塾を開いていて、そこには多くの志士が出入りしています。等持院《とうじいん》の足利尊氏・義詮・義満の木像の首を三条河原にさらして勤王の気勢をあげた野呂直貞《のろなおさだ》なんてのも出入りしていて、鉄斎はたいへん親しく交流していた。鉄斎は三二歳で結婚した妻をすぐに亡くし、五年後に再婚しているのですが、二番目の妻のハルは野呂の紹介です。

漢学については、岩垣月洲《いわがきげっしゅう》に教わっています。漢籍の読み方と漢詩漢文の書き方のイロハを体得したでしょう。古註学の家に生まれた月洲もやはり勤王派で、佐久間象山や小松帯刀《たてわき》などと往来して国事に尽くしている。門人が三〇〇〇人もいたといいます。

だいたいこの時代の京都は歴史上、かつてないほど最もダイナミックな陰謀と策士と愛国者が渦巻いていて、鉄斎はその空気をのべつ吸いまくっていたはずです。梅田雲浜、梁川星巌《やながわせいがん》、その星巌の夫人の紅蘭《こうらん》、中島棕隠《そういん》、山本梅逸《ばいいつ》、頼三樹三郎《らいみきさぶろう》、平野国臣《くにおみ》、山中信天翁《しんてんおう》、藤本鉄石《てっせき》……そのほか多士済々、みんないた。なかでも鉄斎が深い影響をうけたのが春日潜庵《かすがせんあん》と貫名海屋《ぬきなかいおく》ですね。

鉄斎が春日潜庵から教わったのは何だったと思いますか。陽明学です。鉄斎はずっと晩年にいたるまで王陽明の文庫を大事に筆写したりしているのですが、そもそもの陽明学との出会いは潜庵からで、以来、おそらくはいっときも陽明学の「知行合一《ちこうごういつ》」の気持ちを離さなかったと思います。潜庵には西郷隆盛も傾倒していて、弟を門人にさせたりしています。鉄斎と陽明学の関係は今後の研究課題でしょうね。

もう一人の貫名海屋は、菘翁《すうおう》としても知られている書画人で、鉄斎がずうっと敬慕した文人であり、儒者ですね。絵もいいけれど（とても気持ちのいい山水を描きますが）、やっぱり書がすばらしい。市河米庵《べいあん》と巻菱湖《まきりょうこ》に並ぶ幕末三筆のなかでは、ぼくが一番好きな書家です。田能村竹田は自分が見た〝真景山水〟では、野呂介石《かいせき》の瀞八丁《とろはっちょう》、頼山陽の耶馬渓《やばけい》、そして海屋の伏見巡行が最高だと絶賛して、海屋の絵を褒めています。

鉄斎が潜庵と海屋に最大級の敬意を払っていたのは「品《ひん》」、あるいは「仁《じん》」を重んじていたからでした。人品はこうじゃないといけないというものを、鉄斎はずっともっていたんだと思います。それは「儒」からも来ている人倫感覚でもあったのだろうと思いますが（鉄斎は自分のことをしばしば「儒者」と言っていたんですが）、幕末の風雲の中で培われた日本人はこういう人格や精神をもっていないといかんという基準からも来ていた。それが潜庵と海屋に対する心服や敬意になったんでしょう。鉄斎ならずとも、われわれもこのへんをまちがうようではアウトです。

鉄斎の青少年期に、もう一人多大な影響をあたえたのは、いまさら言うまでもなく太《おお》田垣蓮月《たがきれんげつ》です。とても美しいおばあさんです。和歌が上手で、書も端麗で、武術の嗜《たしな》みもあった女人です。ぼくの母親が蓮月の歌や書を慕っていました。若い頃はその美貌もよく知られていたようです。

蓮月は、一説には伊賀上野の藤堂《とうどう》家の落胤《らくいん》だったともいいますが、前半生はけっこう不幸です。最初の縁組は不縁で養子婿が去り、二度目の夫は若くして病没、両夫のあいだにもうけた一男三女も次々に死んでしまったので、世のはかなさを感じて出家して剃《てい》髪《はつ》し、蓮月尼と号してささやかに陶芸で暮らしていたという。

蓮月の歌にはしみじみするものが多く、これは有名な歌ですが、「やどかさぬ人のつらさをなさけにて朧月夜の花のしたぶし」というような歌が多く、なんとも侘《わび》しくて美しい。「もののあはれ」ですね。そういう蓮月の歌や人柄はすぐに評判になるのですが、蓮月はそんなことで自分のところに多くの人が訪ねてくるのがあまり好きではなかったようで、何度も転居してしまう。それで世間からは引っ越し好きの「屋越《やごし》の蓮月はん」という綽名《あだな》がつけられました。

その蓮月が六五歳のときに二十歳の鉄斎が出会うんですね。美しいおばあさんと無骨な青年の邂逅《かいこう》でした。鉄斎の父親が蓮月の知り合いだったらしく、蓮月が原坦山《はらたんざん》の口ききで雲居山心性寺《うんごさんしんしょうじ》のお坊か庵に引っ越すと決まったとき、あんな山深いところにおばあさんを住まわせたのでは不自由だろうというので、お前が行ってきなさいと若い鉄斎が用心棒のように寄寓《きぐう》させられた。はたして鉄斎が蓮月の役にたったかあやしいものですが(笑)、深い井戸から水を汲むとか、陶芸用の粘土を取りに行くとか、焼き上がった焼き物を注文先に運ぶとか、そういうことをしたようです。

心性寺は白川《しらかわ》村のはずれにあったので、蓮月は「世のうさもしら川山の夕霧に石きる音ぞあはれなりけれ」などと詠んでいる。「憂さも白川」は掛けことばですね。そこには貫名海屋も訪ねてきたようです。

蓮月が鉄斎に教えたのは、ひとつは遊芸の心、もうひとつは慈悲です。「慈しみ」ですね。蓮月は万延元年の大飢饉のとき、自分の葬式費用として預けてあった三〇両を聖護《しようご》院《いん》の貧民たちに分け与えたりするような人だったのですが、鉄斎は小高根《おだかね》太郎さんの調査研究によると、けっこう血気さかんで癇癪《かんしやく》の強い青少年だったらしく、蓮月はそこを和らげるためにいろいろ腐心したようです。

癇癖が強くて血の気が多いのは、当時の勤王佐幕の激動の日々とも関係があったからだとぼくは思うのですが、もともと鉄斎が生まれもって斜視で、幼少期に胎毒を病んでそれを治療したら内攻して耳が遠くなってしまったというのも関係があるかもしれません。晩年は右の耳はほとんど聞こえなかったといいます。今回の展示には鉄斎が使っていたばかでかい補聴器も飾ってありましたね。ま、蓮月はそういうことも心配して、若い鉄斎を持ち前の慈悲で柔らかく包んでいった。

鉄斎のほうはそうした蓮月の心配をよそに各地を遊学歴遊するのを好み、文久に入ると長崎を数ヵ月旅行して、幕末の西の動乱の動向を見定めたりしたのち、二七歳のときに京都に戻って聖護院の蓮月の旧宅で私塾を開きます。でも、まだ若輩の貧乏学者が塾を開いてもうまくいくはずがない。「菜を咬み貧を忍んで百事を期す」などと『村居即事』という詩に自嘲《じちょう》気味に書いています。

それで、これを見かねたのか、山中信天翁こと山中静逸《せいいつ》が「君は絵を描いて生計をたてたほうがいいのではないか」と勧めた。静逸はのちに石巻《いしのまき》県（宮城県）の知事になった人物で、のちに鉄斎は自分にとって蓮月と並ぶ恩人だとしています。

文久三年というと、藤本鉄石や松本奎堂《けいどう》が天誅組《てんちゅうぐみ》の乱をおこして憤死したり、平野国臣が生野《いくの》銀山《ぎんざん》に兵を挙げて捕縛されて獄舎で斬殺されたりしている頃です。かれらは鉄斎の親しい友人たちで、それがみんな死んでいったんですね。若き鉄斎にはかなりこたえたと思います。

奎堂については「人トナリ淡泊ニシテ慷慨憂憤ス。玉堂ノ小山水ヲ掛ケ、古屋石《こおくせき》四、五品ヲ蔵シ、筆硯塵埃ニ混ズ」というふうに振り返って、「時代の進捗に悲憤《ひふん》慷慨《こうがい》していたが、浦上玉堂の小品を愛玩するような風流なところもあった」と言っていますし、国臣に対しては「なかなかに獅子たる人ぞいさぎよし生きてなしえし事もあらねば」というふうに歌を手向けています。

ちなみに鉄斎の歌は、はっきりいってヘタです（笑）。拙劣なのではなく、歌語としての言い回しに達していない。正直すぎるんです。でも漢文漢詩は骨気が通っています。蓮月の和歌の感覚は鉄斎の肌には染まなかったんですね。

かくて鉄斎は三三歳で明治を迎える。その一年前に画家の中島華陽《かよう》の娘と結婚して長女をもうけますが、この奥さんはすぐ亡くなってしまいます。それなら、山中静逸の勧めに従って絵のほうに専念していったのかというと、どうもそうでもない。しばらくは書物の校訂をしているような、そこから触発される絵を読書の延長で描いているような、ブックウェア三昧《ざんまい》に浸っています。また、ときに石上《いそのかみ》神社や大鳥神社に奉職して遠くから国事に尽くしているような、そうかと思えば好きに先達の跡を訪ねて旅をしているような、明治の半ばすぎまではだいたいそういう日々を送っている。だから鉄斎は本格的に絵を描くつもりだったかというと、そうでもなくて、「本と絵と旅」のあいだを逍遥《しょうよう》していたのです。

そういう鉄斎がのちに文人画と称されるような絵にどっぷり浸かっていくようになるのは、明治の終わりからでした。

富岡鉄斎《艤槎図》(1924年)

ここにプロジェクトされている、とても不思議な絵は《艤《ぎ》槎《さ》図《ず》》というものです。波のまにまに変な岩のような根っこのようなものがぷかぷか浮いていて、これを子供が漕いでいるという絵柄です。

いったい何を描いているのか。妙な絵ですね。中国の仙人みたいですが、歳をとったほうは内藤湖南《こなん》です。艪を漕いでいるのは息子の乾吉《けんきち》君。これは、湖南が洋行するというので八九歳になった鉄斎がそれを慶《よろこ》んで餞《はなむけ》として描いたもの、湖南が洋行から戻ってきたときには鉄斎は亡くなっていました。

念のため、「艤《ぎ》」というのは船舶の準備をすること、「槎《さ》」は筏《いかだ》のことで、鉄斎は湖南親子を荒海を蹴立ててどんぶらどんぶら進んでいく岩船に譬《たと》えたのでしょうね。まあ、天磐樟船《あめのいわくすぶね》のようなものでしょう。

この絵を最初のスライドで見てもらったのは、この絵がとてもユニークなものになっているということもあるのですが、湖南が鉄斎を応援しつづけたことを言いたかったからです。湖南は鉄斎の文人画のかなり初期からの応援者であり、厚意をもった解読者だったんですが、それはけっこう勇気がいることだったんです。

それというのも、明治に入るとフェノロサがやってきて日本美術に多大な関心を寄せたのはいいのですが、天心ともども文人画にはいまひとつ理解がなかった。狩野派までは認めたんですがね。そのため文人たちが描く山水は「つくね芋山水」などと揶《から》揄《か》われて、あんなものは遊戯にすぎないと見られていた。そういう見方を覆していったのが湖南だったんです。

だいたいぼくは、明治の美術文化は総じて好きで、天心の日本美術院の活動も、春草や大観の絵とともに大いに認めていますし、竹内栖鳳から安田靫彦《ゆきひこ》にいたる日本画も、小川芋銭《うせん》や月岡芳年の異端もけっこう好きなんですが、明治の画壇や美術批評が文人画や南画に着目できなかったのは失敬なことだと見ているのです。それを長尾雨山《うざん》や内藤湖南や藤野君山《くんざん》がなんとかしてくれた。鉄斎もそういう湖南をありがたいと思っていたはずです。そんなことから、最晩期にこの《艤槎図》というような前代未聞の屈託ない傑作が描かれたんですね。

さてそこで一つ、言っておきたいのは、そもそも日本の水墨画は中国の水墨画とはだいぶん異なっているということです。中国の水墨山水は北の「全景山水」と、南の「辺角山水」とがあって、日本に来たのは南のほうなんです。

詳しいことはぼくの『山水思想』（ちくま学芸文庫）を読んでもらいたいのですが、ごくかんたんに説明しますと、中国文化を見るときはまずは北と南を分けたほうがいい。漢方医学だって北は寒冷だから服を着たままでも治療できる鍼《はり》で経絡《けいらく》をつくような医療が発達するんですが、南はたいそう温暖なのでまわりに生い茂っている薬草を煎じて汗を流す医療になります。湯液《とうえき》医療ですね。

似たようなことが「南船北馬《なんせんほくば》」とか「南稲北麦《なんとうほくばく》」とか「南頓北漸《なんとんほくぜん》」といった言葉にもあらわれている。「南頓北漸」というのは南の禅は早い頓悟を求め、北の禅は漸近的な悟りを重視するといった意味です。

水墨山水画でも同じことがおこっています。北の山水画と南の山水画がちがう。北のほうは「華北山水」というもので、水墨美術史では「北宗画」ともいわれていて、時代的にいうと李思訓《りしくん》や荊浩《けいこう》あたりから始まって北宋の関同《かんどう》、李成《りせい》、范寛《はんかん》などが代表しています。

この連中は画面全体に猛然と見上げるような山水を描き、これを「三遠」という独特の遠近法で構成します。三遠は「高遠・平遠・深遠」です。画面の上のほうは峨々《がが》たる山岳を見上げるように高遠で描き、真ん中あたりの風景は平遠で見通し、画面下方にしたがって覗きこんだような深遠を使う。こういう描き方をした。ヨーロッパの一点透視の遠近法とはまったくちがうんです。李成はそのうちの平遠がうまいというので「平遠山水」とか「煙林平遠」と呼ばれました。

李成の次の范寛の《谿山行旅図》になると、画面全体がほとんど山水交響曲ですね。さらに物凄いのは郭熙《かっき》でしょう。《早春図》なんてエントロピー最大の山水です。だからぼくは「全景山水」と名付けた。こういった北宋の全景山水は、さらに韓拙《かんせつ》が「闊遠・迷遠・幽遠」を加えていきます。

一方、南の山水画は「江南山水」というもので、美術史では「南宗画」とも呼ばれるので、やがて「南画《なんが》」とも言われます。

こちらは王維《おうい》が始めて董源《とうげん》が受け継ぎ、やがて巨然、馬遠《ばえん》、夏珪《かけい》というふうにひろがっていく。この「江南山水」は南方の温かい風土に育ったので、さっきも言ったように風景の一角だけを描いても葉っぱが生い茂り、水の流れが生き生きしている。そこでぼくは「辺角山水」と名付けたのですが、実際にも馬遠の山水画は「馬《ば》の一角」と言われ、夏珪の山水画は「夏《か》の半辺」と言われたように、風景の全体を描いてはいない。景色の省略や圧縮がおこったり、余白があったり、部分だけが強調されたりした。

この、南の「辺角山水」の嫋々《じょうじょう》たる風情が日本にやってくるんです。そしていわゆる「残山剰水《ざんざんじょうすい》」のニュアンスをつくっていった。「にじみ」や「ぼかし」もここからです。日本の南画や文人画はこれなんですね。これは日本にやってきた仏教や禅が、古代は北魏《ほくぎ》仏教のような北のものだったのが、鎌倉中期くらいからは禅の到来（それも南頓北漸の南頓のほうですね）とともに、南の温かい山水画になっていったということにもあらわれています。

ところが、フェノロサたちはここがよくわからなかった。だから明治の後半まで、文人画や南画や俳画は片隅に追いやられています。大雅も蕪村も玉堂も軽視された。そこを早くに理解していったのが内藤湖南や長尾雨山や、それから幸田露伴だったんです。鉄斎が『艤槎図』を贈った背景が少しは伝わったかと思います。

ところで、ぼくは今度の鉄斎展の図録に原稿を頼まれて、さあ、困ったなあ、鉄斎を言葉にするのは辛いなあと思いながらも、蓑館長から手紙もいただき、次のような一文を書きました。ここで、それを読んでみますね。

「律義な飄逸」　松岡正剛

鉄斎にはずっとめろめろだ。いつ頃からめろめろになったか今となってははっきりしないけれど、父は鉄斎堂の書画骨董《こっとう》を贔屓《ひいき》にしていたし、母は女学校時代から蓮月尼の歌と書に憧れていた人だったから、おそらく親戚のひいじいちゃんのように好きになっていったんだろうと憶《おも》う。

長じて、本気で鉄斎を見るようになって、多少の瑕瑾《かきん》や食傷気味になるところがあっても、ここは他の画家に敵《かな》わないだろうと思うところがあってもおかしくなかったはずなのに、それがやっぱり鉄斎は何もかもが格段にすばらしく、あいかわらずめろめろなのである。

衝撃的なのはたとえば《富士山図》や《妙義山図》だけれど、そういうぶっちぎりの驚天動地の絵ではない大半の絵にも、引きずりこまれてしまうのだ。どこに引きずりこまれるのかと言われても困る。どんな画幅の絵も小さな絵でも、鉄斎が描けばそこは必ず驚天動地なのである。上手下手《じょうずへた》を超えている。魔術的な筆致構成だとしか言いようがない。筆致構成と言ったのも、筆致と構成が分かれても割れてもいないのだからそう言いたくなるわけで、間架結構《かんかけっこう》の案配がいいなどというレベルではないのだ。

どうしてこのひいじいちゃんがこんなに凄いのか。説明に窮するが、思いつくままにメモしておくと、こんなふうになろう。

第一に、漢籍山水というものが呑み込めている。おそらく自分の手元のどんな漢籍にも目を通した。手に入らぬものは筆写した。湖南・君山・雨山との交流もその気分を高揚させたろう。ついで、手に入った水墨山水をひたすら凝視した。先人の画帖に溺《おぼ》れたのだ。そのうち、山水画というものは陶淵明の「そこに行ってみたい、遊んでみたい、死んでみたい」を絵に写していったものだから、鉄斎はその漢籍と山水を同時に呑み込んで「行ってみたい、遊んでみたい、死んでみたい」を絵にできた。

第二に、神祇《じんぎ》に身を奉じた。湊川神社の権禰宜《ごんねぎ》、大鳥神社の宮司なども仰せつかったが、もともと尊王国学に愛着をもっていたので、その「惟神の魂魄《かんながらこんぱく》」のようなものが絵に迸《ほとばし》った。「漢」であって「皇」であったのである。二十代に春日潜庵や梅田雲浜の刺激から陽明学に親しんだことも鉄斎をつくっていると思う。ただ若くして安政の大獄の悲劇を見たことが、鉄斎をして「隠逸」に向かわしめることになった。

第三に、これは言うまでもないことだろうが、ともかく生涯にわたって「本まみれ」であった。古今の蔵書家の伊藤介夫《かいふ》や明清画蒐集家《しゆうしゆうか》で篆刻家《てんこくか》でもあった桑名鉄城《くわなてつじよう》から受けた影響も大きく、一言でいうなら「支那学」にかかわるものすべてに目を通したかったのだと思う。ちょうど京都に湖南らが来たこともよかった。京都アカデミーのほうも、たとえば京都帝大の初代図書館長の島文次郎《しまぶんじろう》が鉄斎を表敬して蔵書蒐集の意見を聞くなど、厚誼《こうぎ》をもって接した。「博古の鉄斎」と言われたゆえんだ。あえて誤解を恐れずに言うのなら、鉄斎の絵は「本」だったのである。

第四に、やはり太田垣蓮月の清々《すがすが》しい知的体温が、鉄斎の情緒と心意気に澄んだものを与えたことが特筆されるだろう。なにしろ蓮月の歌は六人部《むとべ》是香《よしか》・上田秋成《あきなり》・香川景樹《かげき》ゆずりである。蓮月の歌は花月を友とする典雅なものが多いけれど、「一とせは夢ののをざさ霜をへて一よ二よとなりにけるかな」「こぬ人をまちかね山のよぶこどりなくなく春もくれんとすらん」というようなリズムのあるものも少なくなく、これが漢詩は威風と天涯を感じさせてよかったが、和歌はからきしへたくそだった鉄斎においては、きっと筆のリズムのほうに転写されていったにちがいない。

第五に、校訂力がある。ここで校訂力というのは、言葉や文字の意義を一点一画に及んで成立させていく能力のことだ。中井竹山《ちくざん》の『草茅危言《そうぼうきげん》』を校訂して出版したのが大きかったのだろうが、この校訂力は意外にも鉄斎の絵の中の要訣《ようけつ》の点検を促し、鉄斎に同一主題を何十回となくヴァージョンに向かわせたエンジンになっていったはずなのである。

このほか、水を大切にした、一生を通してシャツを着なかった、絵を描くときも絵筆ではなく書筆を使った、案外ありきたりの筆だった、孫をあやしたりすることをしなかった、おそらく恐妻家だった等々、まだまだ鉄斎を鉄斎にならしめた理由はいくつもあろうけれど、鉄斎の性格と芸術と学問を通じて何を一言で選べばぴったりするかといえば、私ならとりあえず「律義な飄逸《ひょういつ》」というふうに言ってみたい。

これは「計算されたユーモア」とか「深い笑い」とかというのではない。律義というのは至高に及ぶために格義を律しておくということであって、飄逸とはその途次でいくらでも自在に遊んでいたいということなのである。だからこれを老荘ふうに「鉄斎の上善は水の如し」と言ってもいいだろうし、「鉄斎は淵然《えんぜん》にして雷声」あるいは「鉄斎の柔弱は世界の剛強を淩《しの》ぐ」と言ってもいい。まあ、どのように言うことになっても、私は鉄斎にめろめろなのである。

（マツオカ・セイゴオ　編集工学研究所所長）

まあ、こんなふうに書いたのですが、あまり上手に書けているとは思えませんね。ただひたすら「ぼくは鉄斎にめろめろなんです」ということだけが書いてある（笑）。締切りに追われて書いたからでしょうね。

でも、なかで一番大事なところは、鉄斎の絵はすべて「本」であるというところですよ。鉄斎はブックウェアそのもの、リーディング・アートそのものなんですね。鉄斎は何度も自分の絵よりも「賛」を読んでほしいと言っていますが、それは解説を読んでほしいとか、自分の画題を知ってほしいというのではなく、自分の絵は山水思想であって歴史観であって、文人的世界観であるということの、その知恵を言っているわけです。

では、もう一度スライドを見てください。ここにプロジェクトされたのは、《瓢中快適図》という清荒神さんの鉄斎美術館が所蔵している、まさに鉄斎の読書三昧を描いたものです。実に自在ですねえ。これが八八歳のときの絵ですから最期に近いのですが、「ここまでくると神仙など羨ましいとは思わない」と書いている。いやいや、とんでもなく駘蕩《たいとう》です。

それにしても鉄斎はどうしてこんなに自在に仙境のイメージに筆を遊ばせることができたんでしょうね。同じく清荒神に《水郷清趣図》というのがあるんですが、闊達な淡い墨蓮の上でカワセミが宙返りをしています。一瞬見ただけでも、あっというまに鉄斎

富岡鉄斎
《瓢中快適図》
(1923年)

の世界に入れます。たまりませんね(笑)。

というようなところで、時間がきたようですが、最後にやっぱり富士山をお見せしなければならないでしょう。実は今日来られたみなさんは展覧期間の後期に当たるので、《富士山図》は展示替えしてしまっているのですが、これはやっぱり《妙義山図》とともにゆっくり見るべきです。では、どうぞ。

どうですか。開いた口がふさがらないでしょう。

言いたいことはいろいろあるんですが、ま、このへんで遠慮しておきます(笑)。また最近は出光美術館の笠嶋忠幸《かさしまただゆき》さんの『鉄斎「富士山図」の謎』(学生社)といった興味津々の謎解きの本も出ているんですが、また池大雅との比較もいろいろ研究されているのですが、そうしたこととはいったんべつに、やっぱり《富士山図》と《妙義山図》には、あっと驚いてほしいんです。

ついでながら、今日はまったく紹介できなかったのですが、鉄斎が大津絵っぽい愉快きわまりない絵をいろいろ描いてきたのも看過できないということを、付け加えておきます。鉄斎は「遊」でもあるんですね。

最後におまけです。ぼくの『山水思想』は五部構成になっていて、「日本画の将来」から始まって「真形山水図」「山水タオイズム」「而今《にこん》の山水」をへて「遊弋《ゆうよく》する山水」という二一章仕立てにしました。それが全部で七八節の細かい割りにもなっている。

この最後の「遊弋する山水」の七六節目が、「融通無礙」というヘッドラインの、まるまる鉄斎の話なんです。そして七七節が「山水という方法」、七八節が「違式と越境」で、一冊が閉じるんです。この「融通無礙」に、ぼくは鉄斎の画技は「胸中ノ逸気」をそそぐためのものであり、「性情ヲ陶冶スルノ遊戯」であったということ、とくに「筆墨ノ場ノ中、逸民ト為ル」ということが鉄斎の身上であり信条であると書いておきました。

富岡鉄斎《富士山図》(1898年)、《妙義山図》(1906年)

いまでも、このことはいっさい訂正することなく、みなさんに告げておきたいことなのです。だから、これ以上のことを語りたくなかったんですね。とくに「筆墨ノ場ノ逸民」たらんとしたことは、富岡鉄斎八九年を通しての真骨頂でした。

鉄斎は「本」なのです。鉄斎は「遊」なのです。鉄斎は「逸民」なのです。

それからもうひとつ、まことに口はばったくも畏れ多いのですが、鉄斎が生まれた西暦換算の一月二五日は、ぼくの誕生日でもあるのです。あーあ、言っちゃった(笑)。では、以上で拙い話をおわります。ほんとうは、ぼくは鉄斎の書から入ったので、森田子龍の書観などを交えてその話もしたかったのですが、あしからず。どうもありがとうございました(拍手)。

第一六〇七夜　二〇一六年四月三十日

参照千夜

九九六夜：王陽明『伝習録』　一四九七夜：宮下規久朗『カラヴァッジョ』　一二五五夜：貴田庄『レンブラントと和紙』　一〇九四夜：アンソニー・ベイリー『フェルメール』　八〇七夜：石田梅岩『都鄙問答』　五五三夜：『吉田松陰遺文集』　九八〇夜：『グレン・グールド著作集』　一五二三夜：ポール・デュ＝ブーシェ『バッハ』　八五〇夜：『蕪村全句集』　九一二夜：コクトー『白書』　一一六七夜：『西郷隆盛語録』　一二三六夜：春名好重『巻菱湖伝』　三一九夜：頼山陽『日本外史』　一二四五夜：内藤湖南『日本文化史研究』　七五夜：岡倉天心『茶の本』　一四七〇夜：近藤啓太郎『大観伝』　三夜：長尾雨山『中国書畫話』　九八三夜：幸田露伴『連環記』　四四七夜：上田秋成『雨月物語』

天心を扶《たす》けて日本を極め、
「線」とも「面」ともつかぬ「念」を描き上げる。

近藤啓太郎

大観伝

中央公論社　一九七四　／　中公文庫　一九七六　／　講談社文芸文庫　二〇〇四

大観は若い頃に模写に徹していた。ずっと芋銭のことを「小川先生」と称《よ》んでいた。この二つのことの程度が多少はわかるかわからないかで、われわれの日本画についての見方が試される。もう少し辛口にいえば「われわれの日本」が問われる。

横山大観は明治元年（一八六八年）に日本主義の風土が色濃く残響する水戸藩士の子として生まれ、十歳をすぎて一家とともに東京に引っ越した。湯島小学校や府立一中（いまの日比谷高校）を出て、さらに上へ進もうと思いながら、また、子規と似て「彼の国のベースボール」が好きになったので、アメリカに憧れて英語を勉強しようともしていたのだが、明治二一年に創立趣旨が発表された東京美術学校の試験をふらふらっと受けると、多少の絵心があったこともあって、はからずも合格、そのまま第一期生になった。

生徒は五〇人。下村観山・六角紫水《ろっかくしすい》がいた。一年下に菱田春草、二年下に木村武山《ぶざん》が入った。校長が浜尾新《はまおあらた》、幹事が天心岡倉覚三《かくぞう》。教授陣には橋本雅邦・結城正明《ゆうきまさあき》・狩野友《とも》信《のぶ》らが待っていた。指導陣の中心になるはずだった狩野芳崖は、その直前にフェノロサ期待の《悲母観音》を描きあげて亡くなっていた。

その後の、天心やフェノロサによる東京美術学校の指導がどういうもので、大観にそこでどういう感興が湧いていたか、卒業までどんな絵を描いていたのか、いまはそういうことを省いて言うが、明治二八年、帝国博物館の美術部長を兼任していた天心は、美術学校の卒業生を集めて館費による古美術の模本をつくらせることにした。このとき大観は、春草や観山とともに熱心に模写に当たったのである。

そのあと京都市美術工芸学校に今泉雄作に教諭として招聘《しょうへい》されたときも、大観は夥《おびただ》しい数の古画の模本づくりに集中した。このことは、大観がわずか二年のうちに「線の手本」をつくりあげた話として伝わっている。中宮寺《ちゅうぐうじ》《天寿国曼荼羅《てんじゅこくまんだら》》、浄瑠璃寺《じょうるりじ》《吉《きち》祥天像《じょうてんぞう》》、雪舟《四季山水図》、牧谿《もっけい》《観音猿鶴図》、禅林寺《ぜんりんじ》《山越阿弥陀図《やまごしあみだず》》などなど、仏画・水墨山水・絵巻・刺繍《ししゅう》を問わず次々に克明に模写し、そこから「線の手本」を導いた。これは驚くべき稽古であった。稽古とは「古《いにしえ》を稽《かんが》える」ということだ。

それにしても日本画であれ油絵であれ、偽作の下請け制作者でもないかぎり、いまどき名品の模写にここまでは徹しない。大観は春草と議論して「いきなり写すのはダメだ。

魂が抜けていく。三、四日はこれと遊ぶ気でいなければならん」と示しあっていたというのだから、模写にひそむ秘密を早々に探知できていたにちがいない。

すでに何度も書いてきたことだが、ぼくは模写や模倣や類似化という方法には、創造性と想像性の両方にまたがる秘密が隠されていると確信している。ガブリエル・タルドの『模倣の法則』がそのことを喝破した。タルドは「模倣は社会活動の基礎である」「世界は模倣されることによってしか革新されえない」「模倣の本質は社会や観念の意図の継承なのである」と、そう言ったのだ。

大観に、タルドが言うような模写思想の根本が宿っていたかどうかはべつとして、こういう〝模写の大観〟が若くして起動していたこと、知っておいたほうがいいと思う。牧谿の《観音猿鶴図》の模写など、絶品である。

小川芋銭についてはいずれ千夜千冊しなければならないが、大観とはいろいろ因縁がある。そもそもが同い歳で、水戸と牛久《うしく》とに分かれはするが、茨城での同郷になる。芋銭は赤坂の牛久藩邸に生まれて茨城の牛久村に帰農して、いったんは東京で画業にいそしみながら、また牛久に引っ込んだ。そういう茨城人だった。牛久に帰ると、そのまま悠々と田園風趣の挿絵や漫画を描きつづけていったのだから、天心亡きあとの画壇の中央に君臨しつづけた大観とは、その依って立つところが違っている。

画業も異なった。いまでは〝河童の芋銭〟としてばかりその名が知られるものの、むろんそれだけではない。明治三十年代に幸徳秋水と知りあったあたりから、河童図とか河童遊図とかいっても、たんなる飄逸の民俗画というのではなく、どこかぬめぬめとする「生きものの覚悟」を示すような根源的な生命論的訴求を孕《はら》んでいた。それに、その技法はめっぽう洒脱《しゃだつ》な水墨画なのである。そう言ってよければ、水墨初のアナキズムだ。そんな芋銭の新機軸は、ありていの近代美術史では平福百穂、小杉放庵《ほうあん》、森田恒友《つねとも》らに並ぶ水墨新感覚派に列せられることになるけれど、芋銭の河童はそういう美術史を破砕して、ひたすら画人としての孤高高遠のスピリットを感じさせる。

こういうことが大観をして、生涯「小川先生」と崇《あが》めさせたところだったのだ。これは芋銭に対して大観の頭が上がらなかったとも、大観は芋銭の本筋を見誤っていなかったとも、そういうふうに懐にしまっておける話だった。

後年、弟子の松本英峰が大観のこんな回顧談を伝えている。「渓仙《けいせん》（富田渓仙）ほど奔放自在な絵を描くものは他にいないが、ときに筆を抑えて描いたなら神品ができただろう」「古径《こけい》（小林古径）はつねに名作を描いているけれど、もっと気楽に愉しんで描くといい」「小川先生はただただ羨むべきである」と、そう言っていたという。

以上をどう見るかが「われわれの日本」が問われるところなのである。日本は大観と芋銭の両方にまたがってその特色を発揮したわけで、昨今の現代アートの日本画だけを見ていては、このへんのこと、目が曇るばかりであろう。

もうひとつ、言いたいことがある。それは、われわれは日本画や日本舞踊というものにもう少し溺れたほうがいいということだ。能と歌舞伎ばかりが日本であるわけじゃない。日本画や日本舞踊こそは、近代日本が苦しんで生み出したヴィジュアル・エクリチュールの最たるものなのだ。ついでながら明治に生まれた小唄や浪花節もよくよく味わったほうがいい。「伝統と前衛」の両方のことを言いたいのなら、このあたり看過してはならない。聞き逃してはならない。「卒近代」「脱近代」などとえらそうなことを言う前に、いささかこのことに取り組んでほしい。


本書は、後半はエロ小説ばかり書いていた近藤啓太郎がめずらしく本気で書いた評伝で、発表当時から評判を集めた。安岡章太郎など、かなり絶賛していた。

もともと大観には資料が多い。大観自身の『大観自叙伝』（中央美術社）、『大観画談』（大日本雄弁会講談社）があり、定番には斎藤隆三の『日本美術院史』『横山大観』（ともに中央公論美術出版）があって、また正木直彦『回顧七十年』（学校美術協会出版部）、吉澤忠『横山大観の芸術』（美術出版社）、竹田道太郎の『続日本美術院史』（中央公論美術出版）もあるので、資料には事欠かない。けれども近藤がここまで大観に熱を入れたのは、まるで懺悔《ざんげ》のようで気持ちいい。近藤が何を懺悔したかったかということは、ぼくにはまったく関心がないことなのでここではふれない。

天心のエピソードについてもそれなりに詳しい。大観の生涯は畢竟《ひっきょう》、「天心追慕」の生涯だったから、これは当然だ。当然なのだが、近藤が天心の国粋主義と功利主義を軽視もせず責めすぎることもなく、これをたくみに引き上げて描出しようとしているのは本書の基本の骨をつくっていて、のちに押しも押されもせぬ大家となった大観の後半生を描くにあたっての、効果的な骨組みになった。大観の後半生だってまさに羨望とやっかみの中にあったわけで、それは天心がやっかまれていたことと、むろん無縁であるはずがなかったのだ。

天心は若くして毀誉《きよ》褒貶《ほうへん》の中にいた。傍若無人であって、天下国家にへこたれず、敵を作って快哉《かいさい》をほくそ笑み、大衆なんぞは相手にせず、ひたすら少数の味方と徒党を組むことを悦んだ。たとえば三二歳のときには清《しん》に渡って胡服弁髪《こふくべんぱつ》の姿で新橋駅に降り立ち、出迎えの連中を驚かした一方、「生涯の予定」を書いて、「第一、四十歳にして九鬼内閣の文部大臣となる。第二、五十にして貨殖に志す。最後に、五五にして寂す」などと嘯《うそぶ》いていた。

そんな気概ばかりが前面に出ていた天心は、有名な話だが、フェノロサとの欧米視察の帰途に、駐米特命全権公使となった九鬼隆一《くきりゅういち》男爵に請われて、妊娠した九鬼夫人の初子（はつ）の帰国に付き添って横浜までの船旅を一緒にして、帰国後もなんやかやと初子の面倒を見ていたところ、やがて「天心は九鬼夫人といろいろあやしい関係になった」との怪文書とスキャンダラスな噂に囲まれて、たちまち東京美術学校の座を追われることになったわけである。

近藤はこの事件について、天心は実際にも芸者上がりのはつ夫人とかなり愛欲に耽《ふけ》っただろうこと、ついにははつを精神科の病院に入れさせてしまったこと、それを以前から天心に重用されながらも天心の留守にはいばりちらしていた福地復一《ふくちふくいち》や、その唆《そそのか》しに乗った大村西崖《せいがい》が、これさいわいと天心追い落としを策謀していったこと、天心には「精神遺伝病がある」と吹聴してまわったことなどを、かなり詳しく書いている。

しかし天心はこうした非難や罵倒にまったく動じない。それどころか傲然《ごうぜん》として新たな日本美術院の確立に向かっていって、谷中初音町《やなかはつね》での大観・観山・春草・西郷孤月《こげつ》・寺崎広業・小堀鞆音《ともと》・剣持忠四郎《けんもちちゅうしろう》・岡部覚弥《かくや》の八家族同居に及ぶとか、またその後には五浦《いづら》への〝都落ち〟を大観・春草らとともに決行するのだが、それでも怯《ひる》まず、ついには三度《みたび》蘇るという明治の顚末《てんまつ》を演じていくわけだ。

大観はそういう世間の毀誉褒貶に巻き込まれながらも決して意志が挫《くじ》けない天心を、いとおしくも、勇敢とも感じて、なんとか守りたいと思っているうちに、いつしか自身が天心に似て毀誉褒貶に強くなり、傲然と日本画の確立に執心していったはずである。

本書はそのへんの天心から大観に重なっていった師弟の血のようなものを、比較的うまく書いている。

四年前（二〇〇八）の一月、国立新美術館で久々に大観展「横山大観—新たなる伝説へ」を見た。その気で見たのでずいぶん疲れたが、あらためて習作から大作まで、《無我》から《生々流転》まで、いろいろ目を近づけてみて感じるところも少なくなかった。これまで大観記念館や足立美術館をはじめ、各地の美術館で大観の絵は折りにふれて見ていたつもりだったが、ずいぶん見落としていたこともわかった。とりわけ「没線《もっせん》」と「無線」のちがい、朦朧体《もうろうたい》の迷い、塗沫《とまつ》のやりかたなど、技法をくらべながら見られたのが収穫だった。

朦朧体は、従来、大観や春草が空刷毛《からばけ》でぼかしを試み、濃淡と色彩の混合のみで画面を構成した手法だと指摘されてきた。大観も当時、「空気や光線を描きたかったから」だと説明した。このため、没線イコール朦朧体だと考えられ、そういう手法が明治三三年の痛烈きわまりない朦朧体批判を浴びたとされてきた。

しかし、大観・春草はそれ以前から色筆による「色線」を使っている。仲間うちでは「彩線」とも言っていた。明治三十年の大観の《聴法》にその例がある。この色線が墨線に代わり、そこに「隅《ぼかし》」が加わって、輪郭線や衣紋線《えもんせん》の片側をぼかす隈取《くまど》り、さらに余白の広いほうにぼかしていく地隈《じぐま》などとなり、たとえば春草《王昭君《おうしょうくん》》、武山《熊野》、観山《大原之露》、大観《迷児》が生まれた。

こういう流れをあらためて見ていくと、朦朧体は結果としての没線ではあっても無線ではなく、朦朧体であるかどうかはむしろ「描く」と「塗る」との対決から生じた論争であったことが見えてくる。

明治三三年、大観の《浄瑠璃　朝顔》について、「塗りては消し、消しては塗り、暈《くま》どりと非常の手数にて出来上がるもの」という酷評がなされた。また《木蘭》に対しては「馬は写生的だが、毛の塗抹法は油画的だ」といった文句がつけられた。

これは、べたべたと塗りたくる油彩画の手法など、日本画家は決して選ばないという技法批判だった。すなわち、日本画はあくまで「描く」のであって、洋画はただ「塗る」ばかり、という問題設定だった。これが朦朧体批判者たちの主旨で、これらの批判に屈すれば、日本美術院の明日は危ういものとなっていた。

天心や大観や春草らは屈しなかった。批判が的外れだったからだ。天心は大観を評して「土佐派と光琳の研究者だ」と見て、光琳の「面本位」こそ大観らの今後の進むべき冒険だとみなし、無線が大切なのではなく、面という光の色が大切になるという実験に向かっていた。けれども相手も引き下がらない。「光琳の手法は無線であっても筆致があるではないか」「大観らは塗抹しているばかり」と言いつのる。のちに「西の栖鳳、東の大観」といわれた竹内栖鳳も、「東京の画壇では洋画を真似て塗りすぎている」という批評をしていた。大観らには「用筆の妙」がないと貶《けな》されたわけである。

が、あらためてあれこれの実物を見ていくと、どちらも当たっていないところがあった。大観たちは油彩画に走ってもいないし、また光琳にも向かっていない。新たな「あいだ」の創発に向かっている。他方の朦朧体批判派も大観から「線」を見いだせなかったのは致命傷だった。また栖鳳にしても、ぼくはかつてＮＨＫ日曜美術館の栖鳳特集のゲストになったときに、「栖鳳には写真における光線描写がある」と発言しておいたのだけれど、これは大観と栖鳳はどちらも新たな手法をめざしていて、どっこいどっこいなのである。

さて、ぼくがいつも持ち出す話だが、レオナルド・ダ・ヴィンチには、「向こうからやってくる日差しのなかの婦人の肩の稜線は、はたして肉体に所属するのか、背景に所属するのか」という鋭い自問自答があった。ぼくはこれこそは、われわれが継承すべきデュアル・リプレゼンタティブな問題だと思ってきた。

この問題意識からすると、朦朧体とはむしろこの問題に挑んでいるひとつの回答ではなかったかと思える。ではそれで、その後の日本画がどうなっていったかといえば、言うまでもない。大観と栖鳳の両方を受け継いでいったわけである。以上のこと、近藤啓太郎はとくに書いてはいなかった。

天心が五二歳で没したあとの大観の後半生については、日本美術院の継承者としての自負と入魂と率先が目立つ一方、その画業においては「想」から「念」への移行があるように思われる。大観の「念」は、技法のうえではあえてオーバーエクステンションをしないというようにはたらいた。これを批評家たちは「不器用」とも、ときに「稚拙」とも見るのだが、そうではない。

明治末年大正初年、大観の《瀟湘《しょうしょう》八景》を漱石が論じた文章がある。「これは横山大観君に特有の八景である。一言でいふと、君の絵には気の利いたやうな、間の抜けたやうな趣がある」と書いた。「脱俗だが、高士禅僧のやうではない」「平民的に呑気《のんき》だ」というのだ。内田魯庵《ろあん》は他の画人と比較して、こんなふうに評した。「観山君は恰も富士の山の剣が峰の尖端に座禅してゐるやうなものだ。栖鳳君や広業君は其の頂上を運動してゐる人だ。大観君は上がったり下りたりしてゐる人だ。時々は噴火坑内まで入つて見る人だ」。

漱石も魯庵も、二人ともうまいところを衝《つ》いている。たしかに大観は天心亡きあと、観山亡きあと、だんだんそうなっていった。これは高村光太郎や白樺派が「芸術」を説

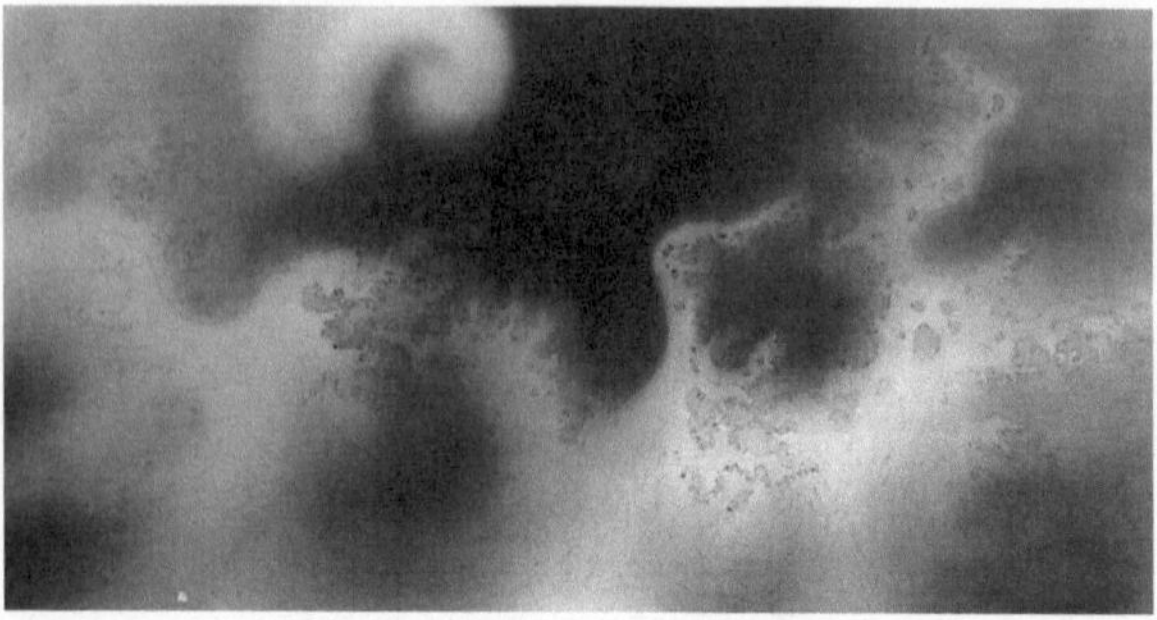

横山大観《生々流転》部分（1923年）

いて、芸術の肝心は技法ではなくて心情に応じた表現をすることにあると強調していたことも手伝って、どこか失敗を恐れない自分呑気な表現に向かいつつあったということである。

平民的にもなれる。風雅の友にもなれる。天心にも戻る。春草を偲《しの》びもする。ファンのためにもなる。芸術とはそういうものだという達観に、だんだん移っていったのである。そういう行く先が、大正十二年の第一〇回院展に発表した《生々流転》の水墨大長巻だった。五六歳になっていた。ぼくはあらたまって国立新美術館でこころゆくまで眺めたが、まずはよほどの青《せい》墨《ぼく》を手に入れたのだということがよくわかった。あとで調べると、はたして程君房《ていくんぼう》の「鯨柱墨《げいちゅうぼく》」を入手していた。かつて松平不昧《まつだいらふまい》が愛蔵して山内容堂《ようどう》が所持していた逸品だ。

名墨が名画を作り出せるとはかぎらない。けれども模写を堪能し、朦朧を恐れず、あるところまで画技を

横山大観《生々流転》部分（1923年）

突き詰めて、そこからふと緩む余裕をもった者なら、そこで自在闊達なツールを手にすれば、そこはやはり遊弋《ゆうよく》の気韻生動というものがおこるはずなのだ。大観はこれに乗り、さらには名作《飛泉》などに至ったのであろう。

今夜に大観をとりあげたのは、一年前から大観の《海潮四題》や《或る日の太平洋》が気になっていたからだった。一年前というのは3・11のあとということで、あのころぼくはしばしば大観の海の絵を思い出していて、とくに昭和二七年に描いた《或る日の太平洋》が、この絵に添えた大観の言葉とともに胸に突き刺さってきていた。大観は「三千年の歴史は壊滅し、日本なき太平洋に対し私共は只々感無量であります」と書いたのだ。

《或る日の太平洋》は海が裂けている。そこに稲光が走り、苛烈《かれつ》な勢いで龍が上ってきて、彼方に富士が遠望される。これを大観が好んだ「富嶽登龍」のひとつと解説する向きがあるけれど、本書もその程度の説明ですませているが、どうして、そんなものではない。この八五歳のときの太平洋は、日本の将来を予告するものだった。海洋の渦中が裂けるというところが、とんでもない。

横山大観《或る日の太平洋》（1952年）

第一四七〇夜　二〇一二年六月七日

参照千夜

四九九夜：正岡子規『墨汁一滴』　七五夜：岡倉天心『茶の本』　一三一八夜：ガブリエル・タルド『模倣の法則』　二五夜：『レオナルド・ダ・ヴィンチの手記』　五八三夜：夏目漱石『草枕』　一六〇七夜：『鐵齋大成』

明治大正にロダンの旋風と出会った彫刻家は、その「手の眼」で《墓守》に向かった。

堀正三

朝倉文夫の青春

国文社　一九七六

谷中《やなか》の朝倉彫塑館にぼくが好きな空間と時間がある。ここに行くといつも深い鈍色《にびいろ》の郷愁に引きこまれ、その菫《すみれ》色の時間の襞《ひだ》についつい浸って長居してしまう。

かつての朝倉文夫の居宅を改造したものだが、美術館とか資料館のイメージとはほど遠い。ついさっきまで朝倉文夫がお茶を飲んでいて、いまはちょっと出掛けているという時間の感触がある。それが空間のそこかしこに細かく残響していて、得がたい。中庭の池と石の結構も格別で、そうだからこそぼくはしばしば縁側に坐りこんで往時を偲ぶ。そう言ってよいならぜひ断言しておくが、おそらくは東京一の居宅美術館なのである。

西日暮里《にしにっぽり》駅からゆっくり歩いて十分ほどで着く。

ぼくは朝倉文夫が生きてきた時間を「往時」と思い、その「往時」を偲ぶことに無類のよろこびを感じる。だれが何と言ったって、それは朝倉文夫でなくてはならない。それをどう説明すればわかってもらえるか。

べつにわかってもらわなくともいいが、たとえば荷風のファンが荷風を偲んで下町を歩くときのような、子規のファンが子規の俳句とともに根岸《ねぎし》を歩くような、そういうものとはかなりちがっている。高橋由一《ゆいち》・ラグーザお玉・川上音二郎・井上馨《かおる》・益田鈍翁《どんのう》の生涯や時代を偲ぶのともかなりちがっている。そういう個別の感慨に耽るのではなくて、朝倉文夫が朝倉家の血とともに生きてきて、その独特の文化をその後も朝倉の一族にもたらしているもの、そのすべてを感覚できる歴史の流れを偲ぶのだ。

朝倉摂《せつ》さんのお宅に伺ったら、すばらしい猫たちが家具やピアノをひらりと優雅に渡っていた。アビシニアンだったと憶う。摂さんは長女である。父君には有名な猫の彫塑もあるので、その話題になると、摂さんは「あら、一五、六匹はいたわよ。父はね、猫なのよ」と笑った。そういう朝倉家が、谷中にはまだ息づいているのだ。

瀧廉太郎《たきれんたろう》の彫像がある。とてもいい。二人とも大分竹田《たけた》の出身で、そこの高等小学校では瀧が三級上だった。瀧も朝倉もその竹田を出奔して東京に出た。明治芸術の揺籃《ようらん》期を語るには、この瀧と朝倉が東京に出てからの流れを追うと意外な脈絡が見えてくる。

朝倉文夫の青春はそこにある。本書はあまり気の利いた書きかたではないけれど、その青春の脈絡の一端を綴《つづ》ってくれている。

朝倉文夫は明治十六年（一八八三）の生まれだから、明治前半期の工芸美術や音楽美術を飾ったキーパーソンが何人もいる。瀧廉太郎もその一人だし、大島如雲《じょうん》や石川光明《こうめい》も岩村透《とおる》も荻原守衛《おぎわらもりえ》もその一人だった。しかし、最も重要なのは渡辺長男《おさお》である。

渡辺長男は文夫の九歳年上の長兄で、文夫より早く東京に出ていた。岡倉天心とフェノロサが中心となった東京美術学校の予備科に入り、山田鬼斎《きさい》についた。鬼斎は仏師の家に生まれた仏像彫刻家で、長男は鬼斎の指導のもとに抜群の先駆性を発揮した。明治三一年に岡倉天心を失脚させる陰謀によって東京美術学校がゆれたとき、長男は三年生だったが、これに義憤をおぼえる青年になっていた。

やがて天心が新たに日本美術院をおこすと、長男はイタリア帰りの長沼守敬《もりよし》にヨーロッパの彫刻技術をしこまれた。東京美術学校彫刻科の第一回卒業生となった大村西崖《せいがい》が彫刻を「彫塑」といいかえたころには、高村光太郎らと「彫塑会」を組織して、木彫と鋳像を合体する新たな動きをおこそうとしていた。瀧廉太郎が《四季》を作曲していたころである。

文夫はその兄の渡辺長男を頼って谷中初音町の家に入った。明治三五年九月二十日のことである。なぜ日付がはっきりしているかというと、その前夜、子規が死んだからだった。長男の友人の鋳金家の香取秀真《ほつま》が「これから正岡先生の通夜に行く」と言うのを聞いて、文夫は驚いている。小学生のころから俳句に熱中していた文夫は子規に入門するつもりだったらしい。けれども子規は血を吐いて死んだ。ここに文夫の人生の最初の転換がおこった。文夫は俳句をあきらめ、兄の影響のもと、彫刻家の道にまっしぐらに入っていったのである。

翌年、大阪天王寺《てんのうじ》で第五回内国勧業博覧会がひらかれた。その会場には観音菩薩をかたどった巨大な噴水器が出現し人々をびっくりさせるのだが、それは黒岩淡哉《たんさい》の指導もとに渡辺長男らが制作にあたったものだった。その後も長男は広瀬中佐像、井上馨像をはじめ、多くの実在の人物の銅像をつくった。いずれも在りし日の人品を彫塑していた。文夫はこれらに影響をうけた。朝倉文夫の彫像は瀧廉太郎のものがそうであるように、その人物の歴史性よりも現在性が生きていた。

実在の人物の彫像にはおもいがけない反応があるものだ。とくに歴史的な人物を彫るのはむずかしい。いまも皇居前に立っている楠木正成の銅像は大阪住友家が別子《べっし》銅山二〇〇年記念に宮内省に納めたものだが、モデルとなる木彫は高村光雲《こううん》がつくり、顔を光雲が、胴を山田鬼斎が、馬を後藤貞行がそれぞれ分担して彫った。鋳造は岡崎雪声《せっせい》である（渡辺長男はこの雪声の娘をもらっている）。

楠公像はそれなりにみごとな像である。いまではこれだけのものを彫像化するチームは日本にいない。ところがこの楠公像が物議をかもした。高山樗牛《ちょぎゅう》がこっぴどく批判した。「不倫の骨相」だというのである。いまどきこんな批判が出ることすらないので、ぼくなどはいろいろな意味をもって「さすが明治」と思うのだが、それだけ「人物」というものに歴史思想を見ていた時代だったのであろう。ついでにいうと、上野の西郷隆盛像にもクレームがついた。これも高村光雲の木彫原型を岡崎雪声が鋳造したものだが、これを見た隆盛夫人が「西郷はこんな男ではありません！」といって泣き出したというエピソードがある。

朝倉文夫がこうした人物彫像をめぐる事情に出会いつつ、かつ白樺派によって大正初期の日本を席巻することになるロダンの大旋風に直面しつつ、なおかつあの《墓守》に代表される独得の人物彫像をつくりえたこと、あの人情のあるオントロジックな芸風を確立していったのは特筆に値する。

ふりかえれば、朝倉文夫の青春は日本が日本であった最後の高揚期だったのである。そこには鷗外も漱石も鏡花も荷風もいたが、また黒田清輝《せいき》や光太郎や廉太郎や文夫も闘っていた。どうもわれわれは文芸的な明治を語りすぎる傾向があるけれど、本書に描かれたような「目や耳の明治」あるいは「手の明治」という動向にも心を寄せたほうがいい。谷中の朝倉彫塑館に行くと、そのことをいつも偲びたくなってくる。

ちなみに朝倉には青銅器の趣味、釣りの趣味などがあって、『南洋の銅器』(画報社)、『釣り天狗』（中央公論社）の著書があるとともに、確固たる社会共同体をめぐる意志の持ち主でもあって、その意志の一端は土門肇との共著『日共イデオロギー批判』（こぶし書房）などに読める。なお本書の著者の堀正三は『国境の雁』（いわしや）などの歌集をのこした歌人で、ほかに『滝廉太郎の生涯』（いづみ出版）などがある。

第二四〇夜　二〇〇一年三月一日

参照千夜

四五〇夜：永井荷風『断腸亭日乗』　四九九夜：正岡子規『墨汁一滴』　一二六〇夜：海老澤敏『滝廉太郎』　七五夜：岡倉天心『茶の本』　一六八九夜：高山樗牛『瀧口入道』　七五八夜：森鷗外『阿部一族』　五八三夜：夏目漱石『草枕』　九一七夜：泉鏡花『日本橋』

クリムトに励まされて、官能的自画像を歪ませつつ
二八歳で逝ってしまった異能を想う。

フランク・ウィットフォード

エゴン・シーレ

八重樫春樹訳　講談社　一九八四
Frank Whitford: Egon Schiele 1981

ひとつ、「カフェ・ニヒリズム」という言葉がある。なんとなく使ってみたくなる言葉だろうが、歴史的には特定の実在のカフェのことをさしている。アドルフ・ロースが内装外装を担当したウィーンの「カフェ・ムゼウム」のデザインが、そうよばれた。エゴン・シーレはこのニヒルなデザインが漂うカフェで、二八歳上のグスタフ・クリムトと初めて会った。クリムトはシーレの才能の最初の発見者で、最初の影響者で、最初のパトロンだった。

ひとつ、「ものおじ」という言葉がある。「物怖じ」と綴る。フランツ・カフカやエゴン・シーレが「ものおじ」する子供だった。きっと「ものおじ」には二つの性向があっ

て、ひとつは人見知りによるものだが、もうひとつは幼い自分の内側に「狂おしいもの」か「性の愛着」か「反社会」を感知していることからおこる。ウィーンという都市はそのいずれをも撒《ま》き散らした。

ひとつ、「ディストーション」という言葉がある。「歪《ゆが》み」のことであるが、アーティストにとっては絵画や彫像に歪像《わいぞう》をつくりだす感覚のことだ。自然や都市や人物が歪むにはレンズの曲率があればいいが、エゴン・シーレはウィーンの曲率をもってドローイングにあたった。

エゴン・シーレ（Egon Schiele）はウィーンの風狂をそなえた父をもって一八九〇年にオーストリアのトゥルンに生まれ、ウィーンの義母の家で生涯を閉じた。一九一八年秋だった。わずか二八歳である。死にたかったわけではない。島村抱月《ほうげつ》と同じスペイン風邪で死んだ。妻のエーディトがその三日前に風邪で死んだ。

エゴン・シーレの舞台を用意したウィーンはヨーロッパ第四の大都市で、オーストリア＝ハンガリー二重帝国が残響していた。ルーマニア語・ポーランド語・イタリア語を含む多くのヨーロッパの言語が飛びかい、文化と学術、モードとロゴス、クラフト＝エビング、オットー・ヴァイニンガー、フロイトらの「性の科学」とフランク・ヴェデキント、ロベルト・ムージル、アルトゥール・シュニッツラーらの「性の文学」がかっこよく、たぶん淫靡《いんび》に蔓延《まんえん》していた。

なによりここには一八九七年以来、「ゼツェッシオン」（分離派）の嵐がふきまくっていた。ウィーン分離派の会長はクリムトだった。分離派という名称は、十九世紀までの歴史絵画、建築デザイン、伝統芸術を断ち切って、古い中心から分離していこうという意志をあらわしていた。

ゼツェッシオンの動向はフランスのアールヌーヴォー、ドイツのミュンヘン分離派やベルリン分離派に呼応するものであるが、ウィーン分離派はそれらを凌駕《りようが》する強烈な表現力をもっていた。これは建築のオットー・ワーグナーからヨーゼフ・ホフマンとヨーゼフ・マリア・オルブリッヒに継承された「デザイン」によるところが大きく、一九〇三年のウィーン工房設立に向かっていった。アートワークにおいてはその表現力はクリムトを筆頭とした「エロス」と「歪み」に向かった。

シーレはこの二つの傾向をだれよりもナイーヴに浴び、だれよりもその「デザイン」と「エロス」と「歪み」を執拗《しつよう》に自画像に投入した。

一九〇八年、エゴン・シーレは最初の個展をクリムトの援助で開き、美術学校で学ぶことをやめると、仲間たちとノイクンスト・グルッペ（新たなる芸術の集い）をつくった。そこにやってきたのがフランス印象派とドイツ表現派の展覧会だった。クリムトが主催した。みんなその斬新な表現力に驚いた。グルッペの仲間とともにシーレはたちまちゴッホやムンクの絵に魅了された。二人とも歪んだような自分の顔を描いている！

エゴン・シーレは自画像に執着したアーティストだ。ゴッホやゴーギャンよりも、うんと自画像と闘った。理由を言う必要はないだろう。見ればわかる。

その自画像はデッサンを含めて一つとして似たものはないのにもかかわらず、どう見てもアンドロギュヌスがいっぱいあらわれている。シーレのアンドロギュヌスは当然に男であって女であるけれど、それとともに神であって人であり、少年と少女であり、男《だん》娼《しょう》と娼婦であって、また着衣と裸体の、性交と自慰の、二重化されつづけるアンドロギュヌスだった。

シーレの自画像は天と地に、神と人に、聖と俗に揺れていた。捩《ねじ》れてもいた。当初はクリムトを、ついではロートレックやピカソを、そしてゴッホやムンクを、さらにはココシュカやヨーゼフ・ホフマンや浮世絵をどんどん取り込んでいるうちに、そうなった。不思議なことに、そうした先達たちの才能への敬意をいくら内化しても、シーレはより純粋なシーレになっていけた。シーレの才能のほうが勝っていたというより、冒《おか》されていないのだ。それをぼくは、シーレにおける速筆のせいではないかと睨《にら》んでいる。試してみたわけではないが、シーレのチョークのデッサンや筆による画線は、驚くほど速いものであるはずだ。

ぼくが最初にエゴン・シーレを知ったのがいつだったかは忘れたが、おそらくは学生時代に「みづゑ」か何かの美術誌の特集を見たのだろうと憶う。パッと見てその自己顕示欲のようなものにやや病いを感じ、敬遠した。ドイツ表現派やハンス・ベルメールの繊毛のような線にくらべると描線とタッチにあまりに荒々しいものを感じて、いささか腰が引けもした。

まことにお恥ずかしいことながら、この学生時代の見え方はかなり的はずれなものだった。アートの抱握（プリヘンジョン）というもの、なかなか妙で、一発でそのガイストが掴《つか》めることがある一方、勘ちがいをすることも少なくない。とくに若いころの見方にはとんちんかんが露呈する。ぼくの場合は、ボッティチェリ、ベラスケス、マニャスコ、ベックリン、マネ、ゴーギャン、ノルデ、いずれも見誤った。実はカンディンスキーやシャガールが見えたのも、ずっとあとのことだった。

それはともかく、そのうちシーレの作品集

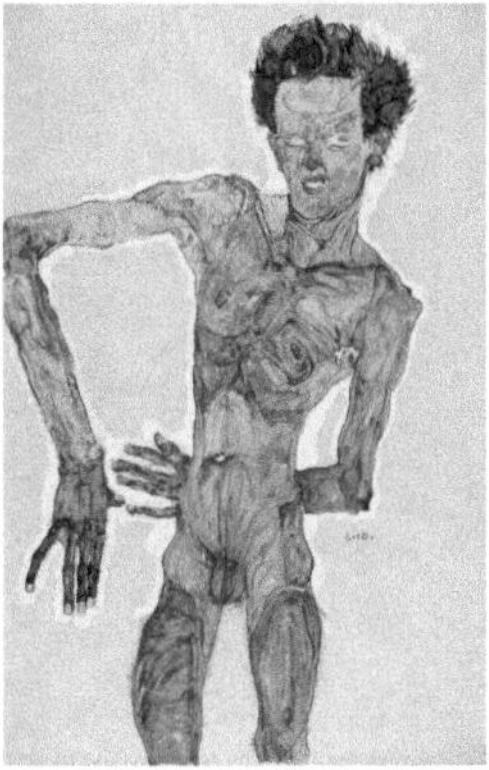

エゴン・シーレ自画像(1915年)

を何度も見るようになり、一九七九年の回顧展で本物に直面し、愕然《がくぜん》として見なおすようになったのである。こんな言い方でいいのかどうかわからないが、ミシェル・フーコーがレーモン・ルーセルの『アフリカの印象』や『ロクス・ソルス』に愛着を示したように（ルーセルはシーレとほぼ同時代）、ぼくは突然に、この画家をはげしく擁護したいという熱病に駆られたのだ。そうなると今度は、この熱病にふと「ウィーン的即身成仏」などという言葉を付与したくなるくらいであったが、まあ、そこまで言うのはやめておく。

エゴン・シーレはなぜわれわれを襲うのだろうか。おそらくぼくだけではなく、シーレによって胸に矢が刺さった者たちが数かぎりなくいるはずだ。ぼくの仕事場では跡見学園で友禅と与謝野晶子を研究していた伊藤愛子がそういう胸をもっている。

では、なぜにシーレはわれわれを不意に襲うのか。本書はそういうことについては何もヒントを書いてはいない。書けないのである。だから書かなかったのだ。書いた人もいる。坂崎坦《しずか》の血を継いだ坂崎乙郎《おつろう》は最後の執筆のすべてを『エゴン・シーレ——二重の自画像』（平凡社ライブラリー）にあて、そこには多くの「逆上」ともいうべき言葉を紡いでいたものだったが、そのように他人に書かれてしまうと、またぞろ青二才めくけれど、どうも自分がエゴン・シーレから受けたものが何だったのかわからなくなってくるばかりなのだ。

他のものをそんなに読んでいないのでわからないけれど（どの程度にエゴン・シーレ論があるかも知らないのだが）、これほど批評家の言葉から遠のく画家もめったにいないのではないかとも感じる。カラヴァッジョだってこれほどではないし、池大雅だってこれほどわれわれを逸《そ》らしはしない。しかしエゴン・シーレは確実にわれわれを襲ってきて、そして逃げていく。

不安？　それも皮膚自我の不安がこちらに突き刺さってくるからだろうか。さっきも書いたが、シーレには「エロス」と「歪み」が同時に描けていると思われるのだけれど、そういうものをまだわれわれは存分に体験していないからだろうか。

ずっと昔、こんなことを、ある夜に遊んだことがある。工作舎でまだ毎晩夜更けまで何かの作業をしていたころのことであるが、ふと思いついて洋書のエゴン・シーレ作品集の作品一点一点をスタッフに複写してもらい、それをモノクロ・ベタ焼きのままに机に並べ、何度も何度もその順序を替えてはカルタやカードのように遊んだのだ。

それはだいたい七枚七行ほどのスタンザのようなものになったのであるが、気がつくと、ぼくはそれらのモノクロの密着行列を読んでいた。そこへやはり徹夜をしていた松本淑子が覗きにやってきて、「エゴン・シーレ？　なんだか一九二〇年代の実験映画の絵コンテみたい」と言ったのだ。松本淑子はパリ帰りの、ぼくがお気にいりのエディターである。いつも明後日のほうからヒントをくれる。そのときもぼくは虚をつかれ、咄嗟《とっさ》にはその意味をはかりかねた。しかし、いま思いかえせば、たしかにそれはルイス・ブニュエルがエゴン・シーレを映画にしたらこんなふうになるだろうというような絵コンテだったのだ。

いまなら、その映画のタイトルを思いつける。それは「以前の人々」というものだ。もうちょっときちんと言うのなら、ホフマンスタールが名付けた「前存在」というものだ。以上、これがぼくのエゴン・シーレにまつわる胸の病いについての歪んだ報告である。

第七〇二夜　二〇〇三年一月二九日

参照千夜

六四夜：カフカ『城』　八九五夜：フロイト『モーセと一神教』　三一八夜：パトリシア・モリズロー『メイプルソープ』　一六五〇夜：マリ＝ロール・ベルナダック&ポール・デュ・ブーシェ『ピカソ』　五四五夜：フーコー『知の考古学』　一四九七夜：宮下規久朗『カラヴァッジョ』　五〇五夜：坂崎坦『日本画の精神』

油絵で「深い美」を如実にあらわしたい。
この僕の覚悟を、君たちは軽々しく笑うな。

岸田劉生

美の本体

河出書房　一九四一／新潮文庫　一九六一／講談社学術文庫　一九八五

「僕の画には近代的なところが欠けているかもしれない」と劉生は書いた。近代的な手法には学ぶべきことはたくさんあるが「なんとはなしにそれは自分の内容を生かすにそぐわないのである」とも、「物質感の表面の如実感を写すやり方」も「輪郭をぼかすことによって出る味」も「刷毛目《はけめ》の渋味」も、どうにも自分には合わない、まして印象派の手法などとんでもないとも書く。

このことがどういう意味かということを、劉生は「僕によって見出された道」という一九一九年のエッセイに書きしるした。本書に収録されている。こういうものだ。「例えば女の髪を描くとして、一刷毛でそれらしい味を出すことができる。マネ等のしている刷毛目の意味はみなそれだ。しかし、それは髪らしく見えるということに止まる。そ

岸田劉生《麗子像》(1923年)

のために、もう一歩深い美は犠牲にされなくてはならない。女の髪の毛がそのときそこにそうしてある美しさ、その附際《つけぎわ》から先までに充ちる美、そういうものにぶつかると、そういう刷毛目では満足できなくなる」。

安易な刷毛目ではつかめなくなる女の髪。それをどう描くかというのが劉生の画技の真骨頂なのである。この箇所を読んで、ぼくはさっそく手近の画集を開いて《麗子像》をルーペで見たものだ。

劉生がここで「深い美」と言っていることは、本書のなかではいくつかの言い換えによって、かなり厳密に追求されている。劉生は「深い美」を「内なる美」と言ったり、「写美」と言い換えたり、ときには「真如」といった仏教語にし、また「如実の美」とも「神秘」とも名付けている。

いちばん多用しているのは「内なる美」や「美体」であるが、特段にその概念を解説しようとはしない。けれども劉生が何を言いたいかはよくわかる。劉生は美術をあきらかに唯心的領域にもちこみたいわけなのである。その唯心的領域のことを、劉生は「内なる美」と言い、「真如」とか「神秘」ともよんだ。印象派がタッチですませている手法には与《くみ》せない。近代にとどまるわけにはいかないと、頑固なことを言っているわけなのである。

劉生が近代を離れるのは、近代に深さを感じないからだった。そのためこんなふうに書いた。「古人は本当にどのくらい深い神秘を見たのか全く分からないほど、その深さは深い気がする」。「近代的でないということが、たちまち古く過去のものであるということにはならない。僕の画は近代的ではないが、近代よりも次の時代または今日の時代のものっとも真実の要求を充たすことはできる」。

こういう文章から何を感得できるかは、今日のわれわれの資質にかかっている。おそらくは、今日の美術界で岸田劉生をゆっくりと見ることも、岸田劉生の文章をじっくり読むこともないだろう。劉生は忘れられた画人となってしまったのだ。しかし、はたしてそうなのか。われわれは劉生を昔日の蜃気楼《しんきろう》のごとく捨て去れるのだろうか。

岸田劉生は明治二四年（一八九一）に一四人の子のなかの四男に生まれて、昭和四年（一九二九）に大連《だいれん》からの帰途に寄った徳山で客死した。たった三九歳の人生である。エゴン・シーレの一つ年下で、シーレより約十歳長く生きた。

親父は岡山の津山《つやま》藩に育って、大阪・横浜・東京に出て一世を風靡《ふうび》した〝編集王〟の岸田吟香《ぎんこう》だ。吟香がヘボン式ローマ字の普及を助け、ジョセフ・ヒコや本間潜蔵《せんぞう》と日本初の民間新聞「海外新聞」を、ヴァン・リードとは「横浜新報」（もしほ草）を発行し、さらには辞書印刷という新領域の開発のために上海に渡ったり、中村正直《まさなお》と盲唖学校「訓盲院」を設立したりしたことは、よく知られている。日本で最初の従軍記者であり、資生堂薬局の三年後に銀座に薬局を開きもした（楽善堂）。

こういう父親の先駆的な活動が、息子の劉生に美術の開拓をめざさせたのは推測するに難くない。ほかに家系が及ぼしたものもあろう。長男の銀次郎は子供のころから座敷牢に入らざるをえない精神疾患者だったようで、劉生が十二歳のときに死んだ。しかし、吟香は吟香、銀次郎は銀次郎、劉生は劉生である。ぼくは十五歳の劉生が中学三年の進学試験をすべて白紙答案にして、そのまま数寄屋橋《すきやばし》教会の田村直臣《なおおみ》牧師のもとに走ったことのほうを注目する。

その後、劉生は白馬会《はくば》葵橋《あおいばし》研究所に入って黒田清輝に師事し、明治四三年（一九一〇）の十九歳のときには第四回文展に外光派ふうの作品で入選をしている。そのころ興った白樺派の動向にバーナード・リーチを介して参画すると、たちまちセザンヌやゴッホやロダンを通過するのだが、そこで踏みとどまった。武者小路実篤は劉生を応援しつづけたが、劉生は実篤の文学を含めた白樺派のすべてから離れた。

どうしたかというと、大正一年に斎藤与里《より》や高村光太郎や木村荘八《しょうはち》らと「フュウザン会」をつくって、さかんに自画像や肖像画にうちこんだ。フュウザンはフランス語の「木炭（画）」の意味である。その後は本書にもしばしば出てくるのだが、ルネサンスやバロックの絵画研究に向かい、ファン・アイクからレンブラントまでを詳細に渉猟し、とくにアルブレヒト・デューラーに惹《ひ》かれていった。近代主義からも、白樺派的なヒューマニズムからも、どんどん離れていったのだ。それからは中川一政《かずまさ》らと「草土社《そうどしゃ》」を結成して、その結社とともに画業を発表しつづける。それが《道路と土手と塀（切通之写生）》や《麗子像》の連作になる。マネやセザンヌも、ゴッホすらもういない。麗子像はデューラーなのである。

ところが、ここからまた熾烈《しれつ》な日本的旋回がある。ぼくはそこがすさまじいと思っているのだが、劉生は初期浮世絵肉筆画や宋元の水墨山水画に没入していったのだ。また歌舞伎に通い、長唄を習い、日本料理に徹しはじめたのである。さらに日本の図案や昔話にも手を染め、童画も試みた。あまり注目されていないようだが、童画はギョッとするほどに、いい。ただ、そこからは命が足りなかった。惜しまれて、あえなくも死んだ。

岸田劉生をどう見るかということは、現代の日本の課題である。美術の課題というよりも、日本の課題であろう。その理由は次の文章を読めば、深々と瞭然《りょうぜん》とする。

「吾々がこの世を個人的に見ると、個人の概ねは利己的である。無智であり、また無頼であって、その心には善き運命に対する憧憬や生存に対する淋しさや涙や愛がない」。「自分はまだ、悪しき個人を目のあたりに見ると、ほとんどいつも憎悪を感じる。このことは恥ずかしい。そうして自分を苦しくさせる。憎悪は、人にとっても自分にとっても苦しいものである。しかし（中略）、自分が憎悪を感じるとき、その憎悪から愛が生まれることを知っている。その愛は微かなものなのだ」。

岸田劉生に多くの美術論を求めるべきではない。たったひとつの「美の本体」への意思を読むべきなのである。あるいは「卑近美」への執着を見るべきである。実際にも、劉生の文章からは印象派についての鋭い批評の声は聞こえてこないし、未来派についての批判もあるのだが、その批判は未来派のはたした役割を知る者からすると、とんちんかんである。劉生には全五巻におよぶ『劉生日記』（岩波書店）もあるが、切々たる心情はべつとして、そこからもルネサンス美術論や印象派論を学ぶことは少ない。

おそらくは本書もいま読んで痛感できるというものではないかもしれない。ぼくも本書にいま出会っても、かつてほどには動揺しないだろうと思われる。けれども、劉生が精魂をこめて探求しようとしたもの、そのたったひとつのことは切々と伝わってくる。そのたったひとつの探求を今日の時代は失っている。捨てている。それが「内なる美」や「卑近美」というもので、「真如」というものなのだが、そんなものは今日のどこにもなくなっている。

最後に、劉生がこんなふうに書いていたことを付け加えておく。「軽々しく笑うな」という詩文だ。とにもかくにも、劉生にあと二十年の命を与えたかった。三九歳はあまりにも劉生の怒りを鎮めるには少なすぎた。

自分の言うことを軽々しく笑うな。今の君達が滑稽に感じるのも無理なかろう。しかし、軽々しく笑うな。笑いたくとも、軽々しく笑ってならぬものなのだと、ただそう思っていたまえ。そうしないと君達は損をするのだ。

〔追記〕二〇一九年九月半ば、東京ステーションギャラリーの「没後90年記念　岸田劉生展」に駆けつけてみて、震撼《しんかん》たる思いに打たれた。日本はルネサンスを持たなかったということだ。そんなことは何の衝撃でもないほどの当たり前のことだったが、それが劉生の絵を静かに見ていると、とんでもない衝撃として摑《つか》みかかってくるのだった。

第三二〇夜　二〇〇一年六月二二日

参照千夜

一二五五夜：貴田庄『レンブラントと和紙』

釈迦十大弟子もゴッホも女者《じよもの》も、
ねぶたに上げたい「板画」で彫り付ける。

板極道

棟方志功

中央公論社　一九六四　中公文庫　一九七六

板画。版画ではなく板画。棟方志功《むなかたしこう》の《大和し美し《うるわ》》を見たときは腰を抜かした。ヤマトタケルを称《たた》えた二〇枚続きの大作の乾坤一擲《けんこんいってき》だった。昭和十一年（一九三六）の第十一回国画会展に出品された作品である。それをのちに棟方志功展で見た。

すごかった。打ちのめされた。版画作品だが、版画ではない。絵よりもやたらに文字が多い。美術であって美術ではない。ほぼ文字ばかりだが、書ではない。はたして作品といえるかどうか、そのことすらをも突破している。嗚咽《おえつ》であり激闘である。いったいこれは何だ、というものだ。のちにこれに匹敵する作業と感じたのは、書家井上有一のカーボンによるグテツ（愚徹）の連打の作品くらいなものだろうか。それともイサム・ノグチの大石彫《桃太郎》を見たときの驚きが匹敵するだろうか。

たしかに志功がそのあとに作った《東北経鬼門譜》ものすごいが、それは《大和し美し》を見たあとではすでに強烈な棟方世界の震動をうけた余波のなかで見ているので、もはやぼくも棟方函数《かんすう》の読みに入っていた。《大和し美し》はそうではない。かつてどんな芸術家もが思いつけなかった「出現」であり、それを見たぼくにとっての「出湧」だったのである。

しかし、そんなふうな体験をしたわりに、ぼくは棟方志功を特別視しすぎていて、異様な鬼才と思いすぎていた。その生涯にひそむ努力や貪欲がわからなかった。涙や信仰がわからなかった。それが本書や『板散華《はんさんげ》』(講談社文芸文庫)や『わだばゴッホになる』(日本経済新聞社)を読むうちに、やっと劃然《かくぜん》とさせられた。

たとえば、「板画の道で最も肝要なことは、何より板性質の根本を把握すると云うことです」とか、「板画は間接的な働きに依って作られるものだけに、肉筆では出し得ない効果——直接的なもの以上に韻律の世界を把握して独自の復現的効果を展開する」とか、こういうことが最初はわからなかった。

またたとえば、「押した一点、置いた一点、大小を考察し、そのちりばめた白地を持たして意味深長。引いた一線、走る一線、長短を考察し、その配置に白地を持たして意味深長」などと技法の工夫を綴《つづ》る人とは思えなかった。もっと激越に表現衝動が溢《あふ》れている異能者だと思っていた。棟方志功は最も注意深く、謙虚に、壮烈をもって学ぶべき人だったのである。

明治三六年（一九〇三）。青森は善知鳥《うとう》村の鍛冶屋《かじ》の息子。それも一五人もいた兄弟姉妹の三男だ。そのにぎやかな声が鍛冶屋のトンテンカンとともに一家に渦巻いていた。家には作工場《さくば》があって、いつも青不動の図が掛かっていた。烏帽子《えぼし》をつけた鍛冶衣裳の不動明王が赤鬼青鬼二匹に向槌《むかいづち》をとらせて先手《さきて》になっている絵柄で、少年志功はいつもこれに睨《にら》まれていた。

極貧ながらも父親はひどく厳格な職人で、子供のしつけも強かったようだが、母親はそういう父親の悪口を生涯一言も口にしなかったらしい。あるとき、その父から志功が叱られ鉄瓶を投げられたときは、母は身を挺《てい》してそのあいだに分け入って志功を守ったが、大きな傷を負った。「のちのちまで繃帯で鉢巻をしていた母の愛《かな》しさが、母の教えのように今なお心の中に生きています」と志功は書いている。

少年志功は青森特有の凧絵《たこえ》やねぶた絵に心を奪われていた。いわゆる歌舞伎絵だ。最果ての地の凧絵には青森、弘前《ひろさき》、五所川原《ごしょがわら》で三つの濃絵《だみえ》の系統があるのだが、その特色をはやくも適確に捉える子供だった。まわりには、本家の棟方忠太郎、北側の左官屋、カゴ屋のトンコといったねぶたづくりの達人がずらりといた。きっと懸命夢中に描き分けていたのであろう。

ついで油絵に魂を吸い取られた。創刊されたばかりの「白樺」のゴッホ《ひまわり》原色版を青森の画人に「どうだ」と見せられて、わーっと腰を抜かした。以来、志功は油絵のことをゴッホとよぶ。油絵がゴッホで、ゴッホが油絵なのである。志功にはなんであれ、そういう「ひとおもい」の惚《ほ》れこみが強かった。女も美も神仏も。ただし気にいるものは自分の魂に訴えてくるものだけ。

だから日本の油絵なら安井曾太郎・梅原龍三郎は別格として、萬《よろず》鉄五郎であり関根正二であり、村山槐多《かいた》・上野《うえの》山清貢《やまきよつぐ》・野口彌太郎《やたろう》・鍋井克之《なべいかつゆき》だった。その影響を自分の体にたぎらせた。そういうときは他の連中には目もくれない。文句さえつけている。

志功の青雲の志は油彩画家になることで、それが有名な「わだばゴッホになる」という言葉として残るのだが、青森から上京して画技を習ったとたんに、モデルがよく見えないことに気がついた。

ド近眼なのである。けれども眼鏡をかけてモデルに近づく気はない。それなら裸眼で見たかった。そこで思い切って版画制作に転向するのだが、それを決定づけたのが川上澄生《すみお》の《初夏の風》だった。大正十五年に発表された木版画で、独得の流線が初夏の白緑に浮き出されて動きまわっている。「かぜとなりたやはつなつの」云々の文字も絵の中に入っている。そうとうにいい。

志功はこれにやられた。しばらく南蛮趣味・女性賛美・童画感覚と、躍るような流線と刻印文字とをもつ川上作品を熱心に模倣する。昭和六年の志功の作品集『星座の花嫁』を見ると、たしかにそういう川上澄生が唸《うな》っている。それにしても、何が自分の世界にとって決定的なのかを発見する志功の霊感のような判断力は、このときもそうだし、このあともそうなのだが、目を見張る。狂いがない。相手の作品の奥から現れてくるものを見抜いている。

しかし、川上澄生にいつづけたのでは、志功ではない。志功はしばらく同傾向の作品をつくりつづけたのちに、《大和し美し》で突然の変貌をとげる。きっかけのひとつは歌人であって書人でもあった會津八一《あいづやいち》に出会ったことである。歌と書と画が同じであるという天啓をここで得た。八一は漢詩を和歌に詠み替え、和歌を詠むときはすべて平仮名で書いた。八一は書においても独創に富んでいた。

八一に憧れているうち、その直後に佐藤一英《いちえい》の新作長詩に会った。それが『大和し美し』で、ヤマトタケルを描いた物語詩だ。一英とは福士幸次郎《ふくしこうじろう》の楽園詩社で出会った。福士はぼくがいっとき溺れた『原日本考』の著者で、詩人だった。

この二つの天啓との逢着《ほうちゃく》で、そのまま二〇枚の板画を一挙に彫った。そこが志功なのである。絵の数よりも字が埋め尽くされたというべき壁画のような板画。そんなものが突如として国画会に出品されたのだから、物議をかもした。受付拒否騒ぎがおき、やがて熱気のような評判がたった。評判を決定的にしたのは、柳宗悦《やなぎむねよし》がこの作品を民藝館で買い上げたからだった。

これ以降、志功は柳や河井寛次郎や濱田庄司に導かれ、人を人とも思わぬ傍若無人を窘《たしな》められ、その巨大なエゴイズムの自己訂正に向かっていく。

とくに河井は志功に『碧巌録《へきがんろく》』を自主講義して、禅と無の精神を伝えようとした。「廓《かく》然無聖《ねんむしょう》」である。こういうところは河井寛次郎という人物の大きなところで、志功もよくこの教えに従っている。水谷良一も志功を善財童子《ぜんざいどうじ》に見立てて、華厳《けごん》の世界観を教えた。志功はしばらく華厳を彫っていく。襖絵《ふすまえ》《華厳松》もある。このように秀《すぐ》れた先輩たちからの示唆をなんなく受け入れ、これにただちに邁進《まいしん》するところが志功の面目で、これほど周囲の者の影響を直截《ちょくせつ》に受容して、それをたちまち作品に叩きつけてきたアーティストもめずらしい。

水谷は能に「善知鳥《うとう》」があることも教えた。善知鳥は青森市の古名で、さきほども書いたように、志功が生まれ育った地名である。志功は子供のころの善知鳥神社の絵灯籠を思い出し、傑作《勝鬘譜《しょうまんふ》善知鳥版画曼荼羅》をつくる。昭和十三年のこと、よくよく凝縮された仏法記憶の回り投影世界となった。つづいて翌年には志功の名を円空再来に

棟方志功《湧然する女者達々》(1953年)

むすびつけた仏教芸術の名品《二菩《ぼ》薩《さつ》釈迦十大弟子》も発表した。志功は仏教によって変わったのである。

志功にあって柳や河井や水谷にないものもあった。それは「女者」(じょもの・じょしゃ)という感覚だ。志功にはおそらく小さいころからの女性崇拝が満ちていて、つねに菩薩のようでエロスそのものであるような女者に憧れ、これを表現したいという強い衝動があった。フェリーニなどに通じるものがあったのだろう。

この女者感覚は当時の民芸に

はまったくないもので、ひとり志功に独特である。エロスやアガペーという用語すらまったくふさわしくない。だからじょしゃであってじょものなのだ。それがどういうものかを説明するより、昭和三一年（一九五六）のヴェネツィア・ビエンナーレで国際版画大賞をとった《湧然する女者達々》を見るのが一目瞭然だが、これをすぐ縄文的とか、呪文的とかよぶのはどうか。むしろぼくは「頼母《たのも》しい」という言葉で志功の女者を飾りたい。

そのほか志功についていは言いたいことがいくらもあるが、たとえば志功の仏教感覚から日本仏教の独得性を語るといったこともあるのだが、このくらいにしておく。なんといっても、ぼくは志功を見るに不明であった。その後はさすがに凝視してきたものの、まだそれで廓然としたわけではない。

第五二五夜　二〇〇二年四月二四日

参照千夜

二二三夜：井上有一『日々の絶筆』　七八六夜：田中一光構成『素顔のイサム・ノグチ』　七四三夜：會津八一『渾斎随筆』　五夜：河井寛次郎『火の誓い』

私は「どこにもないど真ん中」で、
「花」と「骨」とを相手にしてきたのです。

ローリー・ライル

ジョージア・オキーフ

道下匡子訳　PARCO出版局　一九八四
Laurie Lisle: A Biography of Georgia O'Keeffe 1980

三十代半ばのころ、ある雑誌から二十世紀の画家を五人選んでほしいというアンケートがきた。ちょっと迷ったが、サルバドール・ダリ、ジョージア・オキーフ、フランシス・ベイコン、横山操《みさお》、中村宏をあげた。こんな五人を選ぶ者は地上には一人もいないはずだ。

ちょっと迷ったのはマックス・エルンスト、ジョルジョ・デ・キリコ、パウル・クレー、ポール・デルヴォー、横山大観、菱田春草、村上華岳《かがく》、平福百穂《ひゃくすい》らが二十世紀の初頭でひっかかること、画家がタブローに徹していたかどうかということ、アンリ・ルソー、バルテュス、ファブリツィオ・クレリチ、レオノール・フィニ、田中一村《いっそん》、下保昭《かほあきら》らをどうしようかなと思ったせいだった。

が、アンケートというのは思い切りが肝腎で、こういうときはあまり自分を調査してはいけない。ぼくはめったにアンケートに答えないのだけれど、答えるときは気っ風を重視する。一人勝手をおそれない。このときもえい、やっの勢いで答えた記憶がある。なかなか風変わりな五人になった。


ヴァイキング・プレスのステューディオ・ブックスが刊行した画集『ジョージア・オキーフ』を銀座イエナで見いだしたときの、早鐘の音が突き刺さってくるような驚きといったら、なかった。おそらく一九七六年か、翌年のことだ。ほとんどすべての絵に唸った。得心した。嬉しさがこみあげてくるような気持ちになった。オキーフが二十世紀の画家の五人に急速に浮上していったのは、この瞬間からだ。

花シリーズは知っていた。しかしよく見れば花とはいえ、これは花を超えていた。格別の生態と形態に色の気配のアマルガメーションを加えた「生形態」ともいうべきものであって、それが花自体となって、またなんといっても堂々たる格別の絵画作品なのである。こんな絵はなかった。F／64グループの写真が唯一匹敵するが、あのモノクロームな静謐《せいひつ》とはやっぱりちがう。

ニューヨーク、それも夜のニューヨークの高層ビルを描いた絵はほとんど初めて見るものは、瞠目《どうもく》した。ぼくはひたすら月光派だから、たちまち《月の出ているニューヨーク》（一九二五）、《都会の夜》（一九二六）、《ラディエーター・ビルディング》（一九二七）に魅せられ、その視点、その月の位置、その痩身《そうしん》のカンバスの設定、夜の消去法に唸ったけれど、一方、《太陽の斑点があるシェルトン・ホテル》（一九二六）や《シェルトンから見たイースト河》（一九二八）のような眩《まぶ》しい陽光を乱反射する絵にも虚を突かれた。この絵が描いている光はかつてルネサンスからレンブラントをへて印象派に届いた光とはまったく異なっている。

見始めたころは、何も考えないからこんな絵が描けるのかとも思った。しかし、オキーフが最も初期に描いた《青い線》（一九一六）やその後の《抽象・アレクシス》（一九二八）を見て、光を捨てたカンディンスキーやマレーヴィチとも異なって、この人がどんなに絵心にアブストラクションをおこしても光を失わないでいられる資質をもっていることが了解できた。オキーフはどこでも光の質を描いている。

いったいこんな絵が描けるなんて、オキーフとは何者なんだ？　旦那の写真家アルフレッド・スティーグリッツがいくら卓抜の助言と援護をしたからといって、こんな絵は他のだれにも描けるものじゃない。

その後、チャールズ・エルドリッジの『ジョージア・オキーフ』が河出書房新社から刊行された。すでに洋書で入手していたが、あらためてじっくり見て、読んだ。一九九三年である。エルドリッジはぼくがワシントンのスミソニアンに一週間探検をしていたころのアメリカ美術館の館長で（そのころ紹介を受けた）、この本はカンザス大学の教授になってからまとめたようだ。

印刷が悪いのとあまりにソツがない主題についての楽観的すぎる要約を除けば、いまでもこの本は最も丁寧で丹念なオキーフ入門書であろう。ぼくはこの本では、あらためてオキーフの「山」に対する圧倒的な把握力に感動することになる。これはアメリカがやっと生みえた「山水画」なのである。たとえば《湖から・3》（一九二四）、《ジョージ湖》（一九二六）、《灰色の丘》（一九三六）、《黒い場所》（一九四四）など、世界山水画の歴史に加えたい。

近現代日本では横山大観や横山操や下保昭の山水感覚がなんとか拮抗《きっこう》する力をもっているものの、オキーフの抜けたような広がりは横山たちには見られない。独特のカラー感覚もない。どうしてもというなら、モノクロームの相阿弥《そうあみ》や浦上玉堂たちをもってくるしかないだろう。オキーフの山水感覚はそれほど秀抜だ。ただし軽妙ではないし、移動感もない。ところがそれを圧《お》してあまりある集中的揺動感がある。「ひたむき」がある。

オキーフはスティーグリッツが亡くなってから、七十歳ころにアジア旅行をした折に日本にも来ている。そのとき日本の何を見ることをたのしみに来たのか、御存知だろうか。彼女は日本の「菊」を見にやってきたのだ。

なるほど菊か！　と思った。この感覚がオキーフなのである。オキーフがヨーロッパより極東のほうをずっと好んでいたのはよく知られている。小太りの裸の天使たちを人間よりばかでかく描くヨーロッパが嫌いなのだ。


今夜とりあげたのはローリー・ライルの一冊である。ぼくが知るかぎりの唯一の読むに堪える評伝だ。道下匡子《きょうこ》の訳も意気がいいし、石岡瑛子《えいこ》さんのアシスタントだった成瀬始子《もとこ》の造本もよかった（カバーの袖が逆折り返しになっている）。ジョージア・オキーフの本はこうでなくちゃいけない。

このほか、マイロン・ウッドの写真にクリスチャン・パッテンの文章があしらわれた『オキーフの家』（メディアファクトリー）という本もあるのだが、これもモノクロームの写真がすばらしく、江國香織《えくにかおり》の訳もよかった。見ているだけでオキーフの「佇《たたず》まい」がやってきて、胸にこみあげるものがあった。道下は右にあげた河出書房新社のチャールズ・エルドリッジの本の日本語訳もしていて、そこには道下がオキーフの九七歳の誕生日にニューメキシコのオキーフの家を訪れた瑞々《みずみず》しい訪問記も載せられている。

本書を読んで納得したのは、オキーフには秘密なんて何もないということである。ライルがそのように書いたのかどうかはわからないが（そうだとしたらライルの姿勢は立派だが）、おそらく事実だとしても、オキーフは女性たちの自由な活動を生涯にわたって支援しつづけたことくらいがやや社会思想的なだけで（男の横暴が大嫌いで）、そのほかすべての活動は自分が体験した感動をどのように表現するかということに、一途なエネルギーを費やしたのであろう。

そのためにオキーフがしたことはつねに「住まい」に、いや「住処《すみか》」「棲家《すみか》」あるいは〝SUMICA〟と横文字で綴ったほうがふさわしいだろうが、どのように日々を暮らすかということにエネルギーをかけた。この〝SUMICA〟とそれを包む空間の粒々に懸けた思いこそが、あのすべての絵画を作り出したといえるのだろう。

オキーフは一八八七年ウィスコンシンの農家に生まれて、一九八六年に終《つい》の棲家であるニューメキシコで亡くなっている。スティーグリッツとの甘くて苦い短い日々を除けば、ほぼ一人だ。それゆえ、その一〇〇歳近い日々のことをついつい細かく聞きたくなるが、本人はずっと「どこにもないど真ン中」にいて、そこを〝SUMICA〟にして「花」と「骨」のイメージに夢中になっていただけなのだろうと思う。

そうだとすればオキーフの「花」こそオキーフの〝SUMICA〟なのである。オキーフは「ガルガンチュアの襟元の花」のように花を描きつづけたけれど、それはオキーフが選んだ〝SUMICA〟なのだ。百合、黄水仙、ヒナギク、スイートピーがあった。マリーゴ

ジョージア・オキーフ《ブラック・アイリスIII》（1926年）

ールド、ポインセチア、カーネーションを描いた。ひまわり、カメリア、ライラックも大きくクローズアップした。黒っぽいパンジーは自画像にすら見える。オキーフはいつも黒と白の尼僧のような服を好んだのだが、それに似ていた。

世界中には木や花を描いた絵は腐るほどあるけれど、そのすべての木々の絵を集めても、《秋の木・カエデ》（一九二四）の一枚に及ばない。（これはモンドリアンも及ばない）、たとえどんな花々の絵をずらりと並べても、《紅いカンナ》（一九二四）や《ブラック・アイリスIII》（一九二六）や《ピンクの上の二つのカラー・リリー》（一九二八）には勝てない。較べるのも妙なことであるけれど、ひょっとして勅使河原《てしがはら》蒼風《そうふう》から中川幸夫《ゆきお》、川瀬敏郎に及んだ生け花の花も負けるほどである。

なぜそうなるかということを説明するのは面倒だが、オキーフは眼で花をカンバスに圧《お》しているからだ。そして、なんとか花だけで世界になってほしいと思っているからだ。生け花は、実は花を花だけにはしていない。

もうひとつ、あえて言うなら、オキーフには「才能」の「才」と「能」を分離して統合する能力があったからだと言いたい。「才」は花や山や骨にあり、「能」はオキーフの手と絵の具にある。これは世阿弥以来、われわれ日本人が忘れていたことである。そうなのだ、ジョージア・オキーフはオキーフの花伝書をわれわれにもたらしたのである。

第一〇九六夜　二〇〇六年一月十八日

参照千夜

一二一夜：アマンダ・リア『サルバドール・ダリが愛した二人の女』　一七八一夜：デイヴィッド・シルヴェスター『回想 フランシス・ベイコン』　一二四六夜：エルンスト『百頭女』　八八〇夜：キリコ『エブドメロス』　一〇三五夜：クレー『造形思考』　一四七〇夜：近藤啓太郎『大観伝』　九八四夜：クロード・ロワ『バルテュス』　一六〇七夜：『鐵齋大成』　四七一夜：マレーヴィチ『無対象の世界』　七四七夜：江國香織『落下する夕方』　一一八夜：世阿弥『風姿花伝』

「僕の夢」を箱に入れて、
一番の快感を隠し立てしたかった。

ジョゼフ・コーネル

デボラ・ソロモン

箱の中のユートピア

林寿美・太田泰人・近藤学訳　白水社　二〇一一

Deborah Solomon: Utopia Parkway—The Life and Work of Joseph Cornell 1997

今夜はクリスマス・イブだ。街がうるさい。ぼくは日本人のクリスマス主義ともいうべき祝い方や遊び方が子供の頃からずっと大嫌いだった。だからついついクリスマスめいた話からいつも遠のいてきたのだけれど、一人のオランダ系アメリカ人のアーティストが過越祭《すぎこしのまつり》を背負ったかのようにイブに生まれていて、ぼくの想像したいノーマルスティグマを伴うクリスマス・ストーリーにふさわしい。そのアーティストの話をしてみたい。

父親は小売商人でテキスタイルデザインが得意だったらしい。母親は何かを想像するのが好きだったらしい。そのうち本人は手持ちの素材で手持ちアートをすることになるのだが、それはアメリカにシュルレアリスムと新ロマン主義とアクション・ペインティングが踵《きびす》を接して流れこんできた時期で、それらはやがてことごとくポップアート化していった。

けれども本人はそのいずれにも傾かず、ひたすら静かな作品を端然と制作し、ユートピア・パークウェイの一隅の木造ハウスに住み続けた。その容姿は鳥人めいていた。美術界からは「箱」のアートを先駆したと評価されたのだが、実は女優のローレン・バコールやクリスチャン・サイエンスの創始者や、スーザン・ソンタグや草間彌生に憧れていながら、その夢が叶わなかった男でもあった。

クイーンズのハドソン河沿いにナイアックがある。オランダ植民地様式の家が多い。その一隅にユートピア・パークウェイと呼ばれる一角がある。そこの木造ハウスで、生涯の大半を母親のヘレンと障害をもった弟のロバートと一緒に送ったアーティストがいた。ジョゼフ・コーネルだ。

一九〇三年のクリスマス・イブに生まれ、六九歳でぽっつり死んだ。ぼくが「遊」を創刊してまもなくだ。稀代《きたい》の引きこもりアーティストだった。

稀代のアーティストと言ったけれど、本人には奇抜なところや異様なところはまったくない。だからといって平凡だなどとはとうてい言えないけれど、徹底して「地味」だった。いつも母親と口ゲンカをし、庭のカケスにピーナッツを配り、近くのコーヒーショップに入りびたり、綺麗なウェイトレスに夢中になった。ローレン・バコールとロマンティックバレエの踊り子と行く先々のカフェのウェイトレスに憧れたが、ほとんどの女性と交わることがなく、夜は不眠症のままほぼ童貞のような日々をおくった。極端に口数が少なかったらしいが、これはアーティストにはありがちなことだ。

作品も斬新とか図抜けているとか時代精神を抉《えぐ》ったというものではない。壁に掛けておきたくなるような箱状アートばかり作った。箱の中には切り抜きの鳥、星座、コルクの栓、ガラスの小瓶、小さく仕切られた棚、文字の切れっ端、ビーズ、大小の球などがアッサンブラージュされて、ひたすら佇《たたず》んでいるだけである。それなのにそのユートピア・パークウェイには、箱とコーネルの暮らしぶりを見たくて、マルセル・デュシャンやマックス・エルンストやペギー・グッゲンハイムらが引っ切りなしに訪れた。

一九六七年の「ライフ」十二月十五日号は一二ページにわたってコーネルを扱った。記者はこの「ユートピア・パークウェイの謎めいた独身者」がどうやってベッドから抜け出たのか理解に苦しむほどおとなしいことに驚いた。

ぼくがコーネルの作品群に出会ったのはMoMAでのことで、ダブルデイがぼくの本を出したいというのでニューヨークに招かれたときだ。副社長と編集長がぼくの半年前の講演「イメージとマネージ」をワシントンの議会図書館フォーラムで聞いて、こいつをスターにしようと思ったらしい。

東洋人がアメリカンな思想をずたずた切っているのがおもしろかったようだ。サンプルテキストを一章ぶん書いてほしいというので送ったところ、さらに気にいられた。それでいよいよ本格的な打ち合わせをしようということで佐藤恵子と出向いたのだが、お断りをした。アメリカ人のくどいカルチュラル・マーケティングのお仕着せが気にいらなかったからだ。気分なおしに恵子と自然史博物館やMoMAを回った。

MoMAの「ジョゼフ・コーネル」展のカタログは一九八〇年開催時のもので、手にとる前から懐かしかった。大事にそのカタログを買って、近くのカフェで静謐きわまりない作品群を沛然《はいぜん》として眺めた。「ああ、こういうやりかたはみんなコーネルが試みたことなのだ」と得心した。ハーティガンの評伝が載っていた。やがて日本でも西武美術館や鎌倉の近代美術館や川村記念美術館などでコーネル展が少しずつ開かれ、ぼくのまわりはコーネル・フリークでいっぱいになった。勝本みつるちゃんをはじめ、多くの作家が箱づくりを見せた。

しかしながら一言口を挟むけれど、コーネルの箱は（それが箱だとしたら）、追想しないほうがいいのではないかと思う。それにあれは「箱」ではなく「枠」なのである。

いったいわれわれは、子供の頃に箱をほしがっただろうか。だいたいの男の子は箱というものにフェティッシュになる気質をもっているけれど、そのフェチ箱は昔の長櫃《ながびつ》や古い写真機や大工道具箱のようなものだ。箱をつくるという癖はあまりない。

箱は「すでにそこに何かが入っていたもの」なのだ。このことを、かつて物質の想像力に圧倒的な分析を加えた哲人ガストン・バシュラールが「箱の稠密性《ちゅうみつせい》」と言っていた。だからぼくはコーネルが「箱をつくった」とはどうしても思えない。コーネルの作品はフェチ箱ではないし、コーネル自身にもフェティシズムを感じない。選んだオブジェはフェティッシュというより、ノスタルジックなのだ。

コーネルがしたことは「何かを箱の枠で囲んだ」というべき行為なのである。地面に棒で四角を描きそこに秘密の基地を感じるような、部屋の一角を段ボールなどで囲ってそこに大事なものをこっそり入れるような、そういう「囲われた箱」をコーネルは作りたかったのではないか。結界といえば結界だが、うんと小さな結界だ。それゆえそこには「枠」が必要だったのだ。

少年期のコーネルはボードビルやサーカスに目を奪われている。マディソンスクウェア・カーデンのバッファロー・ビル、タイムズスクウェアのアクロバット街頭劇、六番街のヒッポドロームでの奇想天外、コニーアイランドのルナパークの夜の陶酔、そしてハリー・フーディーニの目の眩《くら》むマジックショーだ。とくにフーディーニだった。少年はこれらをミニチュアのように手元に置きたくなる。それには箱のような劇場もほしくなる。箱はそういう「動向のための劇場」でもあった。

しかしここまでなら、少年レイ・ブラッドベリや少年ポール・オースターもそうだったように、アメリカンボーイならたいてい夢中になってきたものだ。コーネルはそうではなくて、それをうんと小さく「隠し立て」するほうに夢中になったのである。その「隠し立て」がどのように芽生えたのか、そこにこそぼくはずっと関心をもってきたのだが、数あるコーネル論はロマンチック・コーネル論や美術論コーネルに走りすぎていて参考にならない。やっと本書を読んで、コーネルの気分の細部が見えてきた。

本書はコーネルが暮らしてきたアドレスそのものをあらわす『ユートピア・パークウェイ』という原題で、サブタイトルもロマンチックな「箱の中のユートピア」などではなく、淡々たる「ジョゼフ・コーネルの日々と仕事」だ。

その本書のなかで、少年コーネルを包んだであろう次のことが気になった。母親がベッドに寝ているコーネル少年に、自動販売機で買った小さな「占いカード」「はかりカード」「マッチ箱」「安物の銀の飾りもの」を持ってきてくれるのだ。これがコーネルをときめかせた。コーネルはそこに「本物ではない別物」のときめきを感じ、「生命のないオブジェ」に夢のような可能性を感じた。

この母親がコウノトリのように運んだ世界の「小ささ」こそは、コーネルの隠し立ての制作作法のヒントになったはずだ。もうひとつ、コーネルの劇場に加わったことがあった。六歳になったとき、弟のロバートが生まれたのだが、ロバートは先天性の脳性麻《ま》痺《ひ》を負っていた。少年コーネルは人間の宿命のなにがしかがその当初から決まっていることを実感させられた。これはとても大きな隠し立てだった。コーネルが最後までロバートの世話をしていたことはよく知られたことだ。

全米で一番古い寄宿学校のアンドーヴァーに入ったのも、コーネルにとってはアンティークなことだったろう。とくにトマス・ド・クインシーを読んだのが日常行為を伏せがちにさせた。『ジャンヌ・ダルク』『イギリスの郵便馬車』『アヘン常用者の告白』はコーネルの隠し立てのための読書だったように想われる。ぼくにも長らくそういう時期があったけれど、誰にもその本を読んだことを言いたくない本というものが、あるものだ。ただコーネルはそもそもが臆病で照れ屋で、かなりの意気地なしだった。ド・クインシーを読んでブランキに共鳴したはねっかえりのボードレールのようには「悪の華」には向かえない。そのかわり、なんとクリスチャン・サイエンスに嵌《は》まったのだ。メアリー・ベイカー・エディによって創始されたこの霊的キリスト教団体については、ぼくはほとんど知るところがないのだが、コーネルがこの集団信仰者の群れに殉じたのは、よほど寂しかったからだろう。とくにアメリカではめずらしい女性によって創始された宗教とつながることは、あとでのべるコーネルの女性感覚をさまざまに深めさせたのではないかと想う。

一九三一年の秋、ジュリアン・レヴィ画廊がオープンした。スティーグリッツの291画廊に魂を奪われたレヴィがハーバードを中退して、二五歳で乾坤一擲した画廊だ。シュルレアリスムをアメリカに導入した画廊になった。

そのころ二七歳のコーネルはアメリカの書店に初めて並んだマックス・エルンストの『百頭女』に仰天し、あっというまに魂を奪われていた。『百頭女』を脇にかかえてユートピア・パークウェイに帰ったコーネルは食卓に坐ると、さっそく古本の山を次々に切り抜いて画用紙にあてがい、モノクロなコラージュに耽《ふけ》った。コーネルの最初のアートワークはこのエルンスト紛《まが》いのコラージュ制作だ。

こうしてレヴィとコーネルが出会ったのである。レヴィはたちまちコーネルの人物としての不思議議度とコラージュの質の低さとを見抜き、シャドーボックスの中をコラージュしてはどうかと奨めた。画期的なサジェスチョンだった。

初めてギャラリストからのヒントを貰《もら》ったコーネルは、さしあたってはピルボックスを相手にコラージュにとりくんだ。薬が詰め合わされている箱から薬を取り出し、代わりに貝殻、赤い磨《す》りガラス、切り抜いた各種の絵、模造ダイヤモンド、ビーズ、黒い糸などを入れこんだ。出来はよくない。ただただ乙女チックなものだ。そこへレヴィ画廊による「シュルレアリスム」展の準備が始まると、コーネルの作為は一気に隠し立てに向かえたのである。

この展覧会はアメリカ美術史を画期したもので、初めてマン・レイ、エルンスト、ピカソ、デュシャン、コクトー、ダリらが顔を揃えた。

レヴィ画廊ではあえて他の花形作家たちの影になった。同じ一九三二年十一月に個展をひらき、そこそこ好意的評価を得たが、コーネルは「大人のための玩具」をつくっているという誤解が広まった。コーネルはちょっと本気になった。

ここから先のコーネルが今日のコーネルの母型になっていく。とくにレヴィが創立したニューヨーク・フィルム・ソサエティに出入りするフィルムたちにピンときた。コーネルのコラージュには「動的な関与」が未然に了《おお》っている必要があったのだが、そのことを、切り出された一枚一枚のフィルム群が暗示してくれたのだ。とくにレジェの《バレエ・メカニック》とデュシャンの《アネミック・シネマ》に刺戟《しげき》を受けた。

コーネルも《フォト氏》や《ローズ・ホバート》という映像作品を編集した。なんとも切ない映像だ。しかし、ひそかに惹かれていたダリが酷評した。ダリは美術も映像も加工可能であることを発見したと自負していたのだが、コーネルがその手法を盗んだと酷評したのだ。コーネルは忽然《こつぜん》と理解した。それは「自分はシュルレアリストでない」ということだ。

一九三六年夏、最初の箱作品ともいうべき《シャボン玉セット》ができた。はたして「動的な関与」が未然に了っているように仕上がったかどうか疑問だが、コーネル自身はこれで勢いを得て、自分のつくる世界が言葉や文芸ではどういうものになるのかを感知するため、ネルヴァルやマラルメに没頭し、自分がめざすべきものは「仄《ほの》めくもの」であって「暗示的なもの」でなければならないことを確信した。

これなら、コーネルはアーティストとしてあきらかに高踏的な作品づくりに存分に溺《おぼ》れることができた。ところがそこがコーネルの最もコーネルらしいところなのだが、彼はそれとは別の趣向にも踏み込んだのだ。それは憧れの女性たちを表象するということだった。

コーネルの中のアニマとアニムスの相克は、手にとるように見えるようでいて、なかなか取り出しにくい。一説ではコーネルは生涯にわたって童貞だったということになっていて、それがゲイ感覚や女性嫌いからきたものではなく、まったく逆の、女性偏重のハイパーフェミニズムからきているとももくされてきた。またインポテンツだったと断

ジョゼフ・コーネルによるローレン・バコールをモチーフにした箱（1945〜46年）

言する評伝もある（なぜ断言できるか、わからない）。欲望が高まれば高まるほど、自身の勃起から見放されてしまうというのだ。

真偽のほどなどわからないが、ちょっとしたペニスナイド（ペニス願望）の持ち主で、もともとの静かな意気地なしがエロティックなマトリズム（母性主義）に貫かれていったのではなかったかとも想いたくなる。それでローレン・バコールやロマンティックバレエのスターたちへの想いはそのシンボル化の手法と仕上がり具合をアートにまで高めてしまったのだろうか。いまではこの「つくり」はマリリン・モンローをシルクスクリーンにしたアンディ・ウォーホルに先駆したものだと評価されている。

本書でデボラ・ソロモンはこんなふうに推理した。「コーネルには女性に自己を同一化するところがあった、まもなく彼は自分自身が女性の芸術家や俳優の分身であるとしばしば空想するようになり、女性の衣裳について想像して興奮したりした。彼の欲望の対象はいったい、崇拝する女性なのか、自分がなりたい自分なのか、はっきりしないこともあった。女性との強い同一化は同性愛者によくあることだが、それがゲイであることとは同義ではない。私の考えでは、コーネルは同性愛者ではなく、女性に強く同一化してしまっていたのではないかということだ」。

ジョゼフ・コーネル《無題（オウムと蝶の住まい）》（1948年頃）
©The Joseph and Robert Cornell Memorial Foundation / VAGA at ARS, NY /JASPAR, Tokyo 2021 G2648

　あまりに憧れていて、息ができないほどの畏敬を抱いていたのだろう。それは自分の勃起しにくいペニスから流出するものだったにちがいない。六十代になってようやく女性と交わったようだが（それが若い草間彌生だったという説もあるが）、そんな関係がいつまで続いたのか、いまや万人が想像すら敵わないものになった。たいへん結構なことだ。

スーザン・ソンタグの美しさには心臓がとまるほどに憧れたらしい。ニューヨークでこれほど「知」と「美」が合体できた女性はほかにいなかった（ぼくもぞっこんだった）。スーザンのほうもこのひょろ長い紳士アーティストとおしゃべりするのは快かったので何度も付き合ったようだが、作品についてはあまり評価していなかった。「セイゴオ、どう思う？　あの人は存在がアートなのよ、それがダリには気に食わなかったのね」、そうスーザンは言っていた。


レヴィ画廊から離れたコーネルが、ヒューゴー画廊、イーガン画廊、ステイブル画廊でかなりもてはやされていったことは、このアーティストが地味な対応をすればするほど美術界が騒いでくれたということである。

こうした美術社会との自家撞着《どうちゃく》は、コーネルに「鳥小屋」シリーズをもたらし、作品に「空漠」をつくりあげさせた。これらは今日のコーネル評価につながるものだが、ぼくに言わしめれば、これは「隠し立て」がいよいよ『作庭記』に近づいてきたということだ。

コーネルが人生というものを送ったのかどうかも、はっきりしない。生涯のほとんどを母親と弟と一緒に、クイーンズのユートピア・パークウェイの木造小屋で暮らしただけだ。ずっと夜は不眠症だったたし、昼間は母親のグチと諍《いさか》いをしていたし、たまにグランドセントラルに行っても駅の待合室のベンチで人と鳩を眺めるだけなのだ。けれども何かがひらめいたり、誰かと会ったりすると、部屋に帰ってその世界を箱で囲むことに夢中になれたのである。そうすれば、その箱は必ずやコーネル好みの変容を見せてくれた。クリスマス・イブに生まれたアーティストとして、こんなふさわしい人物はいない。

第一六二六夜　二〇一六年十二月二四日

参照千夜

六九五夜：スーザン・ソンタグ『半解釈』　五七夜：マルセル・デュシャン&ピエール・カバンヌ『デュシャンは語る』　一二四六夜：エルンスト『百頭女』　一一〇夜：ブラッドベリ『華氏四五一度』　二四三夜：オースター『ムーン・パレス』　七七三夜：ボードレール『悪の華』　七四夜：ニール・ボールドウィン『マン・レイ』　一六五〇夜：マリ＝ロール・ベルナダック&ポール・デュ・ブーシェ『ピカソ』　九一二夜：ジャン・コクトー『白書』　一二二夜：アマンダ・リア『サルバドール・ダリが愛した二人の女』　一二二二夜：ネルヴァル『オーレリア』　九六六夜：マラルメ『骰子一擲』　一一二二夜：ウォーホル『ぼくの哲学』

これはオマージュ集である。
みんな、イサムさんにお礼を言いたいのだ。

素顔のイサム・ノグチ

田中一光構成

四国新聞社　二〇〇二

かつて「四国新聞」に連載された五〇人のエッセイに四人が加わって、この一冊になった。エディトリアルデザインとブックデザインにかかわった田中一光《いっこう》さんは編集構成にも目を配り、そして亡くなった。本書が一光さんの遺作なのである。

日米五四人がイサム・ノグチ（一九〇四〜八八）にオマージュと思い出と感想を捧げた。一光さんを失ったままに、五四人の証言による一冊を黙って見ていると、このページネーションのすべてがイサム・ノグチに「うん、そこにもちょっと切れ目を入れようか」と言われながら、みんなで作った紙の彫刻のようにも感じられてきた。実はぼくもその五四人の一人に加わっていた。

五四人を選んだのは「四国新聞」である。毎週、連載された。もし連載が長期にわたれば、一〇〇人でも一〇〇〇人でも言葉を寄せただろう。でも、五四人であっても、その切り口はみんながみんなちょっとずつ違っていた。そして、そのようにこの一冊が仕上がっていることが、まさしくイサム・ノグチの法外な多様性を象徴した。

当然のことかもしれないが、建築家の言葉が多い。丹下健三《たんげ》は「イサムさんは、古代の弥生的な世界から禅や侘びの境地までを自分のものにしていました」と書いた。丹下はイサム・ノグチが「自然の理法」と「彫刻家としての意志」を格闘させていたことを見ていた証人の一人であった。弥生であって縄文を捨てているところが、丹下が見たイサム・ノグチなのである。

ヒュー・ハーディはオペラハウスの設計をしようとしているときに四国を訪れて、「それなら本当の歌舞伎劇場を見にいくべきだ」と言われ、ノグチ自身が半日をかけて、讃岐《さぬき》の金丸座《かなまるざ》を案内した思い出を書いている。ハーディはそういうイサム・ノグチに「不可分」という言葉を贈っている。

バックミンスター・フラーとイサム・ノグチの両方のパートナーをしたショージ・サダオは、幸運にもパリのユネスコ庭園のために日本の庭を追跡していたノグチに出会っている。重森三玲《みれい》が『作庭記』片手にさまざまなアドバイスをしていたという。ショージはその後もノグチの仕事にかかわるが、そこにあったのは「実物と効果のあいだの矛盾の研究」だったと言っている。そうなのだろう、と思う。イサム・ノグチは「矛盾」に立ち向かったのだ。

そのパリのユネスコ庭園で作庭の実際の指揮にあたった佐野藤右衛門《とうえもん》は、これはぼくも本人から聞いたことがある言葉なのだが、「ひともんちゃくばっかりですわ」と言った。それは「悶着を恐れない人」という意味である。

なぜ、矛盾や悶着に向かうのだろうか。最高裁判所にイサム・ノグチと共存する空間をつくりだしたかった岡田新一は、イサムさんは「守らなければならない根幹をおさえている」と言っている。そして、その根幹は「身をもって芸術を生活した人」としての根幹だったのではなかったかと指摘した。

墓碑を作った磯崎新はしばしば海外でイサム・ノグチと会っていたし、何度もいろいろの話を交わしてきたようだが、あるとき庵治《あじ》で聞いた「自然石と向き合っていると、石が話をはじめるのですよ。その声が聞こえたら、ちょっとだけ手助けしてあげるんです」という一言が、思い返せばイサム・ノグチのすべてだったと述懐した。これはまさに『作庭記』の「石の乞《こ》わんに従え」である。

マルセル・デュシャンもイサム・ノグチも、いっときコンスタンティン・ブランクーシの秘書だった。それを思ってあえてノグチの秘書となったのがボニー・リッチラックである。すでにイサムは七六歳になっていた。そのボニーは、イサム・ノグチが若い女性が芸術家然とすることにかなり懐疑的だったという証言をする。女性たちが本気で犠牲を払っていないというのだ。職人を通過していないのが気にいらないらしい。

それにつながるようなことを安藤忠雄も言われたらしい。いや、安藤が言われたのは女性のことではない。建築家に対する苦言だった。「建築家は幸せになるから、ダメなんだ」。安藤は、そこから「つねにつきまとう人生の不安こそが作品に緊張を与えるのだ」という声を聞く。

ちなみにノグチがブランクーシに学んだもの、それは反モダニズムだったのではないかと、中原佑介は本書に寄せている。

日本人の父とアメリカ人の母のもと、引き裂かれるように日本に育ち、日本を命ごと石ごとつなごうとしたイサム・ノグチには、当然ながらたくさんのエピソードが残された。北大路魯山人の庇護《ひご》、山口淑子《よしこ》との結婚、長谷川四郎や重森三玲からの影響、より詳細に知りたいことはヤマほど残っている。本書はそのごくごく一部が紹介されたにすぎないが、それでもいちいち考えさせるものが息づいている。

写真家でイサム・ノグチの弟にあたる野口ミチオは、兄貴が「一番扱いにくい素材は空気なんだ」といつもこぼしていたという話を紹介し、ずうっとイサム・ノグチの石のパートナーを担い庵治のアトリエを守りつづけてきた和泉正敏は、「ぼくは周りが荒れたところにきれいなものを作るのが好きなんだ」という言葉を紹介した。意外で唐突なエピソードもいくつもある。

ボストン在住でハーバード大学で教鞭《きょうべん》もとっていたアーティストの片山利弘は、一九七九年のアスペン・デザイン会議で長すぎたルドフスキーの講演のあとに演壇に立ったノグチが、「さあ、みなさん、窓をあけましょう」と言っただけで講演を終えたという有名な話のあとに、イサム・ノグチには偉大な自信と自由への挑戦を果たさなければならない責任感のようなものがあったと書いた。片山はまた、そこにはつねに「侘び寂びと科学性の世界が両立する」とも書いた。片山さんにはボストンへ行くとぼくもお世話になるのだが、イサム・ノグチから「侘《わ》び」と「寂《さ》び」と「科学」をもらっていたとは知らなかった。

一九五〇年、イサム・ノグチは慶應大学の谷口吉郎《よしろう》設計の校舎に父の野口米次郎《よねじろう》を記念する部屋（新萬来舎）と庭園を依頼される。広井力《つとむ》をアシスタントにして《無》を制作したのだが、部屋の中で制作したその作品は入口からも窓からも運び出せず、窓枠を壊して搬出したという。窓枠より作品なのだ。窓枠は作品ではないらしい。

もっと唐突なことを美術商の笠原隆之助《りゅうのすけ》は体験したようだ。会ってまもなく「画商などは大嫌いだ」と言われた。
デュシャンは「創造的誤植」という言葉をつくったが、イサム・ノグチも誤解も失敗も汚点も恐れなかった。そんなことは世の中がわからんちんのままに判定しているだけのことで、いつか見方を変えれば別の価値に変わるものばかりだったからである。勅使河原宏《てしがわらひろし》がそこにつながるエピソードを書いている。庵治の仕事場を訪れたときのことである。土をかぶった石の前でイサム・ノグチはこんなふうに呟《つぶや》いていたというのだ、「自然が許してくれる過ちよ！」。

イサム・ノグチを一言で説明するのも、十個の作品で説明するのも、一〇〇時間のフォーラ

アトリエのイサム・ノグチと彫刻作品（1966年）
photo by Jack Mitchell/Archive Photos/Getty Images

ムで説明するのも不可能である。イサム・ノグチが「常識をくつがえすために空想に遊んだのは、新しい世界観をつくるためだった」（酒井忠康）けれど、その新しい世界観は、ほれ、これがそれですというようなものではなかった。仮にそういうものができたとしても、イサムは翌日にはまた新しい世界観の発見に向かっていったのだ。

よく知られているように、イサム・ノグチの原点には「プレイ・マウンテン」（遊び山）がある。それはうんと小さくすれば滑り台《スライド・マントラ》になるし、うんと大きくすれば札幌のモエレ沼公園になる。「遊び」こそはイサム・ノグチの世界観の源泉なのである。しかしそうだとしても、イサム・ノグチはそこで遊び続けられる人ではなかった。上下二巻におよぶ分厚い『イサム・ノグチ』（講談社）を書き切ったばかりのドウス昌代は、そういうイサム・ノグチに「宿命の越境者」という言葉を捧げた。むろんこの言葉には、日本人とアメリカ人の両方の血をもった宿命的存在者としてのイサム・ノグチの来し方行く末が含まれている。

三宅《みやけ》一生《いっせい》はその宿命的な去来の感覚をたった一言で、「橋」とよぶ。広島に生まれ育った三宅は、焼け野原がまだいっぱい残っている街に出現したイサム・ノグチの「橋」に、言い知れぬ衝撃をおぼえたのだ。それは《生きる・死ぬ》と名付けられていた（のちに《つくる・ゆく》に改変された）。三宅はパリで修業しているあいだずっと、この「橋」を魂に刻み込みつづけたという。

東西を越え、生死をも跨《また》ぐ「遊び」こそがイサム・ノグチの存在を告知する「橋」だとしたら、われわれはこれからも次々にまだだれも見たことがない「橋」を、みんなで創り続けなければならないということなのだろう。

本書の構成デザインを終えて亡くなった一光さんは、本書には二つのイサム・ノグチに関する印象をしるした。ひとつは、一九五六年の大手町サンケイホールでおこなわれたマーサ・グラハム舞踊団の公演舞台をつくったイサム・ノグチだ。そこには装置でもなく衣装でもなく彫刻でもない「前衛」が出現していたという。

もうひとつは、一光さんが奈良から出てきて東横ホールの緞帳《どんちょう》に出会った衝撃のことである。これはイサム・ノグチが川島織物の協力を得てデザインしたもので、和紙を切り貼りしてモデルをつくり、それを川島織物が織り綴った。一光さんはこの緞帳に魅せられて、それが見たさに何度も東横ホールに通ったほどだった。そこにはプロセニアム・アーチいっぱいに錆朱《さびしゅ》と紺と黄土色の矩形《くけい》があしらわれているのだが、その余白がまことに絶妙で「最上質の日本」を感じたという。本書では川島順吉がそのときのことについて感想をのべていて、これがなんともおもしろい。イサムさんはあの緞帳で「能の老松の鏡板に代わるものを狙っていたのだ」というのである。

広島の橋が橋掛《はしがかり》で、渋谷の緞帳は松羽目《まつばめ》なのか。もし、そうだとしたら、なるほどこのようにしてイサム・ノグチは、世界中に何百キロも離れた能舞台をいくつも作っていたということになる。

〔追記〕二〇二一年夏、コロナ・パンデミックで一年半近く遅れた「イサム・ノグチ 発見の道」展が上野の東京都美術館で開かれた。小ぶりの展示ではあるが、何を工夫し、何に至ろうとしたのか、その制作の秘密が伝わってきた。図録に磯崎新、安藤忠雄、デーキン・ハート、中原淳行、そしてぼくが寄稿した。ぼくはイサムさんに「内発するもの」をめぐった。

第七八六夜　二〇〇三年六月二日

参照千夜

三五四夜：バックミンスター・フラー『宇宙船「地球号」操縦マニュアル』　八六一夜：重森三玲『枯山水』　八九八夜：磯崎新『建築における「日本的なもの」』　四七夜：『魯山人書論』　五七夜：マルセル・デュシャン&ピエール・カバンヌ『デュシャンは語る』　四八六夜：ルドフスキー『建築家なしの建築』

この画家の主題と技法は諮《はか》りしれない。
何を見切っていたのか、そこをこそ啜《すす》りたい。

バルテュス

クロード・ロワ

與謝野文子訳　河出書房新社　一九九七
Claude Roy: Balthus 1996

ピカソは「バルテュスが二十世紀最後の巨匠だ」と言った。今夜は、そのバルテュスがアウグスティヌスの使徒であり、リルケとジャコメッティとマルローに救われていたこと、そこにはポーランドとイタリアと日本がたえず銀色に光っていたこと、そしてフェリーニの映像のようにバルテュスを見ることがきっと気持ちのいいだろうことなどを、伝えておきたい。ついでにバルテュスを借りて、自称アーティストたちや他称知識人たちは、絵を見る力が極端に落魄《らくはく》しつつあることを告げてもおきたい。

その前に、最初にお断りしておかなければならないことがある。第九六八夜に、「千夜千冊」で兄弟姉妹を扱ったのは大佛《おさらぎ》次郎・野尻抱影《のじりほうえい》の兄弟一組だけだと書いたのだが、今夜で二組目になった。バルテュスの兄がピエール・クロソウスキーであるからだ（後記……のちにマイケル・ポランニーを書いたのでカール・ポランニーとの新たな一組が加わった）。

そのことについて、さっそく本題のひとつに入ることにするが、クロソウスキーとバルテュスが兄弟であることは、多くの知識人たちのバルテュスを見る目を狂わせた。バルテュスが危険な少女を描きつづけたことをクロソウスキーとの関係で解読しすぎたのだ。加うるにクロソウスキーがドミニコ会修道士であったこと、かの『ロベルトは今夜』（河出文庫）があまりにエロティックであったこと、にもかかわらずその後、イスラムに改宗したことなどを、計算に入れすぎた。こういうのを過剰反応という。

たしかにバルテュスは、内なるクロソウスキー一族にうごめく言い尽くせぬ血の縁を感じていたようだ。けれども、そこに炎上する青い火はクロソウスキーが表現した文学とバルテュスの絵の比較をいくらしたところで、何も見えてはこない。このことも最初に断っておく。


バルテュスは幾多の誤解に包まれて、有名になりすぎた画家だった。最初に誤解をしたのは案の定のことアンドレ・ブルトンを筆頭とするシュルレアリストたちであったけれど（バルテュスはシュルレアリスムをまったく認めていなかった）、その後も数々の批評家や美術家やファンたちが、バルテュスを祭り上げるときでさえ、バルテュスを誤解した。

だいたいバルテュスは西洋近代芸術のいっさいを拒否しているはずなのに（おそらくバルテュスの本質は中世教会の中でおこっていた出来事にある）、多くの者たちがバルテュスを近代芸術の革命や病理や心理と結びつけすぎたのだ。たとえば、その絵の裏側にはニーチェやバタイユがいるとか、ピカソとちょうど反対側にいる天才だとか、ルイス・キャロルのアリスをモディリアニとシャガールに並ぶ現代芸術にした貢献者だとか。

実際にはそんなものではなかったはずだ。バルテュスはニーチェに一度も関心をもたなかったし、破壊を肯定するバタイユとはあえて論争してその考え方を退《しりぞ》けた。ピカソの作品も一九二〇年代の古典主義期しか認めず（とくに薔薇の時代は嫌いだった）、モディリアニは退屈すぎて見るに堪えないと思っていた。

おまけにバルテュスが描く少女は茶目っ気や悪戯《いたずら》の好きなアリスなどではなく、真剣そのものの淫らな天使であって、あまりに少女たちは真剣なのでその姿のすべてをバルテュスに晒《さら》したのである。

バルテュスに「病んだ精神身体」を想定しすぎたことも、おせっかいなことだった。なるほど、バルテュスの劇的な瞬間を凍結したような絵からは、やすやすと「不健全」や「不安定」や「不吉」をいくらでも引っぱり出すことができそうであるが、しかしそれはバルテュスが怪訝《けげん》な宗教画家の本質をどこかにもっているからで、その絵には信仰へ旅立とうとしている者たちの初期の不穏な心情が描かれているからだ。

それにバルテュスは自分の生身の身体についても、病理を好むようなところはまったくなかった。少年バルテュスはアルベール・カミュ同様のサッカー少年であって（それもチーム一の人気者で）、自分の体の切れを細部にわたって誇った青年であり、その姿態によって女たちの気を惹く努力を惜しまなかったベッカムさながらの人物だ。ということは、バルテュスについての誤解はことごとく、バルテュスを見る者の異端権威主義と男性俗物主義にもとづいていたということなのである。これは男たちが心せねばならないことだった。

そこで最近とみに思うことは、バルテュスの本質を見抜いているのは、むしろ格別だけが好きな女性たちだろうということだ。

ぼくの周辺にはのっけからバルテュスのコートをさっと羽織ってしまったという女性が何人もいる。それがまた、よく似合っている。

松岡事務所の仁科玲子はPCのスクリーンセーバーにしばらく《夢見るテレーズ》を入れっぱなしだったし、京都「伊万里」の山田峰子はバルテュスなしでは大人少女でいられない。だからバルテュスが気にいるような下着をつけている。帝塚山学院大学の松岡ゼミの横山加奈子もバルテュスと鈴木いづみをつなげている。三人ともバルテュスについ

展覧会場の《夢見るテレーズ》（1938年）
Photo by Quim Llenas/Getty Images

ての理屈など一言もいわないが（他の芸術家との比較もしようとしない）、それなのにいつもバルテュスの絵の中からひょいと出てくる。

なにしろバルテュスは一九〇八年の魚座の生まれで、上昇宮が山羊座なのである（これはバルテュスが大事にしていた暗合だ）。こういうことは女性たちのほうがピンとくる。けれどもその一方で、こういう女性たちの半分以上が、たとえばエゴン・シーレも好きだということも告げておかなくてはならない。このへんはいささか怪しい。こういう拙速は女性にありがちなことなのだが、これはよくない。何かを勘違いしている。シーレとバルテュスはまったく異なっている。そんなことはシーレが好きだったたくさんの自画像とバルテュスの少なめの自画像を見れば、すぐわかる（ぼくは七〇二夜ではシーレのために「ウィーン的即身成仏」とか「皮膚自我」という言葉を使っておいた)。

バルテュスは外装的な自分と絵にあらわれる内装的な自己とをきっぱり分けている。内なる自己だけがバルテュスの絵だったのである。このことは、女性たちがいささか心したほうがいいことではあるまいか。

本書は数あるバルテュスについての本のなかでは、けっこうバルテュス的だった。猫的だという意味でそう言ったのだが、なぜそのようになりえたかというと、クロード・ロワが猫的であって、猫はバルテュス的であるからだ。

そのようにバルテュスを記述することはそれまで何人《なんぴと》もできなかった。ざっと右にのべておいたように、さまざまな芸術的な異端者と対比しようとしたことが、バルテュスに対する目を曇らせたのである。本書のほかには、コスタンツォ・コスタンティーニの『バルテュスとの対話』(白水社)が、バルテュスの弁明を証《あか》していて読ませるけれど(この本はよく準備されたインタビュー集になっている)、これは二人がともにポーランドを祖先の原郷としていたからだった。

ついでに言っておくと、ポーランド性はバルテュスの「彼方にひそむ幻想」を長らくつくっていた。パリに生まれ、典型的な西ヨーロッパ人としての人生を送ったにもかかわらず(本名はバルタザール・ミシェル・クロソウスキー・ド・ローラ。バルテュスは通称かつ画号)、バルテュスはつねに出自のポーランドを想い、その奥にひそむゲルマンやケルトの遺伝的記憶を偲《しの》んでいた。そういった自分の出自についての調査さえ専門家に依頼した。

本人はクロソウスキー・ド・ローラ伯爵の血をもっていることを誇ったわけではない。ヴィリエ・ド・リラダンはその伯爵の血にこそ執着を示したけれど、バルテュスはそのずっと奥にあるものだけを覗こうとした。あの最後まで覗き見をしたかった独特の目で――。

もっとも、アメリカを除く外国に行くことをあれほど躊《ため》わなかったバルテュスが（杉浦康平同様に、バルテュスは最後までアメリカを認めようとしなかった。ついでに言うと鈴木清順もアメリカに決して行こうとしない）、ポーランドにはついに一度も行かなかったことについては、ぼくはその「彼方にひそむ幻想」が深い「負の色合い」を帯びていたからだろうことを感ずる。

ともかくも、猫的であることとポーランド的であること、このことが自分を打ち明けるのが億劫《おっくう》だったはずのバルテュスに、やっと光をあてたのだ。

しかし、これだけではバルテュスは語れない。そこにイタリア的なるものと日本的なるものが加わる必要がある。

バルテュスが学んだ絵画作品は数多いが（バルテュスは中世以降の絵画の模写をずっとしつづけていた）、なかでもピエロ・デッラ・フランチェスカとニコラ・プッサンとギュスターヴ・クールベから受けた影響は絶対的とでもいうほどのものだった。

バルテュスの絵はしばしば自分が心身こぞって宗教画家であることを訴えているのだが（それにもかかわらず、知識人や批評家はその発言がアイロニーだと思いこんだのだが）、この三人に対する敬意をみれば、神学的絵画性あるいは絵画的神学性とずっと一緒にいたことはあきらかである。このことから推察できるのは、バルテュスの少女はジョットであってフランチェスカであり、その姿態はクールベの《眠り》であったということだ。

しかしバルテュスはつねに目前のものを愛していたから（少女アンナや数々の友人やシャッシーの風景）、わざわざ宗教画に題材を求めるようなことはしなかった。中世の教会はバルテュスのアトリエでもよかったのである。それゆえバルテュスの絵に性器や下着がまるみえの少女が描かれていたからといって、また、その少女が窓の向こうを見ている後ろ向きであるからといって、それが裸身の天使でないとはいえないのである。

バルテュスにとって、生涯最高の出会いをもたらしてくれたのは、後半生での節子夫人との運命的な出会いを除けば、少年期のライナー・マリア・リルケと青年期のアルベルト・ジャコメッティと壮年期のアンドレ・マルローだった。

そのころロダンの秘書でもあったリルケは、半ば公然たるバルテュスの母親の恋人でもあった。十一歳のバルテュスは、可愛がっていた猫の「ミツ」のデッサン四〇枚近くをリルケに見てもらっている（ミツの死はバルテュスが最初に失った神だった）。

リルケはこの少年にひそむ東洋性を見てとっていた。すかさずリルケは陸羽《りくう》の『茶書』（茶経）を薦め、東洋文化の紹介者であるヴィクトール・セガランの著作を読むことを促した。さすが、リルケだ。クロード・ロワによると、このころバルテュスがいちばん嵌まっていたのは、『荘子』のフランス語版だったという。やはりリルケの影響だったという（その後、バルテュスは李白にも石濤にも傾倒する。きっと八大山人にも惚れていただろう）。

リルケに感化をうけたバルテュスが、次に出会ったのはガラスケースの中の日本人形である。十四歳のときにベルリンに旅をして民族博物館で日本人形を見たとき、バルテュスは息を呑む。もしヨーロッパにもう一度ルネサンスが訪れるとすれば、そこに描かれる天使はこの日本人形のようでなければならないと思ったらしい。なぜなら、ルネサンスは彼方や遠方からの来訪者を描くことによって時を告げたからだ。このこと岸田劉生に聞かせたかった。

やがてバルテュスはプッサンとクールベの画面と技法に没頭する。異端の画家として早くから知られていたバルテュスが、絵画のマチエールとしても主題としても脱帽していたのがプッサンとクールベであるということは、多くの者にはなかなか信じられないことだったようだが、いまではこれを否定する者は一人としていない。なぜならバルテュスが何度もこのことを自白しているからだ。

こうしてバルテュスはシュルレアリスムからの執拗《しつよう》な誘いにもかかわらず、しだいに画家としての孤塁を守ることを信条とするようになっていく。表現主義にも構成主義にも惹かれなかった。周囲は高慢にさえ見えるバルテュスを自陣に巻きこみ、籠絡《ろうらく》したかった。たとえばピカソはバルテュスの才能を認めたが、バルテュスはピカソよりもブラックの才能を買っていた。マチスも秀でた権威者としてバルテュスの前にあらわれたが、バルテュスにはその絵があまりに省略しすぎていることが不満だった。それなら白隠《はくいん》や仙厓のほうの省略まで突き進むべきだと思ったのである。

こうしたなか、バルテュスの精神を感嘆させたのは、やはりのことジャコメッティだった。「面影」をこそ唯一の表現とするジャコメッティだ。実はアンドレ・ジッドの東洋的面影主義にも好ましいものを感じていたようなのだが、ジッドがシュルレアリスムに毅然《きぜん》とした態度をとらなかったことが気にいらなかったらしい。同じ意味でアンドレ・マッソンにも距離をとった。なかでジャコメッティだけは潔かった。二人は意気投合し、互いに話さないでも理解しあう友人になっていく。さきほど紹介したバタイユに対する反論は、バルテュスがジャコメッティと組んで下した結論だったのである。

アンドレ・マルローがいかに「日本」の本質をつかんでいたかは、第三九二夜に綴っておいた。そのマルローがドゴール政権の文化大臣だったとき、バルテュスに二つの決定的な機会をもたらした。

ひとつはマルローがバルテュスをローマのアカデミー・ド・フランス（バルテュスがその修復に懸けた「ヴィラ・メディチ」のこと）の館長に任命したことだ。それまで一部の者には畏怖されていたとはいえ、美術界からも社会からも異端視されていたバルテュスは、ここで初めてその格調を公認された。バルテュスはメディチの時代に没入し、その館《やかた》を中世の出来事にしてしまう。

もうひとつは、マルローがバルテュスを〝美術日本大使〟として日本に派遣したことである。日本美術の調査と展覧のためだ。これはバルテュスに岡倉天心の役割がまわってきたということだ。バルテュスは「日本」を知り、節子夫人に出会い、一目惚れをする。ベルリンの博物館のガラスケースこのかた数十年、バルテュスはこの世のものとも思えぬ仕草で日本の心を示す生きた日本人形に、ついに出会えたのである。おそらくマルローとの出会いは、すでにリルケが予想していたバルテュスにひそむ東洋性を細胞液まで沸々とさせ、驀進《ばくしん》させたであろうとおもわれる。いいかえればバルテュス自身が日本にこそ出現すべき少女だったのだ。

バルテュスにおける日本はどう見てもわれわれが失った日本である。本書やインタビュー集を読むと、バルテュスの日本理解はまったく一知半解のもので、その言葉からは何も得るものはなく、せいぜいロラン・バルトの『表徴の帝国』の受け売りに近いようなものであるのだが、それにもかかわらず、バルテュスの日本はわれわれが失った日本だと思われる。なぜなら、その「日本」は面影の日本なのである。露伴や鏡花が描いた日本だったのだ。金子光晴《みつはる》が取り戻したかった日本なのだ。

こうしていまや、ぼくはバルテュスの《黒い鏡を見る日本の女》や《朱色の机と日本の女》を継承する者が日本に皆無であることを、ひたすら嘆くのだ。

面影の喪失は日本だけにおこっていることではない。ベルリンにもローマにもミラノにもおこっている。だからこそ、フェリーニは《フェリーニのローマ》を撮ったのだ。そこで最後に、フェリーニからバルテュスを見ることを勧めてみたい。

バルテュスがイタリアにひそむ何かに深い共感をもっていたことは、ルネサンスに対する並々ならぬ関心からみて至極当然なのであるが、それにしては二十世紀後半のイタリアには、その魂を受け継いでいる者が少ないように感じられていた。

そうしたときに、バルテュスの目に飛びこんできたのが一九五四年の《道》に始まるフェリーニの映像だったのである。ジュリエッタ・マシーナの少女性だった。道化とともに出入りする官能だった。

バルテュスは驚嘆し、フェリーニを畏敬する。《カビリアの夜》こそが自分がポーランドに感じようとしたものであることを知り、《甘い生活》がいまの自分におこっていることであることを知る。そして、《アマルコルド》と《フェリーニのローマ》には、自分が描こうとしてきた少年と少女がいることを発見した。

バルテュスはそこに自分とまったく同質の「喪失ゆえの快感」が流れていることを知ったのである。

バルテュスは二〇〇一年に九二歳で死んだ。その面影の絵画化は、その後は節子夫人の油彩の筆に受け継がれている。節子夫人によると、死の直前までバルテュスを悲しませていたのは、フェリーニと約束したフェリーニの肖像画が描けなかったことであるという。フェリーニのほうが先に死んだのである。

〔大切な付言〕バルテュスに会った者やインタビューを試みた者たちが、呆《あき》れたことがあった。ときには眉をくもらす者もいて、ときには同情をする者もいた。それはバルテュスが喋っているあいだじゅう、ひっきりなしに煙草を喫《す》っていたことである。実はぼくがバルテュス好きなのは、ここに始まっている。ああ、バルテュス万歳、おう、老舎《ろうしゃ》先生万歳。

第九八四夜　二〇〇四年五月三一日

参照千夜

一六五〇夜：マリ＝ロール・ベルナダック＆ポール・デュ・ブーシェ『ピカソ』 七三三夜：アウグスティヌス『三位一体論』 四六夜：リルケ『マルテの手記』 五〇〇夜：ジャコメッティ『エクリ』 一四二夜：コスタンツォ・コスタンティーニ『フェリーニ・オン・フェリーニ』 三九五夜：ピエール・クロソウスキー『ロベルトは今夜』 六三四夜：アンドレ・ブルトン『ナジャ』 一〇二三夜：ニーチェ『ツァラトストラかく語りき』 一四五夜：バタイユ『マダム・エドワルダ』 一五九八夜：ルイス・キャロル『不思議の国のアリス／鏡の国のアリス』 五〇九夜：カミュ『異邦人』 九四三夜：『鈴木いづみコレクション』 七〇二夜：フランク・ウィットフォード『エゴン・シーレ』 九五三夜：ド・リラダン『未来のイヴ』 一〇九三夜：周士心『八大山人』 三二〇夜：岸田劉生『美の本体』 七三一夜：白隠『夜船閑話』 八六五夜：ジッド『狭き門』 七五夜：岡倉天心『茶の本』 七一四夜：ロラン・バルト『テクストの快楽』 九八三夜：幸田露伴『連環記』 九一七夜：泉鏡花『日本橋』 一六五夜：金子光晴『絶望の精神史』 九七三夜：老舎『駱駝祥子』

この二十世紀最高の画家の秘密で
勇気と逸脱と官能が流出していきますように！

デイヴィッド・シルヴェスター

回想 フランシス・ベイコン

五十嵐賢一訳　書肆半日閑（発売：三元社）　二〇一〇
David Sylvester: Looking Back at Francis Bacon 2000

DS「あなたの作品はサイズが決まっていますね。ほとんど全部が同じ大きさです。頭部は小さな絵、全身像は大きな絵になっている。しかも全身像の頭の部分は小さな絵の頭部と同じサイズになっている」。FB「それは私の欠点です。融通がきかないんです」（一九六二）。

欠点とは思えない。融通がきかないという性格や資質があるのは少しはわかる気はするけれど、ではトリプティク（三連画）はどうして生まれたのか。あれは融通ばかりではないか。相互浸透ばかりしているのではないか。

いったい、どんなふうに制作しているのかということも、気になる。DS「連作は一枚ずつ描くんですか。それとも同時に描くのですか」。FB「一枚ずつです。一枚描くと、そこから次のイメージが浮かぶのです」。DS「そういう連作を一緒にしておきたいのか、それとも別々になってもかまわないのですか」。FB「理想をいえば、絵が全面に飾ってある部屋の絵を描きたいのです。中の絵は主題がそれぞれ違うのだけれど、連続していると見なせます。私には、絵で埋めつくされた部屋が見えます。スライドを見ているように、そうした部屋が次々に現れます。一日中でも絵画の部屋の白昼夢を見ていられますが、思い浮かんだイメージをそのまま描けるかというと、話は別です。そのイメージが消えてしまうからです」(一九六二)。

こんなふうにも言っている。「僕は自分の絵が、あたかも独りの人間が僕の何枚もの絵の間をカタツムリのように、人の存在の跡と過去の出来事の跡をうしろに残しながら通りすぎたかのように見えるといいと思っているんだ。カタツムリがその粘液の跡を残すようにね」(一九五五)。

学生時代にフランシス・ベイコンの作品群に腰を抜かし、ああ、これしかないぞ、よほどのものだぞ、これほど西洋が抱えこんだ美術の様式の可能性と限界に、内側から挑戦した真剣な試みはないぞと確信してからは、二つのことが気になって困った。ひとつは、どんなふうにあの奇妙なトリプティク(三連画)を発想したのかということ、もうひとつは、ベラスケスの《教皇インノケンティウス十世》をあれほどいじりたくなったのはどうしてかということだ。

いまではだいたいのことが得心できた。デイヴィッド・シルヴェスター（DS）のおかげだ。今夜の千夜千冊も、一九六二年から八四年にかけてDSがまとめた驚くべきインタヴュー集『肉への慈悲』（小林等訳・筑摩書房→ちくま学芸文庫）と、FBが一九九二年に心臓発作で亡くなったあと、いわば親友をめぐる集大成としてDSがまとめた『回想 フランシス・ベイコン』（書肆半日閑・三元社）のお世話になる。

ベイコンについては、ほかにもミシェル・アルシャンボー『フランシス・ベイコン対談』（三元社）、マイケル・ペピアット『フランシス・ベイコン』（新潮社）、ジョン・ラッセル『わが友フランシス・ベイコン』（三元社）、ジル・ドゥルーズ『感覚の論理：画家フランシス・ベーコン論』（法政大学出版局）、アンドリュー・シンクレア『フランシス・ベイコン：暴力の時代のただなかで、絵画の根源的革新へ』（書肆半日閑）といった興味深い本もあるので、ときおり参考にする。ただしなぜか、日本人の言及物ではめぼしいものに出会ったことがない。

「芸術家はふつうの人間とちがって幼年時代から遠ざからない」とベイコンは言っていた。一九〇九年にダブリンで生まれ、第一次世界大戦中はロンドン、戦後はイギリスとアイルランドのあちこちのカントリーハウスで育った幼年時代のFBは、自分のことを弱虫だと思っていたようだ。

よくいえば夢見がちで繊細なのだが、子供にしてすでに意地っぱりでモノラルな思いで周囲や世の中を見ていたから、それにとんでもなくシャイでもあったので、その夢見がちのアタマの中にあるヴィジョンはどうしても歪《ゆが》んだものになっていた。小児喘息《ぜんそく》でもあった。ほとんど学校に行かず、何人かの家庭教師から勉強を教わっていたのも、FBを独りごちが好きな思い込み少年にしたかもしれない。

そうしたことと絡んでいるのかどうかはわからないが、なんといってもベイコンはゲイだった。ゲイのアーティストはコクトーからウォーホルまで、セシル・ビートン、デレク・ジャーマン、メイプルソープ、キース・ヘリングなど、いっぱいいるからめずらしくはないが（作家、音楽家、ファッションデザイナーにはもっといる）、FBほど、そのゲイ感覚が触覚的なマチエールに至っていた画家はいないように思う。ただしこれはぼくの勝手な見方だから、アテにはならない。

FBは自分が男の子か女の子かがずっとわからず、思春期には母の下着を身につけているところを見つかって父にこっぴどく叱られたのがショックだったらしい。だから父のことが嫌いだったのだが、「若い頃はその父に性的に惹かれていました。最初それに気づいたときは性的なものだということがよくわからず、のちに廏舎の馬丁たちと関係をもつようになってやっと、父に対して性的なものを感じていたのだとさとったのです」。

　大胆で病的で、ときに暴力的にも見える作品が話題になってからは、ＦＢがゲイであることはすっかり知られ、五人の恋人のこともわかっている。


　ベラスケスの《教皇インノケンティウス十世》については、絵描きになろうとむずむずしていたごくごく初期から、美術史上最高の傑作肖像画だと思っていた。

　このことは、（1）数ある画家のなかでベラスケスはとびきり凄い絵が描ける、（2）教皇は何か根本的なことを訴える象徴的な存在だ、（3）そもそも肖像画は何かを秘めている様式なのだろう、この三つのことをまぜこぜにして感嘆しているものである。少し解読してみる。
（1）は一番すなおな感想だが、ディエゴ・ベラスケスの抜群の技法がＦＢを襲ったことを伝える。近づいて見るとやや荒々しい筆のタッチが目立つのに、少し離れるときわめて写実的な衣服の襞《ひだ》になる。マネらの印象派たちが驚嘆した魔法のような技法がＦＢを疼《うず》かせたのだ。ベイコンが油彩にこだわりつづけ、絵の具のフェチにはまったのは、ベラスケスのせいだった。
（2）には、教皇が座っている椅子や結界の構成力に脱帽したことと、そこから発揮さ

フランシス・ベイコン《ベラスケスの教皇インノケンティウス10世の肖像にちなむ習作》(1953年)

れているオーラをFBが浴びたことが含まれる。FBはこの絵をモノクロ写真で見て、その後もこの絵を収録した何冊もの画集を手に入れているのだが、そこには神々しいほどの放出力が感じられたにちがいない。これらのことは、のちのちまでFBに「椅子に座って何かを発する」という構図と、そこからはエクトプラズマのようなものが流出していていいんだというモチーフに自信をもたせた。FBが教皇の磔刑《たっけい》を描いたからといって、そこにはなんらの宗教性もなかったのである。

（3）はFB自身がゴッホやピカソの肖像画にぞっこんだったことに、あきらかに結びつく。肖像画はFBの美術の根本で全然アートの全容が入りうるものなのである。もうひとつ、ここには自画像とは何か、写真によるプロフィールとは何かという大問題が含まれる。とくに「表情」だ。FBにとって、ムンクもエゴン・シーレも、エイゼンシュタインやブニュエルの映像表現も、自分が油彩画に引き取って責任をとりたいテーマだった。

ついでながら、のちにライバル関係ではないかと噂されたデ・クーニングの肖像画表現については、決してうっかりしたことを言わなかったけれど、実際には対抗意識もあったはずである。

しかし、ベイコンは意外な告白もしている。DS「ベラスケスの教皇の絵にとりつかれたのは、やはり個人的な意味合いが強かったのでしょうか」。FB「あれは世界で最も美しい絵のひとつですから、とりつかれる画家はいくらでもいると思いますよ」。DS「でも、あの絵をモチーフにしてくりかえし絵を描いた画家はほかにいません」。そこで、ぽつりとFBがひとりごとを言う。「描かなければよかった。教皇が叫んでいる絵は、思ったように描けませんでした」(一九七一)。あれじゃ不満だというのか。もっとキリスト教の奥のグノーシスにまで行ってみたかったのか。

フランシス・ベイコンの絵は想像もつかないような具象画である。しかもほとんどが人物画だ。変形し、捩《ねじ》れあい、体が部分的に陥入し、ときに爛《ただ》れて損傷さえおこしてい

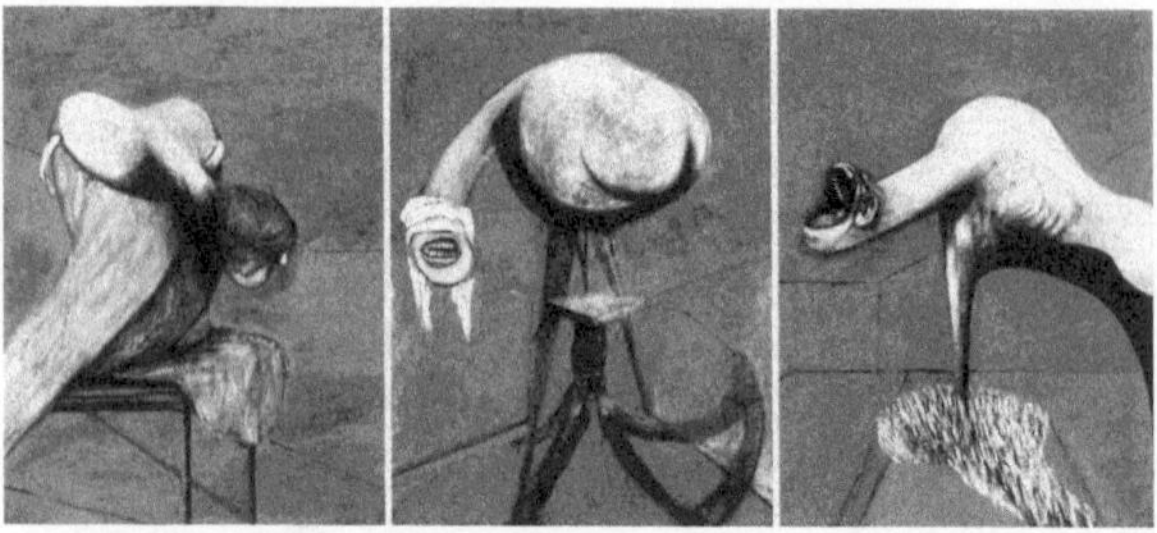

フランシス・ベイコン《磔柱の下の人物三習作》（1944年）

るようだが、ちゃんと靴をはき、室内の中心にいる。

　こんな絵はゴッホにもなかったし、クリムトやシーレの自像感ではないし、ボッチョーニの力動学的な関与でもない。デュシャンの「階段を降りる裸体」ではないし、モディリアニやジャコメッティのように細長くなったのでもない。カンディンスキーやクレーのように造形的な抽象に変じたのでもない。

　DS「抽象画を描きたいと思ったことはありますか」。FB「いえ、描きたかったのは具体的フォルムです。最初期の《磔柱の下の人物三習作》を描いたときからそうです。あの絵は二〇年代終わりのピカソの絵に影響されています」。なかでも次の説明がギョッとする。「絵画表現におけるまだ手付かずと言ってもいい領域全体を示唆しているように思われる絵です。人間の姿に近いが、徹底的にデフォルメされた有機体のフォルムという領域です」（一九六二）。

　けれどもピカソはそこまで描けなかったのではない

か。それかあらぬか、こんなふうにも言う。FB「私が自分で制作したいのは、たとえば肖像画でありながら、いわゆる写実という観点からすればモデルとはなんの関係もないフォルムから生まれた絵です。つまりデフォルメされているにもかかわらず姿かたちを表現している絵です。私にとって現代絵画が直面している謎とは、姿かたちをどのように描けるかということです」というふうに。

そこでDSが問う、「あなたは姿かたちに関する常識的な見方にできるだけ左右されないで、その姿かたちを描こうとしているのですね」。FB「姿かたちとは何か、あるいはどうあるべきかについては基準が確立していますが、姿かたちの描かれる過程が不可思議であることはたしかです。偶然の一筆を加えたために、突如として常識的な描き方では表現できないような生き生きとした姿かたちになることがあるからです。私はいつも偶然を利用してデフォルメし、再構成した姿かたちを描く方法を見つけようとしています」。DS「もとの姿かたちとは決定的に違うのですか」。FB「そうです。仮にも絵がうまくいったとしたら、それはモデルとは異なる、誰もが知らない姿かたちを描くことによって、ある種の神秘が生じたからです」（一九七三）。

ここには、けっこう大きな二つの仮説が出入りする。第一には幼児が家族や友達や先生を描くときに、どんな「姿かたち」にしているのか、したくなるのかということ、第二に美術史はどうして神々やキリストの「姿かたち」にモデルを使わざるをえなかったのかということ、この二つが投げかけてきた問題が出入りする。「肖像」とは「像に肖《あやか》る」ということであるが、それは実物に肖るというのではなく、その像に肖ってきたわけなのだ。フランシス・ベイコンはこの「像」に肖るという大問題の渦中に、なぜか最初から最後までかかわってしまったのだ。

二〇一三年三月〜五月期のこと、東京竹橋《たけばし》の近美で開かれた「フランシス・ベーコン展」で、ぼくはぞくぞくするほど嬉しくなっていた。二度行った。こんなふうになったのは久しぶりのことで、「よし、よしっ。これ、これだっ！　これしかない！」と胸中でガッツポーズをしている自分に呆《あき》れるほどだった。いや、ときどき実際にも小さく拳《こぶし》を握ったかもしれない。ペーター・ヴェルツとウィリアム・フォーサイスがオマージュを捧げたダンス映像と、土方巽の昔の舞台映像が投影されていたのが言わずもがなで、多少気分が殺《そ》がれたけれど、それでもこんなに気分が高揚できたのが自分でも恥ずかしいくらいだった。

こうなると、意中の恋人にずらりと囲まれたような体験をしたようなものだから、その「ぞくぞく」の理由をあれこれ説明することはとても筆舌に尽くしがたく、案の定、ベイコンを千夜千冊するのにも七年も着手できなかったのである。しかしいまになって、あらためてあの会場でガッツポーズをする気になったことのなかで、もしその恋人（すなわちFBの絵画作品群）に何かが欠けていたら、ぼくはそこまで唸《うな》らなかったかもしれないということについて、一言だけふれておきたい。

絞って、三つある。ひとつは肖像を咆哮《ほうこう》させ、肉体をねじ曲げ、これを背景とのコントラストの中に設置したことだ。二つ目はトリプティクのすばらしさだ。三連画の圧倒的なプレゼンテーションの力は、やはり鬼気迫る。しかも見る者を深く沈ませる。そのパノラマ性はデュシャンの「大ガラス」が匹敵するが、大ガラスは一作だけである。レプリカはあるが、デュシャンはあの様式を連打しなかった（できなかった）。ベイコンは連打した。ひょっとして「誰《た》が袖図《そでず》屏風《びょうぶ》」の六曲一双がもしやとは思うけれど、まあ、ベイコンには並ばない。

けれども、この二つのことについてはずっと前から感服していたことなので、当日の会場で唸りを上げたわけではない。

三つ目は、ベイコンが絵画の中に描いている枠や囲みの線だ。あれは意中の恋人のリボンやパラソルや、恋人が見える窓枠や彼女が乗ってきた自転車みたいなもので、ぼくがベイコンに唸るにはどうしても必要な描線であったと思えた。

ベイコンはDSに促されて、こんなふうに説明する。FB「あの枠を使ったのは、主題を見てもらうためです。それだけなんです。ほかにもいろいろ解釈されているみたいですが、ああいう四角い枠を描いて、カンバスを小さくしたのと同じ効果を出したのです」（一九六二）。いや、それだけではあるまいとDSが追い打ちをかける。DS「なんらの意味をもたせようとしたことは、一度もないわけですね」。FBが答える、「ええ、ひとつひとつの絵を切り離しているのです。そして絵と絵のあいだに物語が生じるのを妨げています」。

そんなことだけではないはずだけれど、本人がそう言うのだから、まあ、いいだろう。しかしぼくは、あの白や黒や濁色の線に次々に出会っているうちに、ガッツポーズの拳を握ったのである。

少々、付け加えておきたい。無作為な順番で書いておく。とても順を追ってはベイコンは語れない。

（A）デッサンと写真についてのことだが、ベイコンはデッサンや下描きをしないと言われてきた。またたいていの作品に写真からの転用をしてきた。これについては、「私の心の中ではミケランジェロとマイブリッジが混じり合っているのです」（一九七四）が回答だ。ベイコンはミケランジェロの彫刻には感心していないが、あのデッサンには参っている。マイブリッジの連続写真はベイコン生涯の宝物だった。

（B）ベイコンはいつも自分の絵には「偶然の介入」がおこっていると主張してきた。なぜ偶然の介入がベイコンに必然をもたらすのか。これについてはこう言っている。FB

「純粋だからです。偶然にできたフォルムで大切なのは、それがより有機的で、また、より必然的な効果をもたらすように思えるという点です」。ＤＳ「純粋？　それが鍵ですか」。ＦＢ「そうです、意志が直観に圧倒されている状態です」（一九七四）。

（Ｃ）ベイコンの生活態度については、ずっと以前から周囲が訝《いぶか》っていた。心配もしていた。放蕩《ほうとう》そのものではないが、投げやりだし、無策のように見えるのだ。そこでＤＳが切り出す、「あなたはたいしてお金を持っていないのに惜し気もなく使っていましたが、いっときの間にお金に困ることはなかったのですか」。ＦＢがいろいろ答える。「金のなかったころはよく、盗れるものは盗っていました。盗みとかそういうことをしても良心の呵責をまったく感じないんですよ」。「不公正は人生の本質だと思います」。「ゆりかごから墓場まで国の世話になると、人生はひどく退屈なものになってしまいますよ」。そして、こう言い放つ。「芸術を生み出すのは苦痛や個人差であって、平等主義ではないと思います」（一九七四）。

（Ｄ）仕事ぶりについても、多くの関心が寄せられていた。こんな対話がある。ＤＳ「昔はよく長期休暇をとっていましたよね」。ＦＢ「いまは息抜きは必要ありません。本当のところ、誰も息抜きなんて必要ないんです。休息をとらなくてはいけないというのは、たんなる固定観念です。まあ、つまるところ、私は休日が嫌いなんです」。ＤＳ「制作に夢中になっていると、それが日常生活における恋愛に影響しがちだと感じたことはありますか」。FB「逆です。恋愛のほうが絵の制作に影響を与えます。私はどんな場合にもリラックスできない人間なのです」（一九七九）。

まだまだ、この勝手きわまりないのに、西洋美術の本質を早くに見抜いた男の心得集を紹介したいけれど、このくらいにしておく。では最後にシルヴェスターがまとめたFBの「好み」の一覧をお目にかけておく。

芸術の好み。エジプト彫刻。マザッチョ。ミケランジェロ、なかでもおそらくデッサン。ラファエロ。ベラスケス。レンブラントの肖像画。黒い絵ではないゴヤ。ターナー。コンスタンブル。アングル。マネ。ドガ。ゴッホ。スーラ。ピカソ、とくにシュルレアリスムに近いピカソ。デュシャン、なかでも「大ガラス」。ジャコメッティのデッサン（彫刻ではなく）。

文学の好み。アイスキュロス。シェイクスピア。ラシーヌ。オーブリーの『小伝』、ボズウェルの『ジョンソン』。サン＝シモン。バルザック。ニーチェ。ゴッホの手紙。コンラッドの『闇の奥』。フロイト。プルースト。イエーツ。ジョイス。エズラ・パウンド。エリオット。ミシェル・レリス。アントナン・アルトー。コクトーは好きだが、オーデンやジュネのようなホモセクシャルな作品は大嫌い。

これだから、人騒がせなのである。それでもぼくの好みとは七割ほど重なる。とくにターナーと『闇の奥』が入っているのが、諸君、ベイコンならずとも決定的なのである。それなのにぼくはまだぼくのトリプティクを発表していない（予定では『擬』『準』『肖』になる）。

第一七八一夜　二〇二一年八月三十日

参照千夜

一〇八二夜：ドゥルーズ&ガタリ『アンチ・オイディプス』　九一二夜：コクトー『白書』　一一二一夜：ウォーホル『ぼくの哲学』　一七七夜：デレク・ジャーマン『ラスト・オブ・イングランド』　三一八夜：パトリシア・モリズロー『メイプルソープ』　一六五〇夜：マリ＝ロール・ベルナダック&ポール・デュ・ブーシェ『ピカソ』　七〇二夜：フランク・ウィットフォード『エゴン・シーレ』　五〇〇夜：ジャコメッティ『エクリ』　一〇三五夜：クレー『造形思考』　九七六夜：土方巽『病める舞姫』　五七夜：マルセル・デュシャン&ピエール・カバンヌ『デュシャンは語る』　一二二一夜：ジャック・リンゼー『ターナー』　六〇〇夜：シェイクスピア『リア王』　一五六八夜：バルザック『セラフィタ』　一〇二三夜：ニーチェ『ツァラトストラかく語りき』　一〇七〇夜：コンラッド『闇の奥』　八九五夜：フロイト『モーセと一神教』　九三五夜：プルースト『失われた時を求めて』　五一八夜：W・B・イエーツ『鷹の井戸』　一七四四夜：ジョイス『ダブリンの人びと』　三四六夜：ジュネ『泥棒日記』

追伸

洞窟画とデュシャン

アートをめぐる一冊をお届けする。タイトルの『全然アート』はぼくの勝手な造語で、かつて内外のアートをいろいろ見回っていたころに「全然日記」というノートをつけていたときの名残りだ。

けっこう分厚くなった。それでもベイコン以降の現代アートや、陶芸、工芸、写真、建築、庭、書、ダンス、ファッション、映画などの千夜千冊は、別のエディションにまわした。そのぶん本巻では欧米アートと水墨画や日本画の東洋アートをまぜて、そこに作家の言葉と美術批評の言葉とぼくの感想を交差させてみた。

できれば第一章から順に読んでもらいたい。これでも通して続き読みができるように工夫した。人類はまずはショーヴェやアルタミラの壁に描いた絵によって「洞窟フォーマット」をもった。レオナルドからカラヴァッジョをへてフェルメールにおよぶキアロスクーロ、遠近法、カメラ・オブスクラ、トロンプ・ルイユの仕掛けをへて「象徴の寓意《アレゴリー》化」の技法が確立すると、ついでそれを駆使した「バロックの両界性」が多焦点に立ちあらわれた。それがいったんインテリア化あるいは歴史回帰してロココや古典主義になりながら、そこまでの美術史が印象派やキュビズムによってまるごと壊されていったのである。そこにブラックやエルンストやデュシャンがレディメイドを持ち出してコンセプチュアルアートまみれになった。

一応は本書一冊で、そんな流れが沛然《はいぜん》と、あるいは卒然と浮かび上がってくるはずだ。何が沛然卒然とするかといえば、洞窟画とデュシャンはひとつながりだったということだ。

ぼくはアートを好きに見てきた。鉄則は三つだけ、①贔屓《ひいき》目に見る、②何に触発されたかを感じる、③技法を注視する。そのうえで作品の時代背景や作家の事情、ソーシャルズやサブカルズとの関係、批評の言葉などを補完する。

アートはもともとARS《アルス》であって、仏師や装飾職人や靴づくりの仕事から区別されるべきものではない。どんなアートもアルス・マグナ（大いなる発見術）とアルス・コンビナトリア（組み合わせの技芸）の一部なのである。建物と窓と絵画と神々とアトリビュートとは一緒くたのもので、山岳と恋愛と憂鬱とリプリゼンテーションの動向と暴動と商品とは同じ範疇《はんちゅう》にあるものなのだ。

とはいえ、見た瞬間に「これは凄い」「どうにもむずむずしてたまらない」という衝撃がやってくるアート作品がある。これまで何十回、何百回とあった。そうした当初の衝撃を忘れないようにするため、ぼくはそういうプレゼントをしてくれたアーティストたちを別格扱いしてきた。

たとえばデルヴォー、パルミジャニーノ、鉄斎、キリコ、靉光《あいみつ》、ボッチョーニ、蕪村、ターナー、ユベール・ロベール、クレー、白隠、国芳、ファキール・ムサファー、土方巽、ジャコメッティ、中村宏、ピラネージ、本阿弥光悦、横山操、ハンス・ベルメール、良寛、ボッシュ、相阿弥、ロトチェンコ、北斎、ドレ、ベルニーニ、蒼風、芋銭《うせん》、クレリチ、ピカビア、片岡球子《たまこ》、ベイコン、八大山人、ヨーゼフ・ホフマン、大竹伸朗、バルテュス、若冲、スタインバーグ、楽吉左衛門、パナマレンコ、横尾忠則、エルンスト、森村泰昌、ダリ、バスキア、ロートレック、井上有一、カバコフ、雪村《せっそん》、ビアズリー、山口晃《あきら》、蘆雪《ろせつ》、カラヴァッジョ、オキーフ、石濤《せきとう》、マレーヴィチ、棟方志功……。あしからず。

堀口大學にこんな短歌がある。「老いけらし良寛坊に及ばざり　ロオランサンもアーキペンコも」。ではもう一首。こちらは吉井勇だ。「光悦のすぐれし文字の冴えも知る　本阿彌切れのたふとさも知る」。

松岡正剛

千夜千冊
EDITION

「千夜千冊エディション」は、2000年からスタートした
松岡正剛のブックナビゲーションサイト「千夜千冊」を大幅に加筆修正のうえ、
テーマ別の「見方」と「読み方」で独自に構成・設計する文庫オリジナルのシリーズです。

執筆構成：松岡正剛
編集制作：太田香保、寺平賢司、大音美弥子
造本設計：町口覚
意匠作図：浅田農
口絵撮影：熊谷聖司
編集協力：編集工学研究所、イシス編集学校
制作設営：和泉佳奈子

松岡正剛の千夜千冊　https://1000ya.isis.ne.jp/

千《せん》夜《や》千冊《せんさつ》エディション

全然《ぜんぜん》アート

松岡正剛《まつおかせいごう》

令和３年 10月25日　初版発行
令和６年 11月25日　４版発行

発行者●山下直久

発行●株式会社KADOKAWA
〒102-8177　東京都千代田区富士見2-13-3
電話　0570-002-301（ナビダイヤル）

角川文庫 22899

印刷所●株式会社KADOKAWA
製本所●株式会社KADOKAWA

表紙画●和田三造

●お問い合わせ
https://www.kadokawa.co.jp/（「お問い合わせ」へお進みください）
※内容によっては、お答えできない場合があります。
※サポートは日本国内のみとさせていただきます。
※Japanese text only

ISBN 978-4-04-400666-2　C0195

◆◇◇

角川文庫発刊に際して

角川源義

第二次世界大戦の敗北は、軍事力の敗北であった以上に、私たちの若い文化力の敗退であった。私たちの文化が戦争に対して如何に無力であり、単なるあだ花に過ぎなかったかを、私たちは身を以て体験し痛感した。西洋近代文化の摂取にとって、明治以後八十年の歳月は決して短かすぎたとは言えない。にもかかわらず、近代文化の伝統を確立し、自由な批判と柔軟な良識に富む文化層として自らを形成することに私たちは失敗して来た。そしてこれは、各層への文化の普及滲透を任務とする出版人の責任でもあった。

一九四五年以来、私たちは再び振出しに戻り、第一歩から踏み出すことを余儀なくされた。これは大きな不幸ではあるが、反面、これまでの混沌・未熟・歪曲の中にあった我が国の文化に秩序と確たる基礎を齎らすためには絶好の機会でもある。角川書店は、このような祖国の文化的危機にあたり、微力をも顧みず再建の礎石たるべき抱負と決意とをもって出発したが、ここに創立以来の念願を果すべく角川文庫を発刊する。これまで刊行されたあらゆる全集叢書文庫類の長所と短所とを検討し、古今東西の不朽の典籍を、良心的編集のもとに、廉価に、そして書架にふさわしい美本として、多くのひとびとに提供しようとする。しかし私たちは徒らに百科全書的な知識のジレッタントを作ることを目的とせず、あくまで祖国の文化に秩序と再建への道を示し、この文庫を角川書店の栄ある事業として、今後永久に継続発展せしめ、学芸と教養との殿堂として大成せんことを期したい。多くの読書子の愛情ある忠言と支持とによって、この希望と抱負とを完遂せしめられんことを願う。

一九四九年五月三日